30
ANOS

Meninos em fúria

MARCELO RUBENS PAIVA E
CLEMENTE TADEU NASCIMENTO

Meninos em fúria
E o som que mudou a música para sempre

Copyright © 2016 by Marcelo Rubens Paiva e Clemente Tadeu Nascimento

Grafia atualizada segundo o Acordo Ortográfico da Língua Portuguesa de 1990, que entrou em vigor no Brasil em 2009.

Capa
Alceu Chiesorin Nunes

Créditos das imagens
Rui Mendes

Imagem verso de capa
Inocentes em show no Sesc Pompeia, 1986. Da esquerda para a direita: André Parlato (baixo), Antônio "Tonhão" Parlato (bateria), Clemente (voz/guitarra) e Ronaldo Passos (guitarra).

Imagem p. 7
Salão Beta da PUC-SP, 1982. Clemente (segundo à esquerda) entre os punks Krânio e Tiozinho. De costas, em primeiro plano à direita, Tonhão, que seria baterista do Inocentes a partir de 1984.

Pesquisadora e colaboradora
Paula Sacchetta

Preparação
Mariana Delfini

Revisão
Dan Duplat
Ana Maria Barbosa

Dados Internacionais de Catalogação na Publicação (CIP)
(Câmara Brasileira do Livro, SP, Brasil)

Paiva, Marcelo Rubens
   Meninos em fúria : e o som que mudou a música para sempre / Marcelo Rubens Paiva e Clemente Tadeu Nascimento. – 1ª ed. – Rio de Janeiro : Alfaguara, 2016.

   ISBN 978-85-5652-025-8

   1. Ditadura – Brasil 2. Inocentes (Banda) 3. Memórias autobiográficas 4. Punk rock (Música) 5. Punks I. Nascimento, Clemente Tadeu. II. Título.

16-06779   CDD-920

Índice para catálogo sistemático:
1. Memórias autobiográficas   920

[2016]
Todos os direitos desta edição reservados à
EDITORA SCHWARCZ S.A.
Praça Floriano, 19 – Sala 3001
20031-050 – Rio de Janeiro – RJ
Telefone: (21) 3993-7518
www.objetiva.com.br

Agradecemos aos familiares, amigos e a todos que nos inspiraram na vida e na arte. E dedicamos este livro aos nossos filhos, para que não sigam nosso exemplo.

Pânico em SP

Eu tinha só 22 anos. Os dois últimos, anos de pânico. Eu aguentava? Eu tinha que aguentar! Era a vida. Era a porra da minha vida, o que tinha restado de mim. Se você tem menos de vinte anos, tem fúria no corpo todo. Se tem mais, tem que fazer alguma coisa para se livrar dela. Uma dica: lutar. Que se conjuga da mesma maneira que "criar".

Nos anos 1960, a juventude combateu com pedras, coquetéis molotov, pichações, negou-se a se enquadrar no padrão do adulto-pai, anunciou que era proibido proibir. Parte dela pegou em armas. Nos anos 1980, outra juventude viu que a luta armada que acabou no terrorismo não dava em nada. O futuro não tinha solução. O desencanto virou cultura. O rock, uma arma. Desprezávamos a fama e o consumo. Hoje soa esquisito. Acredite, existiu uma época em que criticávamos a fama, o culto à personalidade, o consumo excessivo que, para nós, trazia à tona as mazelas e as injustiças sociais do capitalismo.

Quem tinha menos de vinte anos era contra o sistema.

É, teve um tempo em que a gente zoava da banda de rock que tinha o próprio avião com o logo na porta, do artista que vendia sua música para propaganda de banco, refrigerante, jeans, protetor solar, cerveja. E se o cara ousasse aparecer com cara de otário num comercial de TV, vendendo um produto de uma empresa americana, passávamos uma borracha na sua reputação. Desprezo. Sua obra ia para o lixo dos traidores. A alta cultura não se misturava com a ralé publicitária. O rock 'n' roll é rebelião, não consumo!

Teve um tempo em que fabricávamos a própria roupa porque éramos contra a sociedade do desperdício. A banda The Clash fez um disco triplo e exigiu que custasse o preço de um disco unitário, porque queria que a classe operária o escutasse. O disco homenageava um movimento guerrilheiro da América Central, o sandinista. Teve um tempo em que as ideias presentes nas músicas eram mais importantes do que a harmonia, a mensagem era mais importante do que o solo virtuoso do guitarrista. Eram palavras cantadas com poucas notas, que propunham um novo mundo, uma nova perspectiva, uma revolução.

E ninguém gritava "Sai do chão!" ou fazia questão que o público "saísse do chão", nem "Mãos pra cima!". Se quisessem sair do chão, se não quisessem, era com eles. A massa é o indivíduo. Cada um recebe a mensagem como quer. Éramos contra a massificação. O verdadeiro rock não é apenas um ritmo, uma dança: entretenimento. Por isso ele é único. O rock verdadeiro é uma militância. O rock é movimento.

Existiu um ano em que o rock explodiu no Brasil.

Existiu um ano em que tudo mudou no Brasil.

Em 28 de agosto de 1982, no palco do Salão Beta da PUC, universidade católica na Zona Oeste de São Paulo, no palco que ficava dois metros acima da plateia sem cadeiras, de piso de madeira que reverberava quando todos pulavam, como um terremoto com efeito surround, nesse palco entrou primeiro a bateria, tum-tá-tum-tá, depois o baixo deu aquele solo batucado de quatro notas, marca da época, então a guitarra solou. Era uma performance da qual ninguém tirava os olhos e que ressuscitava todos os mortos dos cemitérios da área metropolitana. Uns trezentos punks e não punks começavam a dançar. Eu me encaixava na categoria do não punk. A banda aumentava o ritmo. E o refrão:

— *Pânico...*

E nós respondemos:

— *... Em esse pê!*

A banda:

— *Pâ-ni-co...*

E nós respondemos:

— *... Em esse pê!*

A banda:

— *Pan-ki...*

Todos juntos:
— ... *Em esse pê!*
Eu tinha só 22 anos de pânico. Eu tinha que aguentar! Era a porra da minha vida, o que tinha restado de mim. Eu precisava juntar uns pedaços. Meses sem sair de uma maca de hospital: lesão medular incompleta. Meses arrebentado numa clínica de reabilitação física, sem saber para onde ir, o que seria de mim, quem seria eu, como seria meu corpo. Meses já numa cadeira de rodas. Que estresse! Pânico em mim!

As sirenes tocaram, as rádios avisaram que era pra correr. As pessoas assustadas mal informadas se puseram a fugir sem saber do quê...

Sem saber do quê, por quê. Lutar, lutar, lutar. Com vinho barato. Com pinga de garrafão. Com uísque barato, o mais barato do mercado. Não tínhamos dinheiro. Era uísque nacional batizado ou cachaça de garrafão ou vinho de garrafão ou vodca pura que colocávamos goela abaixo. Em copos de plástico. Era a bebida que podíamos comprar. O gelo era a única coisa de origem conhecida naquele coquetel: de uma torneira qualquer.

Tudo misturado com a dose certa de um pó vagabundo, errado, batizado, umedecido pelo contato do seu invólucro com a pele, mocozado na cueca, no saco, na meia, num sutiã, numa calcinha — quando rolava, porque pó ainda era caro. Se não rolava, tinha benzina à venda em qualquer farmácia. Onde se vendia Artane, ou cloridrato de triexifenidila, um remédio para Parkinson. Ou éter. Ou o velho baseado de maconha velha com fungos vindo do Paraguai ou de Pernambuco, misturado com estrume. Década terrível. Fugir. Drogas nojentas!

O jornal, a rádio, a televisão, todos os meios de comunicação. Neles estava estampado o rosto de medo da população. Pânico em SP, pânico em SP, pa-ni-cô em esse pê.

Assim recomeçava a minha vida, há meses fora da clínica: você recebeu alta, garoto, você está pronto, foi o que conseguimos, demos o máximo, o resto é com você, com o tempo. Diagnóstico: tetraplégico. Podia ser melhor, mas podia ser pior, se consola, a vida é assim, você tem que superar, fazer o quê?, teu pau fica duro ainda, já é um consolo, alguma mulher vai te querer?, aí é com você, o pau tá aí, você é jovem, é bonitinho, alguém vai querer você?, aí é com você, já tá na faculdade nova, já fez uns três amigos, aí é com você, sem pânico! Sem pânico.

Mas eu sou tão jovem ainda... Por que comigo?!

Na cadeira de rodas, no gargarejo do palco do Salão Beta da PUC-SP, levado pelos meus colegas da nova faculdade, a sempre em ebulição Escola de Comunicações e Artes da USP (ECA), ouvindo "Pânico em SP" eufórico e dançando, jogado de um lado para o outro. Vinte e dois aninhos! A cadeira de rodas seria minha parceira para a vida toda. A minha desgraça. A minha transportação. Escapara da morte dois anos antes, quase afogado. Estava o cara mais magro, desnutrido, frágil e pálido da face da Terra. Órfão de pai. Estava fodido. Cadeirante novato que passou dois meses na UTI, com muitas internações posteriores, cinco cirurgias — duas no pescoço, três nos braços —, que num dado momento ficou de cama com pneumonia, porque mesmo fraco e abalado fumava um atrás do outro, Hollywood, depois Minister, depois Luiz XV. Fui durante anos conhecido por ser o único cara da turma que fumava Luiz XV, e muitos me gozavam: isso é cigarro de coroa. O comercial com Eduardo Tornaghi e Silvia Jardim durava quatro minutos: um cara fumando de buggy, viajando por aí, ao som de Roberta Flack, *The closer I get to you, the more you'll make me see, by giving me all you've got, your love has captured me the...*, conhece uma caiçara linda numa pousada e dá pra ela um cigarro, "Luiz XV, o sabor naturalmente suave"... Fumei em quartos de hospital, banheiros, corredores, tomando sol, e fumava maconha no chuveiro da casa da minha mãe com um enfermeiro que depois virou traficante, que fumava Parliament, cigarro de coroa chique, slogan "Apenas o sabor toca seus lábios". Por dois anos usei um colete com ferros no pescoço, não mexia os braços, os pulsos, as mãos. Medo do futuro, com escaras na bunda, com sete cicatrizes recém-adquiridas — duas no pescoço, uma em cada deltoide, uma no pulso e uma em cada perna, todas com mais de um palmo de comprimento — e um pino no formato de um grampo de fralda no pescoço: pânico, muito pânico! Agora era comigo.

Chamaram os bombeiros, chamaram o Exército, chamaram a Polícia Militar. Todos armados até os dentes, todos prontos para atirar...

Com raiva do mundo, com raiva do futuro, "Pânico em SP" se transformou no meu mantra. Cercado por aqueles punks, eu me sentia bem, muito bem, tão bem... Minhas mãos ganhavam os primeiros calos, meus cotovelos também, calos do contato com as rodas de borracha, que eu tinha que tocar. Isso é bom. Morava de novo com mamãe. Isso não era bom. Sem um puto no bolso. Isso não era nada bom. Mudava tudo. Decidia me especializar em Rádio & TV. Eu amava música. Eu amava rock 'n' roll. Eu amava Led Zeppelin, Pink Floyd, Sex Pistols, The Clash, Joy Division, Jimi Hendrix, New Order, King Crimson, The Doors, Bob Dylan, Johnny Cash, John Lennon, Chet Baker, Miles Davis, que vi no Municipal com dezesseis anos, Iron Butterfly, Joe Cocker, o primeiro disco que comprei na vida, amava tudo aquilo, Ramones, Lou Reed. Eu amava Inocentes. Eu amava São Paulo. Eu amava "Pânico em SP". E o departamento de Rádio & TV era o único que tinha elevador, ah!

Curiosamente, a banda e os punks me trataram como um xodó: o cadeirante doidão. Eu sentia que, durante o refrão, a cadeira saía uns centímetros do chão: eu levitava. Desafiava-se a gravidade. Nada de magia ou forças transcendentais. Eu flutuava para a direita e a esquerda. *Pânico em SP, pânico em SP, pa-ni-cô em esse pê*. Punks grudavam em mim, uns de um lado da cadeira, outros do outro, e quando dançavam, numa linha apertada, num mesmo ritmo, eu ia junto, mesmo se eu não quisesse, e nem sei se percebiam que minhas rodas não tocavam o chão. Me puxavam, me jogavam, eu girava na roda de pogo, eu gargalhava em fúria, como o mais louco e mais bêbado de SP, entregue a um rito sagrado que me completava, que falava de mim, por mim, *pa-ni-cô em esse pê*! E eu dava socos no ar, balançava a cabeça, gritava a letra, deixava me levarem, eles não vão me derrubar, eles não vão me fazer mal, não eles, tenho pânico de SP, do mundo, do meu corpo, das minhas escaras, infecções, insônias, solidão, do futuro, não daqui, aqui me sinto bem, protegido. Deixo me levarem, não sei como pulo tanto, se não me mexo, eu estava ali no gargarejo, agora estou lá, e volto para ali, eles me sacodem. E se me derrubarem não sentirei nada.

Rui Mendes uma vez me derrubou na frente de uns travestis na Augusta. Não senti nada. Rolei e gargalhamos. E herdei um galo na testa que virou piada na ECA. Rui foi dos primeiros amigos que fiz na faculdade. Rui era o mais maluco. Como fotógrafo, acompanhou tudo desde o começo, estava em todas as casas noturnas, viu todas as tretas, tiroteios, fotografou as bandas (primeiro por conta própria, depois contratado pelas gravadoras, depois para revistas como a *Rolling Stone* brasileira). Me levava a esses shows. Costumava me largar na beira do palco com os punks e ia fotografar com sua máquina Cannon filme PB.

Nunca fui tão feliz. É o dia mais feliz da minha vida. Olho ao redor. Muitos sentem o mesmo. Muitos riem bêbados, dão socos no ar, se empurram, chutam o vazio. Muitos se sentem em pânico, com ódio, e aliviados por poderem gritar naquela catarse. Naquele momento são íntegros, felizes, são os caras mais loucos, bêbados e felizes da face da Terra. É o dia mais bonito de muitos dali. Até alguém gritar:

— A polícia tá aí!

Rota, Rondas Ostensivas Tobias de Aguiar, a elite da elite da polícia, os mais truculentos e sempre impunes, sempre no dever de defender o patrimônio, numa época em que ninguém era cidadão (e o patrimônio, exclusivo de poucos). Todos eram criminosos arruaceiros depravados subversivos drogados, até que se provasse o contrário.

Corre-corre. Eu conhecia as saídas, militante universitário veterano, que começou a combater a ditadura aos dezesseis anos, conhecia todos os atalhos e corredores desde as primeiras manifestações de 1977 na PUC, conhecia a saída pelo estacionamento, descer a rampa no maior cacete, conhecia uma saída mocozada do próprio teatro.

Como um aleijadinho que não quer nada, que estava ali por acaso, um inocente rapaz doentinho branquelo cheio de calos, na sua cadeira de rodas, vítima do destino, magrinho, tadinho, coitado, dá pena, que infelicidade, caiu num lago, bateu a cabeça no fundo, quebrou a vértebra, que dó, saí pela rua de trás, a João Ramalho, dei a volta na quadra, encontrei a rua principal da PUC, a Monte Alegre, fechada por vários carros da Rota, e os soldados com armas na mão. Vi o pau comendo, punks trocando soco com PMs. Punks facilmente identificáveis por suas jaquetas de couro pretas, seus cabelos estranhos, coturnos. Alguns já estavam contra a parede, sob a mira dos trinta-oitões.

Madrugada entrando. Ouvimos a explosão. Gente correndo pela rampa da PUC. De novo. A polícia só sabe fazer isso, só se comunica por porrada e pólvora: estouraram uma bomba no Centro Acadêmico, sob o comando de uma chapa anarquista, que tinha organizado aquele show. Botaram fogo nos arquivos. Como sempre, culpariam os punks pela baderna. Vão dizer na imprensa, vai sair nos jornais: "Os senhores podem ver que punks violentos atentaram contra o patrimônio, atearam fogo, saíram em desabalada carreira, e ainda encontramos material anarquista subversivo no diretório dos estudantes dessa instituição esquerdista".

Aquela guerra declarada entre os punks e a PM não tinha trégua.

Aquela guerra sem cessar-fogo entre os jovens e a polícia não tinha trégua.

Aquela guerra declarada entre o movimento estudantil e a repressão durava duas décadas.

Aquela guerra fria entre a PUC e a PM não tinha fim.

No dia 22 de setembro de 1977, chegou a informação através de agentes infiltrados que estudantes do Brasil todo se reuniam na PUC de São Paulo para refundar a União Nacional dos Estudantes (UNE), entidade estudantil extinta, proibida, subversiva, esquerdizante, colocada na clandestinidade durante a ditadura militar, união de estudantes cujos presidentes estavam ou no exílio, ou presos ou torturados e mortos, para "o bem da sociedade pacífica e do patrimônio da família cristã".

Neste primeiro dia da primavera de 1977, o 3º Encontro Nacional dos Estudantes abrigava cerca de 2 mil militantes no campus. Enquanto isso, rolavam as aulas normalmente: alunos, professores e funcionários da PUC em salas de aula. Reuniões por todos os cantos. Uma grande assembleia rolava naquele Salão Beta. Tinha gente pendurada nas janelas, encostada nas paredes, ao redor da mesa no palco, em cadeiras, no chão. Não cabia mais uma mosca subversiva. Abafado. Cheiro de suor e adrenalina. No palco, naquele palco, em 1977, líderes das várias tendências estudantis, cada qual com sua corrente ideológica contra o sistema, se revezavam: Caminhando, Refazendo, Liberdade e Luta. Quem discursava ficava em pé, disputava atenção, apoiado por sua claque. O debate era infindável.

O inimigo, a ditadura, um só. Cada grupo tinha uma fórmula para combatê-la. Questões de ordem interrompiam os discursos. Votações eram interrompidas por questões de ordem. Votações decidiam se questões de ordem poderiam interromper discursos e votações. Se fora dos limites universitários reinava um regime de terror, uma ditadura em que ninguém podia emitir opiniões, dentro emitiam-se opiniões demais, as pessoas perdiam-se em detalhes semânticos, como: nosso lema deveria ser "Abaixo a ditadura" ou "Pelas liberdades democráticas"? O primeiro soava forte demais, assustaria a sociedade civil que começava a se opor ao regime que ajudou a fundar, com o Golpe de 64, e que sustentou. Mas o segundo era suave demais para descrever o sentimento de ódio e urgência revolucionária que havia em todos nós.

Às 20h45 dessa noite inesquecível e histórica de 1977, bombas começaram a espocar. Cavalos relincharam, soldados da Tropa de Choque apareceram descendo as rampas da universidade, chutando o que viam pela frente. Nossa conhecida inimiga das passeatas deu borrachadas e insultou todo mundo. Reuniões clandestinas aconteciam em muitos cantos da PUC. A segurança do evento era bem organizada. A liderança saiu por uma porta lateral. Grupos mais mobilizados se dispersaram pelo labirinto de corredores da universidade, esconderam-se no subsolo do Tuca. Sobrou para a massa estudantil. PMs, investigadores civis do Dops, que chamávamos de "ratos", e a Tropa de Choque eram chefiados pelo secretário de Segurança Pública em pessoa, que berrava ao megafone. Bombas de gás, estudantes pisoteados e queimados. O cerco se fechou. Quem não conseguiu fugir foi levado para um estacionamento em frente. Ficaram sentados. Ao todo, setecentos estudantes.

Participaram quinhentos homens da Tropa de Choque, na mais truculenta ofensiva policial contra a autonomia universitária durante todo o regime militar. Enlouquecidos, quebraram salas de aula e de professores. Arrombaram portas, quebraram máquinas de escrever e móveis, queimaram livros, fichários e material didático. Dom Paulo Evaristo Arns, arcebispo de São Paulo, voltou no dia seguinte de Roma e acusou a polícia. Quarenta e dois estudantes foram fichados sob acusação formal de transgressão à Lei de Segurança Nacional. O

Estado divulgou para a imprensa que foi recolhido "material de alto teor subversivo": faixas e panfletos que pregavam o ressurgimento da une. A Igreja se revoltou. A ditadura começava a ruir na manhã seguinte à invasão.

Chubby Doo Down Down

Em Santa Cecília, bairro central de São Paulo, no mesmo ano de 1977, uma peça carioca estreava no Teatro das Nações. Rolava num cenário completamente vazio. Duas garotas "andavam" por uma rua no palco. Tomaram Mandrix. Estavam bem chapadas. Seguiram para o orelhão mais perto.

— Orelhão-ão, você é a maior orelha do mundo.
— Diz que se ele fizer uma ligação legal, eu agito um brinco pra ele.
— Um argolão. Ouviu, orelhão?
— Vou ligar pro Chubby.

A língua ficava cada vez mais enrolada.

— Alô, Chubby Doo Down Down? Como vai? Sabe com quem está falando? Não? Ó. Para de fazer silkscreen e desce!
— Tá assim de dragão aqui na rua. (*Pega o fone*) Alô? Escuta aqui, garanhão, bonitão, gostosão da minha vida, duas mulheres te esperam ardentemente. (*Passa o telefone*) Julita, diz que vou esperar por ele completamente nua.

Mais tarde, as duas estão na calçada, vendo TVs ligadas na vitrine de uma loja.

— Será que um dia na minha vida eu vou ser feliz? *Eles* falam do que interessa. A nossa vida, que interesse tem, hein? Diz, diz...
— Ninguém fica bem vestido, penteadinho, galã o dia inteiro. O Chubby nunca me fez uma declaração de amor como eles mostram nessas telinhas. Ele fica só me agarrando, passando a mão nas minhas coxas.

Nunca se vira nada parecido no teatro brasileiro: garotas se drogando, garotas com tesão, garotas doidas pelas ruas, infelizes, que falavam como nós, pessoas comuns, falavam. Em plena ditadura, a garotada enfim, em sessões lotadas, sentia-se representada. Peça de uma dramaturgia não convencional: criação coletiva.

Ensaiaram a peça na puc do Rio, depois numa salinha da Casa do Estudante Universitário, no Flamengo. Nos anos 1970, nós, estudantes, íamos para lá quando queríamos um lugar para ficar no Rio. E não pagávamos nada. Como fiquei na Casa do Estudante de Salvador, Campina Grande, Ouro Preto, em congressos estudantis. Nós viajávamos e nos hospedávamos nelas, eram de graça, dormíamos em beliches, eram decentes, banheiros o.k., limpos. Um estudante universitário podia ficar hospedado por dias. Queimaram a sede da une em 1964, perto dali, mas mantiveram a Casa do Estudante. Tempos malucos.

A peça era *Trate-me leão* e não tinha patrocínio. Não existiam patrocínios, leis de incentivo, fomento. Empenhávamos a casa, carros, pedíamos empréstimos em bancos, para montar uma peça, gravar a demo de um disco, escrever um livro, fazer um jornal mimeografado. Sim, íamos a um gerente de banco pedir um empréstimo. Para o quê? Para fazer uma peça de teatro. Sobre o quê? Bem...

Peça com Regina Casé, Luiz Fernando Guimarães, Perfeito Fortuna, Patricya Travassos, Evandro Mesquita, Nina de Pádua, Fábio Junqueira. Hamilton Vaz Pereira era o diretor. Foram presos em Porto Alegre. Em São Paulo, fizeram uma temporada concorrida no teatro embaixo do Minhocão. Região perigosa, escura, poluída, degradada, de cortiços. Muitos mendigos dormiam sob os pilares do elevado: a merda do Minhocão, que estragou aquela parte da cidade, um dia incrivelmente rica e próspera.

Eles apareciam pelados em uma cena. Eram lindos e bronzeados, corpos perfeitos. Não era mais novidade ver atores pelados em cena. A quadras dali, no Theatro São Pedro, com agá, do outro lado do Minhocão, muitos apareciam pelados na peça *Macunaíma*, de Antunes Filho. Na ditadura, nossos pensamentos eram vedados, nossas palavras, mais ainda, mas nossos corpos eram livres. Nossos corpos e cabelos eram nossa única possibilidade de expressão.

Ficar pelado nos anos 1970 era "a" transgressão. Nina e Patricya peladas eram as garotas que todos os garotos sonhavam ter. Evandro era o rapaz que todos sonhavam ser, que invejavam e que as garotas sonhavam namorar, como Fernanda, minha futura namorada. A música de espera era Bob Marley. Era a primeira vez que ouvíamos Bob Marley. Deixavam tocar o disco todo. Eles tinham aquele sotaque carregado carioca, usavam gírias cariocas. Regina Casé arrasava doidona de Mandrix, falando de Chubby. Eu nunca tinha tomado Mandrix. Tinha cheirado benzina, tomado chá de cogumelo uma vez, que não bateu, eu fumava maconha, tinha cheirado pó, mas pouco, era caríssimo na época, pó peruano, puro, não colombiano. O colombiano só chegou ao Brasil nos anos 1980 (depois que Pablo Escobar se acertou com o Comando Vermelho) e matou muitos amigos. Artane era muito popular entre os punks. Com birita. Acho que nunca ninguém da face da Terra com vinte anos de idade tomava Artane sem birita. Nunca tomei Artane. Tomei muita pinga. Muita. E uísque barato nacional.

Regina Casé tinha um corpaço. Gostosaça, como dizem os cariocas. Dizem que Caetano Veloso se apaixonou por ela. Compôs: *Rapte-me, camaleoa, adapte-me a uma cama boa, capte-me uma mensagem à toa de um quasar pulsando loa, interestelar canoa, leitos perfeitos, seus peitos direitos me olham assim, fino menino, me inclino pro lado do sim...*

Muitos dos meus amigos, como eu, amavam Caetano. Mas nós odiávamos essa música. Era das piores músicas que o Caetano, de *Araçá azul, London London, Transa,* fez na sua pior fase, fase deslumbrada, fútil, chata, influenciado pela indigesta discoteca odara. Quasar pulsando loa... Leitos perfeitos, peitos direitos. *Rapte-me, adapte-me, capte-me, It's up to me, coração, ser, querer ser, merecer ser, um camaleão... Rapte-me, camaleoa, adapte-me ao seu ne me quitte pas...* Rapte-me como "trate-me". Caetano, o grande anarquista, que acusou a velha esquerda de não estar entendendo nada nada nada, não representava mais a transgressão. Dançar para o corpo ficar odara?! Ah, vai...

O Brasil não era mais o mesmo. A velha esquerda não seduzia mais uma juventude que, depois de ler os existencialistas, começava a ler Nietzsche. A melancolia dopava como Mandrix e Artane. Não se tinha fé na utopia, no futuro. Os hippies acabaram com tudo.

Na perifa, os hippies eram chamados de "bundengos". Fodam-se os hippies com sua passividade irritante, seu isolamento, sua busca por uma essência de vida (vida que não faz sentido).

Evandro Mesquita fez a Blitz. O primeiro rock popular a ser inserido na MPB e a escancarar a porta para um novo rock brasileiro (que só existia no underground): *Sabe essas noites que você sai caminhando sozinho de madrugada com a mão no bolso na ruuuuuuua, e você fica pensando naquela menina, fica torcendo e querendo que ela estivesse na suuuuuua [...]. Você diz pra ela: Tá tudo muito bom, tá tudo muito bem, mas realmente, mas realmente eu preferia que você estivesse nuuuuua...*

"Você não soube me amar" vendeu "pacas", como dizíamos. Não parava de tocar nas rádios, na TV. Megassucesso. Lançada em 1982 pela EMI Odeon, deu numa corrida ao tesouro. Empresários predadores de gravadoras multinacionais descobriram que existia um novo rock brasileiro na selva, uma garotada inquieta e a fim, e queriam a carniça.

Lobão, o baterista da Blitz, que deu o nome da banda, que teve a ideia de chamar garotas para cantar, a la Gang 90, sacou que ela virava um produto teen de alegria e festa, nada a ver com o clima pesado da época. Demorou um tempo para assumir a banda. Desistiu para priorizar sua carreira solo com *Cena de cinema* já em demo. Lobão era um caso à parte. Menino-prodígio, chegou a ser convidado para tocar no disco dos Secos & Molhados quando tinha dezesseis anos. Era um roqueiro múltiplo: gostava de samba, bossa nova, jazz, do rock pesado e do punk. Saiu da Blitz sem olhar para trás, sem se arrepender, e fez uma carreira mais sólida e eclética.

Em 1982, a Gang 90 lançou "Louco amor", que virou tema e título de novela. Mas era pouco. A Blitz mostrava uma irreverência deliciosa e pagã. Reverberavam dramas de uma classe média carioca que via o pôr do sol do Arpoador e tinha tempo de sobra para sair por aí. E aqueles que não tinham porra nenhuma?

O jovem proletário que vivia os destroços da crise do petróleo de 1974 e de 1977, que destruiu a economia de países dependentes, como o Brasil, e colocou uma estaca de prata no coração da Revolução Industrial, no modelo vampiresco do capitalismo? E os projetos sociais sendo retirados da agenda de governos que defendiam os trabalhadores, como o de Thatcher, que torcia o nariz para uma greve de lixeiros? E as ditaduras de direita da América do Sul se fortalecendo, unindo-se, realizando operações conjuntas, torturando, matando, censurando, prendendo adoidado? Em 1973 o Chile caiu. Ditadura! Em 1976 a Argentina caiu. Ditadura! No Brasil, a censura nos jornais começa a ser levantada aos poucos. E logo se descobriu. A GE do Brasil admitiu que pagou comissão a alguns funcionários do governo brasileiro para vender locomotivas à estatal Rede Ferroviária Federal. Junta Militar que sucedeu Costa e Silva tinha aprovado um decreto-lei que destinava "fundos especiais" para a compra de 180 locomotivas. A corrupção estava entre nós, corroendo, corroendo...

Todo mundo leu no *Estadão* a reportagem do Ricardo Kotscho sobre mordomias de ministros e servidores em Brasília: uma piscina térmica banhava a casa do ministro de Minas e Energia, enquanto o do Trabalho contava com 28 empregados; na casa do governador de Brasília, frascos de laquê e alimentos eram comprados em quantidades imensas (6800 pãezinhos foram adquiridos num mesmo dia).

Descobriu-se que filmes proibidos pela censura, como o pornô chique e delicioso *Emmanuelle*, eram permitidos a servidores públicos. Censuravam para o povo, mas nas telas dos gabinetes de Brasília só dava a atriz Sylvia Kristel nua.

No governo do general Médici, o ministro do Exército tinha uma casa de veraneio na serra fluminense com direito a mordomo. Generais quatro estrelas do Exército tinham direito a dois carros, três empregados e casa decorada. Os generais de brigada, duas estrelas, que se mudavam para Brasília, tinham direito a um checão de 27 mil dólares para comprar mobília. Cabos e sargentos prestavam serviços domésticos às autoridades.

O país se degradava economicamente. São Paulo empobrecia; entrava na década de 1980 com os rios podres, suja, industrial, operária, anarquista, sindical, poluída. O centro de São Paulo, abandonado. Os escritórios, grandes empresas e hotéis se mudavam para Paulista, Faria Lima. A cidade era como um cenário apocalíptico. Cinemas antes frequentados por nossos pais e avós viravam pornôs. Bares e restaurantes fechados. Sem-teto se espalhavam pelas escadarias de igrejas e do Municipal. Em frente às ruínas do Andraus, prédio enorme que pegou fogo em 1972, tinha o Treme-Treme, antigo hotel que se transformou no maior puteiro da cidade, andares e mais andares de mulheres de todas as idades, que ficavam pelas escadas em busca de clientes e trepavam em miniquartos com divisórias de papelão, limpavam-se em penicos, uma porcentagem alta delas com gonorreia. Seguindo em frente, cruzava-se com os pixotes, menores abandonados estatelados no Anhangabaú e na praça da Sé, de tanto cheirar cola.

Garçom, não me traz uma batata frita, me traz aquele uísque nacional batizado, naquele copo mal lavado e com uma pedra de gelo, uma mosca congelada dentro. Me traz dois. Me traz três. Tínhamos medo de andar por ali. Não medo de bandidos, de viciados, de bêbados. Nem medo de brigas, de travestis irritados. Mas da polícia. Medo da Rota. Medo de invocarem conosco e nos darem uma batida, uma geral. De apontarem as armas, mãos na cabeça, nos revistarem e encontrarem uma ponta, um baseado, um canivete, qualquer porcaria, ou, se não encontrassem e não fossem com a nossa cara, de plantarem uma ponta, um baseado, qualquer merda, e nos levarem em cana, porque nossos destinos ficavam em suas mãos, eles eram deuses supremos, seres superiores mandantes. Se não fossem com a nossa cara, se não estivessem num bom dia, se suas mulheres deram trabalho, se eles brocharam na noite anterior, se enfiaram a porrada no filho respondão e estivessem arrependidos, eles descontariam em nós, jovens transeuntes de cabelos estranhos de viadinho, roupas de viadinho, playboys viadinhos subversivos, que não tinham nada que se meter com eles, nada que ficar vadiando por aquelas ruas, nada de cruzar em seus caminhos infelizes, tinham que ficar em casa com suas mamães, filhinhos de papai filhos da puta maconheiros estudantes vagabundos. Tudo viadinho. E comunista.

Tínhamos medo da Rota, da Polícia Civil, da Militar, de milico, atravessávamos a rua quando passávamos por uma delegacia, evitávamos as calçadas do Exército, da Aeronáutica, do Dops, do DOI-Codi, os órgãos da repressão política, nem ousávamos passar em frente, atravessávamos a rua, alterávamos nossa rota, desviávamos do caminho, porque tínhamos medo, morríamos de medo deles, que podiam tudo contra nós, mandavam na cidade e no país, decidiam o que deveríamos ver, ouvir, falar, como nos comportar, como ser um patriota exemplar e por onde andar.

Ali no centro, chegavam os primeiros vinis nada comportados ou patriotas dos Ramones. Depois, Sex Pistols. Que deram um eletrochoque na cultura mundial. Que fizeram todo o sentido: *I'm an antichrist, I'm an anarchist. Don't know what I want, but I know how to get it. I wanna destroy the passerby.* E ninguém imaginava que era possível: aqueles cabelos, aquela roupa, aquelas correntes, aqueles coturnos. Eles inventaram aquilo?

Aquilo já existia. Gangues da periferia já se vestiam do jeito dos Ramones. Aquilo é rock! Aquilo fazia todo o sentido: *'Cause I wanna be anarchy in the city*. São Paulo, da tradição anarquista. Do primeiro jornal anarquista (de 1904), *La Battaglia*, cujo lema era: "Ma qui siamo in Brasile, e val meglio calar-se, carcamano, filho da puta, se non vogliamo sentirci brontolar dietro le orecchie: carcamano e filho da puta!".

Por aquelas ruas do centro de São Paulo rolaram os primeiros levantes anarquistas, as greves históricas de 1907, 1909, 1917, que queriam a derrubada do capitalismo. É preciso que a civilização libertária se levante sobre os escombros da sociedade capitalista! Em 1917 aconteceu a greve geral mais longa da história: barricadas por toda a cidade. Liderada pelo maior anarquista de todos, Edgard Leuenroth. O jornal nascido no Partido Republicano, o *Estadão*, escreveu sobre ele: "Toda a imprensa o considera um sonhador, um utopista, desses que põem toda a sua alma na propaganda das ideias que um dia irão dominar o mundo inteiro".

Escreveu Leuenroth sobre o gigante comício anarquista de 1917 na praça da Sé:

Foi indescritível o espetáculo que então a população de São Paulo assistiu, preocupada com a gravidade da situação. De todos os pontos da cidade, como verdadeiros caudais humanos, caminhavam as multidões em busca do local que, durante muito tempo, havia servido de passarela para a ostentação de dispendiosas vaidades, justamente neste recanto da cidade de céu habitualmente toldado pela fumaça das fábricas, naquele instante, vazias dos trabalhadores que ali se reuniam para reclamar o seu indiscutível direito a um mais alto teor de vida. Não cabe aqui a descrição de como se desenrolou aquele comício, considerado como uma das maiores manifestações que a história do proletariado brasileiro registra. Basta dizer que a imensa multidão decidiu que o movimento somente cessaria quando as suas reivindicações, sintetizadas no memorial do Comitê de Defesa Proletária, fossem atendidas. O término do comício teve o mesmo aspecto de que se revestiu o seu início. A multidão se desdobrava em numerosas colunas que se punham em marcha, de regresso aos bairros. Os militantes mais visados retiravam-se no meio de grupos espontaneamente formados. Soube-se mais tarde que, em pontos distantes do local do comício, haviam-se realizado várias prisões.

A anarquia fazia sentido ainda no final dos anos 1970. Era preciso derrubar uma cultura brasileira absurdamente acomodada, alienada. Era preciso destruir tabus. Faltava dinamitar valores e ambições de uma classe social branca, uniforme, burguesa, elitizada. Precisávamos da volta da anarquia!

Ninguém aguentava mais John Travolta, a discoteca, as luzes coloridas, o monocórdico apresentador de telejornal, que apenas lia a notícia, não emitia opiniões, não se revoltava, não instigava. A banda Secos & Molhados trouxe um visual ousado, mas sua música ainda tinha muita melodia, muito trinado. Gilberto Gil, sob influência de arranjos pasteurizados, cantava "quanto mais purpurina melhor", que substituíamos nos shows por "quanto mais cocaína melhor". Roberto Carlos tornara-se o bobo do reino, cantando em festas de fim de ano, renegando o que fizera de mais radical. *Construção*, de Chico Buarque, era radical. Raul Seixas era radical. Tim Maia tocava só para negros em shows no Palmeiras onde só entravam negros. Radical. Tom Zé era radical. Jards Macalé, Jorge Mautner, Jorge Ben. Radicais. Mutantes eram malucos. Luiz Melodia era radical. Adoniran era radical. Mas a acomodação da MPB era desesperadora. Tropicália e Clube da Esquina foram os últimos movimentos que tocaram a alma e o cérebro.

No final dos anos 1970, não acontecia nada, nada, nada de relevante na indústria musical. O vazio era tamanho que a TV Cultura promoveu um festival universitário da canção em 1979 para descobrir se alguém ainda fazia música por aí. Ganhou Arrigo Barnabé. No baixo, Itamar Assumpção. Barbada. Em segundo lugar, Premeditando o Breque. Ficaram conhecidos como Vanguarda Paulistana. Som sensacional, cerebral e elitizado. Som uspiano demais.

A Tupi também fez um festival logo em seguida no Anhembi. Arrigo ganhou de novo. Em outro festival, Walter Franco, também da Vanguarda, apresentou "Canalha". Opa, o rock começa a ser rock: *É uma dor canalha, que te dilacera, é um grito que se espalha, também pudera. Não tarda nem falha, apenas te espera, num campo de batalha. É um grito que se espalha. É uma dor... canalhaaaaa.*

Na lista dos dez discos mais vendidos em São Paulo em 1977, ano mágico para o movimento punk mundial, a mesmice:

1. *Espelho mágico* (Coletânea de novela)
2. *Music machine* (Vários)
3. Elton John
4. *Sem lenço, sem documento* (Coletânea de novela)
5. *Sucessos Pop Difusora*
6. Roberto Carlos
7. *Discoteca Hippopotamus* (Vários)
8. Clara Nunes
9. Beth Carvalho
10. Elis Regina

E, no Rio de Janeiro, enquanto os punks começavam a dominar o mundo, o que se vendia:

1. Alcione
2. *Espelho mágico* (Coletânea de novela)
3. Beth Carvalho
4. Elton John
5. *Dona Xepa* (Coletânea de novela)
6. Jorginho do Império
7. Roberto Ribeiro
8. Roberto Carlos

9. *16 hits originais* (Vários)
10. Belchior

Quem salvou o ano foi a revista *Pop*, que lançou uma coletânea punk que trazia Sex Pistols, Ramones, The Jam, Ultravox, London, Stinky Toys. Em outubro de 1979, a jornalista bem informada Ana Maria Bahiana publicou na *Veja* uma reportagem prevendo quais seriam as vozes da década seguinte no Brasil, a de 1980. Rock pesado, punk, new wave? Nada disso. Dizia que nascia uma geração menos panfletária, menos reprimida. Listou nomes como Byafra, Tunai, Oswaldo Montenegro, Olivia Byington, Fátima Guedes, Elba Ramalho, Joana, Diana Pequeno, Marlui Miranda, jovens hippies, bonitos, do bem, que cantavam bem, mas embrulhavam o estômago de quem queria se rebelar.

A Globo entrou por último na onda dos festivais, procurando reviver o sucesso e a repercussão do passado. Era de vomitar. O MPB-80 teve a final no Maracanãzinho, como os festivais que já não existiam mais. Oswaldo Montenegro ganhou com "Agonia". Que pesadelo! Que atraso. Que agonia... "Foi Deus quem fez você", cantada por Amelinha, ficou em segundo. De acordo com ela, Deus me fez e fez o amor. A revista *Som Três* soltou a lista dos novos contratados pelas gravadoras: Ângela Ro Ro, Paulo André, Gilliard, Zé Ramalho.

No MPB-81, a agonia foi maior. Ganhou "Purpurina", cantada pela gostosa da Lucinha Lins, a mulher loiraça de Ivan Lins. "Planeta Água", de Guilherme Arantes, era a preferida do público. E lá estava, escondidinha entre um bloco e outro, a música "Perdidos na selva", de Júlio Barroso, e a Gang 90. Teria sido a aparição mágica do primeiro rock brasileiro dos anos 1980 na TV.

Em 1981, os punks de São Paulo já lotavam shows no subúrbio, organizavam festivais: Restos de Nada, a primeira banda punk do Brasil, se dividiu em Condutores de Cadáver, que deu no Inocentes. Com Cólera, Ratos de Porão, Lixomania, tocavam em shows nas zonas Norte, Leste e Sul. No ABC dos parques industriais e montadoras de carros surgia um punk oriundo do movimento operário. Em Brasília, Aborto Elétrico se dividia em Capital Inicial e Legião Urbana. Paralamas já existiam. O Ira também. Os Titãs se formavam. Trocaram de baterista com o Ira!. Leo Jaime indicava o franzino Cazuza à banda stoniana Barão Vermelho. Em 1982, uma passeata de artistas seguiu pela praia do Rio para uma lona de circo armada no Arpoador, liderados por Fortuna, de *Trate-me leão*, fundando o Circo Voador. Em São Paulo, o Carbono 14 nascia no Bixiga. Depois, a boate Napalm, ao lado do Minhocão. E os caras cantando *foi Deus quem fez você...* De fudê!

Só em poucas rádios o rock rolava. Na Fluminense FM, do Rio, que recebia fitas demo de bandas de rock do Brasil todo. E na Excelsior FM, de São Paulo. Desde 1979, Kid Vinil tocava punk rock num programa às dez da noite; punk que era punk não perdia. Maurício Kubrusly, no *Senhor Sucesso*, também na Excelsior, tocava demos de rock, bandas novas daqui e de fora. Marcelo Nova lá de Salvador também tinha um programa, *Rock Special*, antes de comandar a banda Camisa de Vênus e estourar (até a mulher do dono da rádio ouvir aquilo e pedir a sua cabeça). E a 89 FM, a Rádio Rock, saía da casca. O rock existia na sombra, não na luz. Apenas uma revista, a *Pop*, cobria.

Em "Você não soube me amar", da Blitz, faltavam os escombros, para marcharmos sobre eles. Destruir para reconstruir. Faltavam as "questões de classe". Faltava a leitura completamente niilista da juventude brasileira. Faltava o sentimento de desespero, acuamento, vazio, tédio. Faltava a terra arrasada. O mergulho de cabeça. Faltava o olhar sem brilho do(a) jovem diante de um mundo que não tinha encanto algum, que talvez não o(a) merecesse, que certamente não o(a) entendia e por isso o(a) entediava, o olhar de desprezo pelas pessoas, pelas regras sociais que fatiavam suas asas. O olhar com que começamos a nos habituar depois que Marlon Brando chegou de moto com sua enorme gangue, a Black Rebels Motorcycle Club, numa cidade no meio do nada na Califórnia.

É o olhar em *The Wild One*, o rebelde, que no Brasil ganhou um título condizente com o espanto que o filme causou numa sociedade ultraconservadora: *O selvagem*. Talvez Marlon Brando tenha sido o primeiro a desafiar os velhos conceitos com o uniforme de guerrilha peculiar dos jovens, um jeans e casaco de couro. Jeans que aguenta tudo, calça barata e resistente. Couro resistente, pele de animal: armadura viva. Sobras e sobras de aviadores de uma guerra que já tinha acabado e tinha acabado com as esperanças da humanidade. Pilhas de casacos de couro à venda em toda parte.

Era 1953 quando o motoqueiro Johnny Strabler (Brando) e sua gangue chegaram em Carbonville, naquele fim de mundo, com sua Triumph Thunderbird 6T, para tocar o terror na aparentemente pacata vida sem sentido. Lá se encontrou com a gangue rival, liderada por Chino, sua sombra, seu oposto, um avacalhado Lee Marvin (sem jeans, sem couro). Começam a brigar na rua central. Um morador pergunta ao barbeiro local:

— Por que estão lutando?

— Não sei. E talvez nem eles saibam.

James Dean, Montgomery Clift, Elvis se apropriaram desse estilo. E Johnny Cash, este sim, mais punk que muitos punks. Aquele estilo encurvado, o couro como armadura, um cabelo zoado, o sentimento de não ser parte de nada, de não se encaixar, de estar muito à frente ou muito atrás, de não aceitar abrir mão do seu jeito, de não se conformar com as regras impostas, com os velhos manuais, mas também sem ter o que propor, já que a vida não fazia sentido e o futuro não existia. Esse espírito atravessou os anos 1950 na literatura e no cinema, viveu em guetos nos 1970 e voltou com tudo na música: Ramones é o fim! Sex Pistols é o fim! É a pá de cal. Ou o recomeço? A origem.

No Brasil, um garoto negro, filho de uma empregada com um baiano, que se criou na Zona Norte de São Paulo, zona de gangues, decidiu partir para o confronto e liderar a causa punk. Um anarquista que acreditava que os punks formariam a vanguarda revolucionária que destruiria o capitalismo na guerra internacional, a voz do subúrbio, da revolução permanente: Clemente Tadeu Nascimento. Se você tem mais de vinte anos, tem que fazer algo para se livrar da fúria: criar, que se conjuga como "lutar". É sobre ele este livro.

Garotos do subúrbio

Seu Clementino Lopes Nascimento, baiano de Cruz das Almas, veio para São Paulo em paus de arara, caminhões improvisados em que cabiam dezenas de migrantes, trabalhar na construção civil na grande leva de baianos que migrou para o Sudeste nos anos 1950.

O pedreiro fez dinheiro na cidade que mais crescia da América Latina. Foi ser empreendedor. Primeiro, virou camelô, especialista em guarda-chuvas. Para um cara vindo da seca, uma cidade em que só garoava, com uma dinâmica economia informal, parecia a oportunidade. Alguns mascates fizeram fortuna. Silvio Santos vendia gravatas nas ruas, montou um império de telecomunicações, lojas e crediário popular. Girz Aronson, russo de origem judaica que chegou ao Brasil com dois anos de idade, começou vendendo bilhetes de loteria. Em 1944 vendia casacos de pele. Construiu um império de 38 lojas de produtos populares, que chegou a um faturamento de 350 milhões de reais por ano.

Seu Clementino tinha tudo para expandir. Saiu das ruas. Cresceu aos poucos. Pegou o boom econômico da era JK. Chegou a ter cinco lojinhas espalhadas pelo centro, que vendiam de tudo, de guarda-chuva, sua especialidade, a rádio e chapéu. Não bebia. A família Nascimento morava de aluguel, mas vivia bem. O pai tinha um fusquinha branco e outro marrom. E uma vidinha de classe média ex--proletária digna do milagre paulistano. Mas dois detalhes impediam seu Clementino de florescer nos negócios:

1. Era mulherengo.
2. Era negro.

A mulher, dona Alice, organizava sozinha a bagunça de uma casa com filhos legítimos, ilegítimos e agregados. O marido nunca estava. Ele trabalhava fora, sempre chegava tarde, trabalhava até em finais de semana, vez ou outra viajava para buscar mercadoria, passava dias fora. Teve filhos com três mulheres diferentes. E, claro, isso teve um preço: foi perdendo tudo o que conquistou, especialmente na grande recessão do começo dos anos 1960: inflação alta, instabilidade política e dívida. Quando nasceu seu primeiro menino, Clemente, em 12 de maio de 1963, no Hospital Matarazzo, só lhe restava uma lojinha, a da rua do Seminário, na Santa Efigênia. O pai tentava manter três famílias, e ninguém sabia. Ele não parava em casa, e ninguém discutia.

Uma descoberta que o menino Clemente fez: ele não era parente de Pelé, o Edson do Nascimento, nem do cantor mineiro, Milton Nascimento. Descobriu que Nascimento na verdade nem designa uma família: era como se diferenciava um escravo comprado de um nascido na senzala. "Nascimento" é de negro nascido, talvez filho de um branco com uma escrava. Seus ascendentes tinham nascido Nascimento numa fazenda de Minas ou da Bahia, como os de Pelé e Milton.

Quando morava numa área de cortiços na Aclimação, perto da avenida Brigadeiro Luís Antônio, ele ia a pé com as irmãs e a mãe a cinemas e teatros da região. São Paulo era a capital cultural do Brasil, sediava emissoras de TV (Record, Excelsior e Tupi). Os programas *Fino da Bossa* e *Jovem Guarda* trouxeram artistas para morar em São Paulo: Gil e Caetano moravam na avenida São Luís; Roberto Carlos, numa mansão no Morumbi. Tinha shows em toda parte em torno da Brigadeiro, em boates, barzinhos, porões.

Surgiram os primeiros roqueiros brasileiros, a histeria das fãs nos teatros, as roupas exóticas, a atitude juvenil excêntrica. O cinema acolheu os ídolos da música. Em *Roberto Carlos em ritmo de aventura*, Roberto Carlos, Erasmo Carlos e Wanderleia combatem o crime. Em *Na onda do iê-iê-iê*, primeiro filme dos Trapalhões Renato Aragão e Dedé Santana, aparecem os Golden Boys, Renato e Seus Blue Caps, The Fevers, Os Vips, Wanderley Cardoso, Leno & Lilian. Jerry Adriani foi protagonista de *Essa gatinha é minha*, *Em busca do tesouro* e *Jerry, a grande parada*. Jerry Adriani era meu ídolo na infância, meu e do Renato Russo. Os Incríveis estrelaram *Os Incríveis neste mundo louco*. E o rei Roberto ainda filmou *SSS contra a Jovem*

Guarda, roteiro de Jô Soares, *Roberto Carlos e o diamante cor-de-rosa* e *Roberto Carlos a 300 km por hora*. Toda a molecada ia ver.

Clemente viu o incêndio no Teatro Paramount. Depois, vieram os suspeitos incêndios na TV Record e na TV Excelsior, que faliram as emissoras paulistas. A ditadura endureceu em 1968. O vazio cultural entrou como uma frente fria. A repressão e a censura endureceram. Atores de teatro eram espancados. Os diretores Zé Celso e Augusto Boal tiveram que se mandar do país. Músicos começaram a ser presos e expulsos, a se exilar. Gil, Caetano, Macalé, Mautner e Gal foram pra Londres. Chico Buarque pra Itália. Tom Jobim pra Los Angeles, Raul Seixas também pros Estados Unidos. Vinicius se mandou pra Itapuã. Elis foi pra Europa, chamou os militares de gorilas e na volta foi ameaçada; teve que cantar na Olimpíada do Exército em 1972. Geraldo Vandré foi expulso.

A Globo virou rede, dominou a audiência, virou monopólio. O Rio voltou a ser a sede da indústria cultural. Muitos artistas se mudaram para lá. A programação da TV se modificou. A era dos programas de música, com rock, samba, bossa nova e festivais, apresentados ao vivo em horário nobre, foi substituída pela era das novelas enquadradas pelo rigor da censura. O vazio cultural trovejou, alagou, se instaurou. O vazio cultural alienou. Entrou em coma a cultura refinada de um Brasil vibrante. Morte ao pensamento. Só o que era a favor do regime militar tinha vida.

Seu Clementino decidiu (ou foi forçado a isso, graças à especulação imobiliária) mudar a família para o outro lado do rio. Aproveitou um financiamento do Banco Nacional da Habitação (BNH) e parcelou uma casinha da Zona Norte, perto do "centrinho" do Bairro do Limão, com antigas chácaras, uma igreja, a paróquia de Santo Antônio do Limão e a boa escola Padre Moye, isolado ainda de tudo, numa cidade por enquanto sem metrô. A casa ficava no Conjunto Residencial Novo Pacaembu, onde a Inocentes teve início. Dizem que foi no Limão que Mauricio de Sousa, que não saía do bairro, se inspirou para escrever *A Turma da Mônica*. A personagem dentuça mora no fictício Bairro do Limoeiro.

As ruas eram pavimentadas, mas existiam tantos terrenos vazios, onde depois foram construídos prédios, que quando chovia a terra virava lama. Como o conjunto dos Nascimento era numa ladeira, e a casinha geminada deles era na última rua lá embaixo, já viu: a lama descia com tudo. Fala Clemente:

Cheguei ao Bairro do Limão em 1969 com seis anos de idade e completamente contrariado. Com certeza não queria morar tão longe. Eu gostava da região central da cidade, rua Tamandaré, ao lado do Hospital Modelo. A casa em que eu morava, na verdade um cortiço dividido por várias famílias, foi derrubada para virar estacionamento do hospital, por isso caímos fora. Meu pai vendeu um dos dois fuscas, e demos entrada na casa nova na periferia da cidade, no Conjunto Habitacional Novo Pacaembu, um conjunto de casas populares financiadas pelo BNH. Fomos morar na Passagem Sete, que depois ganhou um nome, rua Professor Everardo Dias, 31. Acho que depois o número mudou para 33, mas a casa tá lá, e é Everardo mesmo.

Mas eu gostava mesmo era de morar no centro.

Éramos eu, Clemente, meu pai, seu Clementino, minha mãe, dona Alice, minhas duas irmãs mais velhas, a Cibele e a Márcia, meu irmão, o Luís Carlos, e minha irmã paterna, a Martinha. A Marisa e a Adriana Valéria só chegaram depois, e o André Luís só conheci quando tinha 28 anos. O Luís Carlos, na verdade, é meu primo, filho do irmão do meu pai, tio Vicente. Um belo dia meu tio chegou em casa com o Luís e pediu para minha mãe cuidar dele, enquanto ele ia até a Bahia resolver uns assuntos e logo voltava para pegá-lo. Pronto, meu primo virou meu irmão.

No centro eu vivia pra cima e pra baixo, ora com minhas irmãs mais velhas, ora com a minha mãe. Lembro bem o dia em que eu e minhas irmãs, a Márcia e a Cibele, entramos no Teatro Brigadeiro para assistir à gravação de um programa de TV, e a banda Os Incríveis estava se apresentando ao vivo. Foi o primeiro show que eu vi na vida. Na verdade, tentei ver, pois eu era jogado de um lado para o outro por um bando de fãs ensandecidas cada vez que o apresentador arremessava algum brinde para a plateia. E ainda tinha o cinema que era pertinho de casa, e minha mãe me levava lá para ver os filmes do Roberto Carlos. Minha mãe tentou me consolar quando o cinema pegou fogo, mas eu estava inconsolável.

Cheguei ao Bairro do Limão no final de 1969, praticamente junto com a Copa do Mundo de 1970, e logo fiz um monte de amigos, entre eles o Antônio Parlato, o Tonhão, e seu irmão, o André, futuro baterista e baixista da banda Inocentes, o que amenizou minha revolta.

Eu era um garoto bem tranquilo, acho que não dava muito trabalho para os meus pais. Eu até gostava de estudar, era razoavelmente obediente, aprontava pouco e nunca quebrei nenhuma parte do corpo, apesar de me envolver em brigas na escola de vez em quando. Meu pai, seu Clementino, era baiano da cidade de Cruz das Almas e veio tentar a sorte em São Paulo. Se deu bem e acabou montando uma pequena loja no centro, na rua do Seminário, onde vendia produtos eletrônicos e guarda-chuvas. A minha mãe, dona Alice Palmeira Nascimento, era do interior de São Paulo, lá de Mogi Guaçu, de onde veio muito jovem trabalhar numa casa de família — ninguém dizia "empregada doméstica", mas na verdade era esse o trabalho. Depois virou dona de casa quando se casou com meu pai. Os dois tinham baixa escolaridade; lembro que minha mãe terminou o primário no antigo Mobral (Movimento Brasileiro de Alfabetização).

Minha mãe, recorrentemente, ficava um mês "doente", largada na cama. Só quando fiquei mais velho é que eu entendi que ela era alcoólatra. Quando tinha as crises, ela ficava um mês chapada na cama, e as minhas irmãs mais velhas tinham que segurar a onda em casa. Mas na maior parte do tempo minha mãe estava de boa, ela era engraçada, a calma em pessoa. Acho que herdei isso dela. Logo vieram a Marisa, em 1970, e a Adriana Valéria, em 1974, e a Martinha, minha meia-irmã, caiu fora. Acho que a barra era meio pesada para ela.

Já meu pai vivia na rua, de domingo a domingo. Para achá-lo era mais fácil ir até a loja no centro da cidade do que procurar em casa. Com certeza iria encontrá-lo com Lisboa e meu padrinho, o Chicão, seus amigos inseparáveis. Em casa, aqueles almoços de domingo com a família toda reunida eram complicados, sempre faltava alguém — geralmente meu pai, mas eu sempre achei aquilo normal, achava que toda família fosse assim. E isso não quer dizer que ele não nos levava a grandes passeios. Era raro. Quando rolava, íamos ao Salão da Criança ou à Expoex, Exposição do Exército, que acontecia no Ibirapuera. Não era sempre que se podia ver, tocar e escalar tanques de guerra; o Exército sabia como conquistar uma criança... Outras vezes, eu passava o dia na loja dele, com o Lisboa, o Chicão, meu tio Vicente, o Augusto, me divertia muito com aquele bando de malucos.

Meu pai queria que eu fosse um boxeur *(era assim que ele falava, em francês) ou jogador de futebol. Acabei não sendo nem um nem outro, mas isso não quer dizer que eu não tenha tentado. Do boxe eu desisti logo que vi os efeitos dos golpes no rosto do vencedor de uma luta. Estávamos eu e o Tó, um moleque do bairro, na escolinha de boxe do Ibirapuera, íamos fazer inscrição para treinar boxe, e tinha uma mesa cheia de jornais esportivos com a foto de um lutador que havia ganhado uma luta na noite anterior. Daqui a pouco o cara entra na academia, com o rosto todo deformado; nós o reconhecemos na hora. Se ele era o vencedor e estava daquele jeito, ficamos imaginando o estado do perdedor. Saímos voando dali. Já do futebol eu realmente gostava e até era um bom zagueiro. Meus ídolos eram o Zé Maria, do Corinthians, e o Luís Pereira, do Palmeiras; eu tinha a raça de um e a técnica do outro. Só desisti quando fui participar de uma peneira e nem entrei em campo: fui reprovado no exame médico, porque tinha que usar óculos de grau. Fiquei revoltado, até o Pelé era míope, mas não adiantou discutir.*

Clemente era sossegado, desligado, lembra uma das irmãs mais velhas, Márcia. Era o xodó da casa. A mãe, dona Alice, fazia as irmãs mais velhas levarem-no pra escola. No primeiro dia de aula, verão paulistano, choveu muito. Teriam que passar pelo barro. Elas carregaram o menino de cavalinho pra ele chegar limpo na escola. Conseguiram, porém voltaram para casa com lama até a orelha. Mas ele chegou limpo. Depois, a mãe contratou uma perua para levá-lo.

— Era nosso irmãozinho. Minha mãe fazia todos os mimos pra ele: foi o único a ir pra escola de perua e o único que estudou em escola particular.

Márcia achava o irmão mais inteligente que o normal. Um autodidata, que se trancava no banheiro pra ler e só saía quando acabava. Numa casa com sete pessoas, ficava uma fila enorme na porta. Um dia ele quis "fazer um dinheirinho": decidiu abrir uma banquinha num caixote na esquina da rua e vender Ki-Suco, que dona Alice fazia, e gibis que já tinha lido.

Gibis e livros eram parte fundamental da iniciação educacional de qualquer criança do período. O primeiro "livro" que muitos leram foi um gibi. O primeiro livro que muitos da minha geração leram foi *Os meninos da rua Paulo*, sobre gangues de moleques. Um clássico juvenil de 1907 do escritor húngaro Ferenc Molnár, que nos leva para as ruas frias do subúrbio de Budapeste, para as lutas entre duas gangues vizinhas, a da rua Paulo e os Camisas Vermelhas, que se atacam e se defendem com táticas militares. O livro é visto como uma representação dos dilemas vividos na Europa pisoteada por guerras após guerras, a disputa territorial, o ódio étnico, o nacionalismo exacerbado. Guerras que não têm fim.

A guerra está na nossa cultura. O conflito é universal: em Budapeste e na Califórnia, onde o motoqueiro Johnny Strabler chegou com sua Triumph para tocar o terror com sua gangue na aparentemente pacata vida sem sentido. Presente até num amor shakespeariano: ou vai dizer que *Romeu e Julieta* não é uma história de amor paralela a uma treta de rua entre duas famílias que dominam Verona, os Montecchio e os Capuleto? Na Londres do futuro de *Laranja mecânica* e na Vila Carolina, subúrbio de São Paulo, reproduz-se o que formou a civilização.

Logo o garoto Clemente, menino educado, comportado, que não se metia em confusões, descobriu que tinha se mudado para um bairro que abrigava duas gangues rivais, que se pegavam exatamente na rua em frente. Clemente as via pela janela. Passava uma gangue que se vestia como marinheiros, uma roupa preta gasta, e depois passavam uns caras de casaco de couro. Da janela, ainda criança, ele via e não se metia. Todos a caminho do único salão de rock do bairro. O menino não tinha ideia do que se tratava. Sabia só que aquilo era coisa de gente grande. E eventualmente via membros de uma gangue correrem com paus nas mãos atrás dos membros da outra, cena com a qual se habituou.

Começou a estudar na Padre Moye, escola particular na avenida Deputado Emílio Carlos, 318, a boa escola do Limão que ainda é um símbolo do bairro. Ela promove até hoje Encontros Literários, chegou à semifinal da Olimpíada de Matemática, tem orquestra, centro cultural, espaço aberto à comunidade, tem futsal, natação, hidroginástica, nado sincronizado, desenho artístico, balé clássico e contemporâneo, dança do ventre adulto e infantil, dança de salão, ginástica localizada e alongamento, jazz, street dance, judô, kung fu, bailes e uma banda marcial, a Banda do Colégio Padre Moye, "referência no ensino de música instrumental para jovens e adolescentes", que já conquistou mais de setenta prêmios em festivais e concursos de música instrumental realizados na cidade e no interior de São Paulo.

É mais que uma escola, é uma referência, diz seu site: "Nossos alunos recebem formação teórica e prática em instrumentos modernos, através de um repertório variado e abrangendo as diversas linguagens musicais, tais como jazz, blues, rock, MPB, trilha sonora de filmes, sempre com arranjos especialmente preparados para o grupo". Mal sabem eles que aqueles corredores foram frequentados por aquele que é considerado um dos fundadores do movimento punk e do punk rock nacional.

Caiu o padrão da família Nascimento na onda de recessão e desemprego que começou com a crise do petróleo, gangrenando o Milagre Brasileiro tão festejado durante a ditadura. O chamado ciclo de prosperidade acabou. Empréstimos estrangeiros se tornaram escassos. Aumento do custo de vida, salários congelados. Uma inflação que se tornou insustentável começou a minar os planos de todas as famílias da periferia.

Fui o único dos irmãos a estudar em escola particular. Fiquei lá até o terceiro ano primário. No quarto ano, em 1973, mudei para a Escola Estadual Angelina Madureira, junto com alguns amigos da minha rua, o Zezé, o Hélcio e o Tonhão. Na primeira semana de aula o Zezé bateu num moleque que o provocou no recreio. O moleque falou que ia chamar a turma dele para pegar o Zezé na saída. Ele nos chamou para ajudá-lo, e lá fomos eu, o Tonhão e o Hélcio. Quando saímos da escola, o moleque havia chamado metade da escola para bater na gente, e a outra metade ficou para assistir ao massacre. Era tanta gente para bater em nós que não havia espaço para sairmos à rua para apanhar. Ficamos apavorados, até que apareceu o Pituca, garoto mais velho da nossa área, que abriu os braços no meio da rua, entre nós e aquela turba, e gritou:

— Ninguém encosta neles!

Todo mundo ficou paralisado, ele tinha a maior moral entre a garotada, vivia metido em confusão. De repente ele virou para nós e gritou:

— Corre, molecada!

E nós descemos a ladeira do Angelina Madureira numa velocidade tão grande que quase fomos parar na Marginal. Chegamos em nossas casas, exaustos, mas vivos. No dia seguinte, ninguém mexeu com a gente na escola. Aliás, nunca mais mexeram, e nós também não arrumamos mais encrenca com ninguém. Foram dois anos de paz.

Em casa, minhas irmãs dominavam a vitrola, com samba, samba rock e funk da década de 1970. E eu, que era fã da Jovem Guarda e do rock 'n' roll da década de 1950, ficava de lado. Mas sem problemas, adorava o Martinho da Vila, Jackson Five, Tim Maia e Jorge Ben Jor. Minha vida mudou em 1974, aos onze anos, quando um amigo do bairro, o Carlos Alberto, me deu meu primeiro disco de rock, um ao vivo do Focus; o pai dele trabalhava numa gravadora multinacional e ele tinha a coleção completa do Black Sabbath, do Led Zeppelin, do Deep Purple, do Kiss, sem falar nos discos do Queen, Uriah Heep, Nazareth e todas aquelas bandas da década de 1970. Depois que eu ouvi Paranoid, *do Black Sabbath, pela primeira vez, nunca mais fui o mesmo. Eu tinha me transformado em adolescente.*

O aluno negro de nove anos, Clemente, teve um choque de realidade ao ser transferido para a escola pública da Vila Carolina, no bairro vizinho. A briga de escola, de rua, de bairro, a treta, entrou para o seu currículo informal. Bater e se defender, uma arte. Aprender seus truques e como se safar passaram a fazer parte do seu repertório, da sua rotina: uma necessidade de sobrevivência de um moleque agora no mundo paralelo da periferia. Aprender a entrar e sair de uma briga, uma arte. A treta era parte da vida de bairro. Distinguir quem era quem se tornou uma obrigação: os caras de marinheiro eram os caras da Carolina; os de jaqueta de couro eram os Ostrogodos, a gangue mais antiga e tradicional da Zona Norte.

1975, 76... Clemente, já com treze anos, conhecia os truques e dilemas do bairro. Os Ostrogodos começaram a ser conhecidos como Jacos Pretos. Organizavam sons de garagem e rivalizavam com a gangue da Carolina, que andava com a jaqueta de marinheiro americano estilo Pato Donald, preta com listras brancas no punho e na gola, visual da butique da rua Dom José de Barros, a Lixão, que importava em contêineres uniformes usados de soldados americanos. E como se tratava da era dos salões e das festas caseiras, em que só se tocava rock pesado, ambas as gangues tinham equipes de festa. Que deram nos primeiros punks, que nem sabiam que eram punks, pois ainda não tinham inventado o punk rock nem identificado esse estilo comum entre jovens nova-iorquinos, londrinos e paulistanos.

Era difícil encontrar discos e roupas para quem quisesse seguir o estilo underground: sociedade atrasada, conservadora, país fechado pelo protecionismo e pela vigilância dos milicos. Além dos lixões, que hoje se chamam brechós, muitos faziam a própria roupa com restos dos guarda-roupas dos pais, tios, irmãos, avós; calças apertadas, paletós fora de moda e apetrechos incomuns, como tachas. Costurávamos calças com tecido de colchões. Virou moda. Toda a molecada pegou emprestado da mãe a máquina de costura e fez sua própria calça listada. No Brasil, como nos Estados Unidos, na Inglaterra e na Rússia, era a gente que montava a nossa moda. A gente que fabricava a nossa roupa, ou fazia e vendia aos amigos. Tingíamos nossas camisetas. Improvisávamos nossas jaquetas.

Os poucos salões de rock ficavam longe um do outro, numa cidade de transporte público precário. A rapaziada ia a pé, de busão, podendo encontrar o inimigo na próxima esquina, esbarrar com o perigo e a morte. O lazer acontecia no bairro. Uma das opções era brigar com os caras de outros bairros, da rua vizinha, da quadra de baixo. Nos salões, tocavam os clássicos do rock e novidades. Eles passaram ser tomados por roqueiros de toda a vizinhança. Quando começou a era das discotecas, todo bairro tinha a sua, e algumas reservavam um dia para tocar rock. A polícia tratava todo jovem como arruaceiro drogado, a ser enquadrado e encarcerado.

Clemente não era bom aluno à toa. Achava legal estudar, gostava de ler, não fugia das aulas, lia livros da escola e outros, como o clássico de Jack London, *O chamado selvagem*, o primeiro livro que leu na vida. Quis ser escritor. Dos catorze aos quinze anos, leu Camus, Hermann Hesse, *1984*, de George Orwell, *Capitães da areia*, de Jorge Amado, *Casa-grande & senzala*, de Gilberto Freyre. Detalhe: gostava de estudar porque queria se livrar daquilo logo, se formar rápido, para sair pela vida.

Como todo moleque da periferia, só conseguia trabalho temporário, e por isso ficava a maior parte do tempo desempregado. Moleques da periferia costumavam ficar retidos no alistamento militar obrigatório: tinham de servir no Exército, na Marinha ou na Aeronáutica ao completar dezoito anos, e as empresas não os contratavam até a dispensa ser confirmada.

Aos dezesseis, começou a trabalhar como office boy de uma empresa de sonorização, a Bergman, que prestava serviços a palestras e eventos. Eram microfones simples, não serviam para shows. Bem, para um punk... Anos depois, no primeiro ensaio do Inocentes, Mauricinho, um dos primeiros vocalistas da banda, trouxe um microfone usado que ele tinha comprado de um cara que tinha roubado de um almoxarifado da empresa em que trabalhava. Clemente reconheceu. Era um Bergman. Quase caiu para trás. Baita coincidência. Para o punk, servia.

E conheceu então o cara que mudou a sua vida, Douglas.

Conheci o Douglas Viscaíno em 1976, no primeiro dia de aula da sétima série. Eu tinha caprichado no visual para aquele dia especial, coloquei uma calça boca de sino, tamancos de madeira no pé, uma camiseta listrada no estilo do que hoje chamamos de baby look, mas muito mais curta, a onda era usar camisetas infantis, aparecendo a barriga. Tinha ainda os óculos escuros redondinhos e os cabelos desgrenhados. Entrei na sala arrastando os meus tamancos no piso de madeira e fazendo um barulho alto e infernal. Eu não estava nem aí, queria mesmo era incomodar. Sentei no fundo mascando chicletes, enquanto a turma ia se ajeitando na sala e se apresentando. Quando chegou um cara de

cabelos encaracolados, jeans surrados com o símbolo do Blue Öyster Cult desenhado com caneta Bic, camiseta do Black Sabbath pintada à mão, que se aproximou e fez a pergunta clássica:
— *Você curte rock?* — *já me estendendo a mão com um sorriso generoso no rosto.*
— *Curto, sim, cara* — *respondi, devolvendo o sorriso e o aperto de mão.*
— *Meu nome é Douglas* — *disse ele, já sentando do meu lado e falando sem parar antes mesmo de saber meu nome. Me disse que ia ver* Tommy *no cinema, a censura do filme era dezesseis anos, mas ele tinha falsificado a carteirinha da escola e não perderia aquele filme por nada. Ele tinha catorze anos e havia nascido no mesmo dia que eu, 12 de maio, um ano antes. Eu, com treze anos, ainda não tinha a mesma "coragem" para falsificar minha carteirinha e ir sozinho ao cinema. Realmente achei o Douglas ponta firme, não era daqueles caras que se fantasiavam de roqueiro no final de semana. Na manhã seguinte ele me contou o filme inteiro, detalhe por detalhe, música por música. Ele o descreveu de uma maneira tão apaixonada e emocionada que, quando assisti ao filme, anos depois, fiquei completamente decepcionado. A versão do Douglas era muito melhor.*

Vivíamos o tempo todos juntos, passávamos o dia na escola falando sobre rock, e aos sábados eu acordava cedo e andava da minha casa, no Limão, até a casa dele, na Vila Palmeira, para ouvir e é claro continuar falando sobre rock. Era meia hora de caminhada, e às dez da manhã, pontualmente, eu já estava lá. A Neli, irmã mais velha do Douglas, namorava o Waltinho, que morava no final da minha rua; ele tinha uma grana, conhecia tudo de rock e deixava um monte de discos na casa dela. Claro que nós ouvíamos tudo, sem nenhum preconceito, desde as bandas mais famosas até as mais raras e desconhecidas, pois estavam todas ali, na estante da sala. A maioria dos garotos da nossa idade mal conhecia o Kiss, e nós tínhamos aquela discoteca toda à nossa disposição. Sem falar que o Waltinho nos mantinha informados sobre o que tinha rolado com o Stooges, MC5, New York Dolls, Lucifer's Friends, Dust, Pink Fairies, Blue Cheer, Deep Purple, Black Sabbath, a lista era enorme. Isso sem falar nas nacionais, como Mutantes, Joelho de Porco, O Terço e Rita Lee, Made in Brazil etc. Bota "etc." nisso. Já com a Neli, o papo tomava ou-

tros rumos: falávamos de livros do Hermann Hesse, Gibran Khalil Gibran, Albert Camus, George Orwell. Falávamos sobre situação política, a ditadura e o AI-5, foi ela que nos apresentou um disco do movimento estudantil que tinha uma música do Paulo César Pinheiro chamada "Pesadelo". Essa música me marcou tanto que cheguei a gravá-la anos depois com o Inocentes, e assim eram nossos sábados.

Em 1977, caímos novamente na mesma classe e uma professora nos deu uma tarefa que valia nota: o trabalho era entrevistar um cantor, e o Douglas cismou que deveríamos entrevistar a Rita Lee. Pedimos os contatos para o Waltinho, ele era DJ e conhecia muita gente. Conseguimos o endereço e saímos à luta, andamos muito, mas muito, foi um ônibus e muita caminhada. Chegamos ao escritório da Rita Lee esbaforidos, fomos até que bem recebidos, mas na verdade ninguém nos levou a sério. Ganhamos um monte de brindes, passaram a mão na nossa cabeça e nos mandaram embora. Ficamos putos e saímos à caça dos nossos outros grandes ídolos, os caras do Made in Brazil, queríamos entrevistar o vocalista da banda, o Percy Weiss, e aproveitando de novo os bons contatos do Waltinho chegamos à casa dele. Mas antes tivemos que pagar um mico com os caras da banda, Celso e Oswaldo Vecchione. Chegamos a eles numa esquina na Vila Pompeia e, pelo olhar de desdém, vimos que também não nos levaram a sério. Nós nos viramos sozinhos e, quando finalmente tocamos a campainha da casa do Percy, já esperávamos pelo pior. Eu tinha certeza que ele nem abriria a porta, mas ele nos recebeu muito bem, nos convidou para entrar, serviu café, bolachas e água, nada proibido para menores (hahaha!), ouvimos um som juntos. O Percy ficou perplexo quando viu o nosso conhecimento de música, dois garotos tão jovens falando de bandas tão obscuras com tanta naturalidade. Ficou tão impressionado que nos deu convites para vermos o show que o Made faria no teatro Aquarius. Ele havia acabado de gravar o disco Massacre *e estava animadíssimo com o show de lançamento. Pena que o disco foi censurado. Eu e o Douglas estávamos mais animados ainda, seria o primeiro show de verdade que veríamos juntos, em um teatro. Terminamos a entrevista e caímos fora, felizes da vida e com os ingressos na mão.*

No dia do show estávamos com receio, uma rapaziada do bairro tinha ido a um show no mesmo teatro e tomado várias borrachadas da polícia, que bateu em todo mundo na fila sem nenhuma explicação.

Mas no nosso dia foi tranquilo, entramos e já fomos direto para a beira do palco. Ficamos impressionados com o tanque de guerra cenográfico no palco e com a quantidade de caixas de som empilhadas nas laterais. Fomos lá conferir e caímos na gargalhada quando descobrimos que muitas delas não tinham alto-falantes. O show foi demais, foi o show de nossas vidas.

Made in Brazil foi uma espécie de Colombo numa terra de riqueza intocada. O rock tinha ficado para trás, na consumista Jovem Guarda, no experimentalismo e no progressivo, na orla de surfistas que tomavam as pistas e queriam pensar a música, senti-la no seu inconsciente, não vivê-la. O mundo pegava fogo. O mundo podia acabar numa guerra nuclear. O ideal hippie alienava. Chega de paz e amor. Vamos à luta!

Todo mundo que interessava usava jaqueta preta, que virou marca dos Ramones. Também do Made, banda que começou em 1968 na casa dos irmãos Vecchione, Oswaldo e Celso, mas só foi gravar um disco em 1974. Longe de ser punk, tinha até um naipe de metais.

O disco *Massacre*, de 1977, do Made, foi todo censurado pela ditadura. A banda caiu no ostracismo e foi subjugada na explosão do rock nos anos 1980. *Massacre* só foi conhecido pelos fãs em 2005. Como o Casa das Máquinas, outra banda de rock da época, eles tinham uma ingenuidade poética e uma profusão melódica ainda mais próximas do rock progressivo que das origens do punk. Outra banda, Azimuth, era até trilha da novela da Rede Globo, *Cuca Legal*. Um rock suave, balada, bem-feito, bom, muito bom, mas em que ninguém batia a cabeça: *Eu quero encontrar a rosa dos ventos e me guiar...* Mais puro ainda, mais belo ainda, mais ingênuo e feliz, e nada provocador, A Cor do Som, banda que era para ser de rock, a maior de todas, causava arrepio nas garotas e lotava shows. *Abri a porta, apareci, a mais bonita sorriu pra mim. Naquele instante me convenci, o bom da vida vai prosseguir.* Passividade. O bom da vida? O bom da vida já era! General Figueiredo, Thatcher, Reagan, Pinochet, Videla... Nada de bom pode vir disso.

Para piorar, voltava ao comando da economia o controverso Delfim Netto, ministro da Fazenda durante os governos Costa e Silva e Médici, embaixador brasileiro na França no governo Geisel e ministro da Agricultura, depois do Planejamento. Atolado em acusações de corrupção. Denunciado em 1974 pelo próprio Figueiredo, então chefe do Serviço Nacional de Informações (SNI), que, em conversas particulares com Geisel, avisou que Delfim teria ajudado a empresa Camargo Corrêa na licitação para a construção da hidrelétrica de Água Vermelha (MG). Anos mais tarde, já como embaixador, foi acusado pelo francês Jacques de la Broissia de ter prejudicado seu banco, o Crédit Commercial de France, depois que o banco não concordou em oferecer empréstimo para a construção da usina hidrelétrica de Tucuruí, mais uma obra da Camargo Corrêa.

Clemente foi para o ginásio estadual modelo, a Escola Estadual Tarcísio Álvares Lobo (Eetal), na rua Estela Borges Morato, 500, Vila Siqueira, atrás do Conjunto Residencial Novo Pacaembu, e descobriu um tremendo equipamento de som de uso compartilhado. Fez-se a luz, plugaram os instrumentos e começou a movimentação da cena punk. Com Douglas, dava shows promovidos pelo Centro Cívico (CC), centrinho dos estudantes secundaristas, que era proibido pela ditadura mas tinha até eleições para a diretoria. O professor de história foi chamado de subversivo e quase foi preso quando promoveu as eleições do CC.

Irmã de Douglas, Neli desfilava pela casa do amigo com seu ar de autoridade em tudo, no esplendor dos seus vinte aninhos. A garota ensinava ao irmão mais novo e àquele moleque negro o que ler, escutar, ver e vestir. Foi ela quem explicou que o nome daquela banda hippie de Los Angeles que eles curtiam, Steppenwolf, do clássico "Born to Be Wild", vinha de *O lobo da estepe*, romance de Hermann Hesse. Exercia aquele fascínio em qualquer adolescente em busca de coisas para conhecer.

O protecionismo, doutrina da economia brasileira no ciclo militar que proibia importados, fazia muitas vítimas. Aos fumantes não chegavam bons charutos ou cigarros. Fãs de vinho, uísque e, claro, de música também não tinham acesso a seus prazeres, vinho, uísque e música. Para discos importados, de melhor qualidade (um vinil mais grosso, resistente, duro, com capas mais bonitas, textos, completos, duplos, com letras), descia-se para as lojas no porto de marinheiros e viajantes de Santos. A Museu do Disco, na Dom José de Barros, era para quem tinha grana. A Wop Bop, no segundo andar na Vinte e Quatro de Maio, 62, centrão, era a única loja de disco da galeria. Era caríssima. Não tinha disco no Brasil em 1976, não tínhamos como absorver coisas diferentes. Ouvíamos o que a indústria (as gravadoras) queria.

Na casa do Douglas tinha dois violões. Ele era autodidata e persistente, tirava músicas sozinho, de ouvido, e me ensinou a tocar. Na verdade, por interesse próprio: ele precisava que alguém fizesse as bases para que ele pudesse tocar seus solos intermináveis, e foi assim que aprendi. Como eu não tinha um violão em casa, me virava com o cavaquinho do meu pai para treinar. Assim nasceu nossa primeira banda, o Organus — era como uma "banda imaginária", porque nunca fizemos um show.

Em 1977, o punk já batia em nossas portas, e o Douglas conseguiu comprar sua primeira guitarra, fruto de um ano trabalhando como office boy; era uma daquelas reformadas pela Del Vecchio na rua Santa Ifigênia, modelo imitando a Fender Stratocaster. Toda a turma se reuniu na casa dele numa manhã de sábado, eu estava ansioso para tocar numa guitarra de verdade. O Waltinho emprestou um amplificador preto gigante, e confesso que fiquei mais impressionado com o amplificador do que com a guitarra, ele era enorme. E, além de nós, a família toda do Douglas estava lá para acompanhar o momento histórico. Tudo montado na garagem na entrada da casa, tudo pronto, todo mundo a postos, ligamos o amplificador e nada. Nova tentativa, e nada de novo. Alguém gritou de dentro de casa que tinha acabado a luz, mas ninguém arredou pé, ninguém desanimou. Poxa, a luz não deveria demorar a voltar. Aos poucos fomos desistindo, indo embora, um a um. Eu fui um dos últimos a ir. Depois fiquei sabendo que a luz só chegou à noite. Nunca vi aquele amplificador funcionar, droga!

São Paulo toda vivia sob o reinado das gangues, na perifa e na região central. Nas Perdizes, a famosa gangue da Barão, que promovia brigas e destruía bares, era predominante. Ou melhor, Turma da Barão, que começou em 1973, o grupo dos caras que se reuniam numa padaria do bairro e moravam nos prédios enormes e lendários Barão de Ladário e Barão de Laguna, os primeiros grandes condomínios da cidade. A Turma da Barão era temida. Entre 1975 e 85, entrava de penetra em festas. No final, controlava o tráfico da região. Dos sessenta primeiros membros, os "Barões de Sangue", ou diretoria, 21 morreram de aids, seis morreram em acidentes de carro, três foram assassinados, três cometeram suicídio. Está na internet.

Na Zona Norte, os Ostrogodos na verdade eram Strogold's, nome de um salão de rock que frequentavam — assim mesmo, com esse inglês inventado. Como ninguém conseguia pronunciar o nome original, virou ostrogodos, dos bárbaros. Num salão de festa, empilhavam as jaquetas pretas no meio, como se demarcassem território. Ninguém ousava se aproximar. Tocava-se som de fita cassete. Batiam cabeça. Não falavam dançar, falavam "curtir", entrar em transe. Os caras bebiam e ficavam pirando, se jogavam na parede e achavam graça, pulavam do alto, achavam graça, caíam de costas e não sentiam nada, em transe, riam, dançavam, curtiam, pulavam da janela, atravessavam os vidros, foda-se, não paravam, caíam do telhado de costas e continuavam arrebentados no chão batendo a cabeça e chacoalhando os braços, dançando. Curtindo.

Clemente e seus amigos os viam fascinados. Eles eram menores de idade e queriam fazer parte daquilo. O punk brasileiro herdou um pouco desse estilo. Vinho barato e ácido de garrafão (Sangue de Boi) e cachaça nos rins. Artane no fígado. Vinho barato era a grande droga da perifa. Certa vez, Clemente tomou cinco garrafas de vinho. Cinco. Só ele. Tomar um porre era uma espécie de ritual de entrada na puberdade. Quem não passou por isso?

As festas eram em casas de roqueiros, casas de bairro. Ainda não tinha boate, clube ou salão que quisesse agrupar aqueles selvagens. Punham uma lona. Contratavam uma equipe de baile, que tinha o som, as caixas. As mais sofisticadas tinham gravador de fitas de rolo. O dono da casa as contratava e cobrava ingresso. Não tinha flyer, divulgação era no boca a boca. Passavam no bar do Zé, para saber o que ia rolar no sábado. Shows? Eventualmente em escolas.

As tretas

O escritor francês Emmanuel Carrère escreveu:

> Em duas horas de guerra, aprende-se mais sobre a vida e os homens do que em quatro décadas de paz. A guerra é suja, é verdade, a guerra é insana, mas porra! Monótona e racional, reprimindo os instintos, a vida civil é insana na mesma medida. A verdade, que ninguém se atreve a dizer, é que a guerra é um prazer, o maior dos prazeres, caso contrário simplesmente deixaria de existir. Uma vez que se prova dela, é como heroína, a pessoa quer mais. Estamos falando de uma guerra de verdade, claro, não de "ataques cirúrgicos" e outras sacanagens boas para os americanos, que pretendem ser polícia na casa dos outros sem arriscar seus preciosos infantes nos combates em solo. A propensão à guerra, a verdadeira, é tão natural no homem quanto a propensão à paz, é idiota querer amputá-la, repetindo virtuosamente: a paz é boa, a guerra é má. Na realidade, é como o homem e a mulher, o yin e o yang: é preciso ter os dois.

Com dezessete anos, Clemente se apaixonou por uma garota mais velha, Elenice. Uma legítima punk, que ele viu no baile do salão de rock Construção. Ela estava sozinha encostada no balcão da casa frequentada por punks e gangues. Rapazes dançavam sozinhos, mas não dançavam com as meninas. Trocavam socos com fantasmas, com a sombra. Curtiam. Clemente e Elenice trocaram olhares. Ele dançava. Ela encarou profundamente. Ele se aproximou e não disse um "a". Encostou no balcão, olhou a pista, se virou pra ela e tascou um beijo de surpresa. Era a primeira vez que a sua investida ousada e peculiar dava certo. Já tinha tentado com outras. Era pra ser.

Um detalhe da época dificultava a administração de uma paixão: ninguém tinha telefone. Para se comunicarem, ele telefonava do trampo dele, no centro, para o trampo dela, na Lapa. Ou do orelhão. Era assim com todos os jovens de classe média ou que moravam em repúblicas. Para agendar um encontro, por vezes mandávamos uma carta ou um telegrama fonado, que se pagava por palavra, e por isso o romantismo era um luxo: SHOW AMANHÃ PT BUSCO VOCÊ NA SUA CASA NOITE OITO PT.

Clemente começou a namorar Elenice. Presentinhos? Nada de flores, anéis. Punk não manda flores. Nem fazia letra nem música pra ela, que também curtia o punk. Punk não fala de amor. O único presente que ele deu foi o quê? Uma jaqueta de couro com tachas.

Ela morava na Vila dos Remédios, território da gangue Punk do Terror. Era protegida da Terror. Ele ia lá na casa dela. Não chegava a entrar, nunca entrava. Negro, punk, pobre... Poucas famílias brancas permitiriam tamanha intrusão. Eles namoravam na calçada, se pegavam nos muros. Beijos, só beijos. Sexo nem pensar. Ela era virgem, ele nunca a viu nua. As meninas do subúrbio não tinham ouvido falar da revolução sexual. Nem queriam ficar com "a fama", como se dizia. E as punks, então... Exatamente por serem punks, sentiam-se na obrigação de não alimentarem uma fama de malucas, "facinhas", "galinhas", "putas", num universo em que são discriminadas, numa sociedade vigilante em favor da moral cristã e dos valores da boa família brasileira. Da punk da gangue, quando ela saía com seus protegidos, ninguém chegava perto. Quando Irene, a punk da Carolina, saía com a gangue, ninguém encostava a mão. Irene andava com eles como um presidente americano defendido por seus guarda-costas. Com Elenice, a mesma coisa. E aí rondava o perigo. Clemente estava nas ruas do território inimigo, sobre uma calçada minada, beijando uma mina que era membro de uma gangue rival. A paixão aumentava na proporção do risco que corria. Um dia ela o convidou para um salão de rock lá perto. Ele gelou. Ela insistiu. Ele não disse por que titubeava. Ela deu um ultimato. Para não entrar em detalhes, contar que ele era da gangue rival, ele foi. Entrou no salão. Só Punk Terror. Ficou disfarçado pelo canto, gola da jaqueta levantada, olhando pro chão como se tivesse perdido a chave de casa, temendo ser reconhecido. Por sorte, não foi. E Elenice nem percebeu.

Um cara de uma cidade que o despreza, que não entende o seu comportamento, que o combate e o trata como um estranho, precisa encontrar quem pensa como ele, precisa encontrar a sua turma, precisa sobreviver, e para isso precisa ter a sua gangue. Um cara de um país que o trata como estatística, um problema, o despreza, que não o entende, que empurra em sua goela um currículo escolar caduco e ideologicamente comprometido e fracassado, que o combate e o trata como um futuro terrorista, subversivo, drogado, precisa encontrar quem pensa como ele, precisa encontrar a sua turma, precisa sobreviver, e para isso precisa da sua gangue. Era um fenômeno mundial e natural do jovem que se protege com a ajuda de colegas, amigos, vizinhos e canivetes.

O filme *The Warriors*, sobre uma briga entre gangues de Nova York, Gramercy, Rogues e Warriors, batalha que se espalha por toda a cidade, foi um sucesso entre a molecada brasileira. Clemente assistiu umas quinze vezes. Cada vez que saía do cinema, comprava um canivete diferente. Saía pela cidade com os amigos de canivete e corrente no bolso. Se a polícia passasse, jogava tudo do outro lado do muro da casa ao lado. Se não desse tempo, era prisão, uma noite na cadeia: porte de arma branca.

Passar a noite na cadeia? Tornava-se normal para aquele adolescente negro, punk e pobre, ameaça da sociedade. Todos da perifa estavam acostumados. Todo o Brasil estava acostumado. Clemente passou várias noites lá, por causa de briga, por causa de cachaça. Saía no dia seguinte. Se não estivesse com a carteira de trabalho assinada, podia ficar uns dias a mais. Não chegava a ir para o Carandiru ou outro presídio. Nem era julgado. O máximo que ficou foi 24 horas, em delegacias de bairro mesmo. Na cela, de passagem, com todos os punks juntos. Mas já chegou a ficar em cela com outros presos. Apanhava sempre da polícia; dos outros presos, não.

A 12ª DP era perto do Templo do Rock, no Pari. O delegado até o "conhecia"; ele estava sempre por lá. Uma vez bateu num tenente. Estava bêbado, quando foi ver estava rolando com o cara na calçada. Fardado, tudo. Estava muito louco.

— Eu estava com Elenice. Ela tinha ficado muito bêbada, pensei em levar ela pra tomar leite. Comprei um copo de leite, conversei com ela, tentando acalmar. Aí passou um punk por mim, "Clemente tomando leite?", e eu, "Tomando leite o caralho", e comecei a socar o cara. Quando fui ver, estava rolando com o tenente. Nem sei de onde ele apareceu. Comecei brigando com um cara, que virou um bando, e terminei com um tenente. E aí fui em cana. Deixei a mulher lá sozinha. Fiquei 24 horas preso.

Com dezesseis, dezessete anos, não interessava, nada de mandar para uma instituição para menores como a Febem. Passavam a noite na delegacia misturados aos presos maiores de idade. O clima com Elenice, que já não gostava de o namorado viver se envolvendo em brigas com seus amigos da gangue rival e a deixou plantada bêbada sozinha no bar do Pari, pesou. Ela de uma gangue rival. Ele bebia demais. Sempre chapado. Sempre adiavam o dia em que fariam sexo pela primeira vez. Faziam planos; ela era virgem, precisava de um momento caprichado, carinhoso, romântico, a primeira vez. Mas a relação sem sexo desgastava. Quem a consolava era Popeye, o melhor amigo dela, com quem ela vivia saindo. Era Popeye pra lá, pra cá. Roqueiro, branco, bem afeiçoado. Decidiram terminar. Surpresa. Elenice e Popeye viveram felizes para sempre.

Em 1981, ele fez dezoito anos. No mesmo ano, fez o primeiro show com a nova banda, Inocentes. Foi em São Miguel, no extremo da Zona Leste de São Paulo, bairro proletário. Foi numa casa na Curva da Morte. Foi o primeiro festival Grito Suburbano, um show organizado pelo Alemão da Mack.

A gente estava lá na porta do salão, passou um fusca. Os caras folgaram, tiraram um sarro dos punks, e os punks destruíram o fusca. Ah, você está no bairro dos caras, os caras passaram falando "roupinha preta", essas coisas. Todo mundo pulou em cima do fusca. Aí as bandas tocaram: Inocentes, Mack, Lixomania, M-19 e tal. Aí a polícia invadiu para prender os caras que bateram nos caras do fusca. Começou a maior correria dentro do salão. Eu estava com o baixo, com a namorada. Pegaram a máquina do Nenê, um amigo nosso que estava fotografando, tiraram os filmes. Os punks começaram a sair da área. O Treze pegou uma lata de lixo e jogou ladeira abaixo na polícia. Confusão generalizada. Um monte de gente saindo fora. Os policiais começaram a parar os ônibus na avenida São Miguel: quem estivesse de jaqueta de couro descia, e cana. A gente conseguiu sair fora, foi todo mundo pra minha casa. Minha casa tinha um espaço onde a gente ensaiava, que todo mundo podia ficar. Era lá na Vila Santa Maria, no Limão. Pegamos três busões. Ficou todo mundo lá, os Inocentes todos, as minas. Aí, no dia seguinte, a gente foi pra estação São Bento. Domingo a gente sempre se encontrava na São Bento à tarde. Um cara falou: "A Rota matou um moleque que estava lá no show ontem". Estava tendo o velório do moleque, tinha que pegar dois trens para ir. Eu fiquei revoltado, falei que a gente tinha que ir no enterro do moleque. Tinha uns cem punks aquele dia na São Bento. A história rolou, saiu todo mundo revoltado. Tínhamos que fazer baldeação na estação do Brás. Uns punks começaram a zoar pra caralho no trem. Chegou a Polícia Ferroviária Federal: cana em todo mundo.

Nenê, fotógrafo, se lembra desse show no galpão na Zona Leste. A polícia invadiu, chegou "dando bordoada", e ele foi logo tirar fotos pra mostrar a truculência. Só que, quando apertou o botão do clique, a foto saiu com flash. "Se caguetou" sem querer. Os policiais foram pra cima, queriam quebrar a máquina, mas ele não deixou. Puxaram o filme, jogaram no chão e começaram a pisar. Ele só conseguiu pensar: "Que idiotas, não precisam pisar em cima, o filme já está queimado fora da câmera".

Nenê conheceu o Clemente em 1978. Curtia o pessoal, curtia a música, morava na Freguesia do Ó. Aos poucos, todos dos bairros distantes, Freguesia, Vila Palmeiras, Vila Carolina, foram se unindo. Ele era mais velho. Viu Clemente tomar um tapa na cara que dói nele até hoje.

Iam a um enterro, terminaram na delegacia, misturados a presos comuns. Domingo. Tinham que trabalhar no dia seguinte. As meninas da gangue, Tina, Lila, Lucinha, Marcinha, foram presas numa sala à parte. Os punks foram entrando nas celas. Era aquele tipo de delegacia superlotada, com celas viradas para um pátio interno, a área de tomar sol, que mais parece um depósito de presos esfarrapados. Um preso gritou:

— Olha só este bando de playboy chegando aí!

O clima pesou. Outro gritou:

— Não são playboys, não, esses são os punks!

O clima mudou. Os presos se solidarizaram com os punks, deram Ki-Suco, pão Pullman. Alguns andavam com reportagem sobre o movimento punk no bolso, recortes de jornais e revistas, e começaram a dar pros caras: "Lê aí, mano, a gente está aqui pra destruir o sistema, lutar contra as injustiças do mundo". Trocaram uma ideia com os caras, doutrinaram outros. Saíram na manhã seguinte e foram trabalhar. Talvez com uns fãs a mais.

Elenice já era passado. Nenhuma música de fossa. Punk não fica na fossa. Nenhuma raiva do Popeye. Ao contrário, ele que se deu bem. Mas decidiu não ser mais o bonzinho das relações amorosas, nem tão respeitoso. Percebeu que, enquanto ele seguia o manual do subúrbio da relação homem e mulher, era um Popeye com sua porção de espinafre que ela queria. Sem contar que deixar de andar pelo território inimigo trazia um alívio miserável. Este, sim, digno de uma letra de música.

Gangues repartiam as cidades de Nova York, Los Angeles, Rio de Janeiro (território da poderosa Turma da Afrânio de Melo Franco, que dominava o Leblon). *Amor, sublime amor* — o título brasileiro para *West Side Story* — é um filme musical sobre tretas de duas gangues, os Jets e os Sharks, os brancos e os porto-riquenhos. *Juventude transviada* também. Michael Jackson sacou isso e fez "Beat It". Coppola fez *O selvagem da motocicleta*.

Ariel, ex-vocalista do Inocentes, descreveu no portal Rock Press:

Passando a agir de forma violenta, essa juventude tentava impor sua presença nos lugares onde se curtia punk rock e, quando saía da sua quebrada, precisava de muita disposição e coragem para atravessar a cidade sem tomar um prejuízo e, se não soubesse se defender, sua história poderia acabar ali mesmo, por medo, pela lei, pela violência da coisa e até mesmo pela morte. Andar em grupo era questão de sobrevivência até então, e, como desde a infância esse jovem já convivia num meio cruel e marginal, cada dia mais passou a ser senhor da situação, impondo o terror em atitudes carregadas de ódio contra seus desafetos.

Clemente diz:
— Tinha uma discoteca no nosso bairro, a Bluebox, e às vezes os caras tocavam rock. Lembro uma vez que tocaram Aerosmith lá, e Aerosmith era banda de macho na época. Os Ostrogodos acabaram com a festa: saiu uma treta generalizada. Os caras começaram a rodar corrente no meio do salão. A Carolina Punk tinha muita gente que segurava a onda, que brigava bem: era o diferencial. Nunca estávamos em muitos. Em dois enfrentávamos quinze. Carolina Punk é o que sobrou de uma turma gigante, que tinha gente da Vila Palmeira, Carolina, da Freguesia, do Limão, todos com aquele visual Ramones, visual pré-punk, tênis, calça jeans, camiseta e blusão de couro preto. Até os famigerados Ostrogodos se renderam ao punk. O Magrão do Ostrogodos, com seu cabelo Joey Ramone, com uma garrafa de vinho na mão, metia medo. Saía todo mundo correndo.

A Carolina Punk dividia o território (os salões de rock) com a outra gangue, Punk Terror. Os encontros eram tensos. Gangue contra gangue. Se reconheciam. Aquele clima pesado. Um esbarrão aqui, aquele encontrão. Todo mundo com jaqueta de couro. Bastava entrar num lugar e todos sacavam: vai dar treta. Uma gangue de vinte, 25, e uma outra de 25, trinta, por aí.

— A gente tinha o Paulinho, que a gente chamava de Barão. Ele era meio que o "líder" da nossa gangue, e o Juvenal, o líder lá do Punk Terror. Os dois foram ao bar conversar. Uma hora eles se estranharam, todo mundo abriu os canivetes, ploc, ploc, ploc, dava pra ouvir o barulho. Mas não saiu a treta. Era legal, parecia um filme, todo mundo pronto pra brigar, gola levantada. Se filmassem, ia ser engraçado.

Até então, e durante um tempo, Carolina Punk nunca brigou com Punk Terror, de Pirituba. As duas gangues tinham respeito porque as duas eram barra-pesada. As duas sabiam da história uma da outra, eram vizinhas.

Clemente se lembra bem de quando conheceu a Punk Terror. Sexta-feira, metade da turma no colégio estudava à noite; ele, o Douglas e mais alguns cabularam aula e foram a um salão novo na

Vila Piauí. Ninguém tinha dinheiro para entrar, só o Clemente. Ficaram na calçada encarando e sendo encarados, pedindo dinheiro pros transeuntes. Clemente não aguentou, pagou, entrou sozinho e foi dançar na pista. Coragem. Cercaram-no na pista e começaram a trocar porrada, ele não entendeu nada, quem eram aqueles caras? Alguém gritou "Treta!", e todo mundo correu para o bar, que ficava na área externa do salão.

Clemente foi atrás, quando chegou se deparou com um cenário catastrófico. Pinzé, da Vila Carolina, tinha enfiado um canivete na cabeça de um cara, um tal de Carlinhos, desacordado no chão. Sem falar num PM que ele havia posto pra dormir com um murro e que jazia num canto do bar. Ninguém conseguia tirar o canivete da cabeça do cara. A sangueira era dantesca. Não sabiam que Clemente e Pinzé estavam juntos. Ele encostou no balcão do bar e ficou só observando o que ia acontecer. O irmão da vítima chegou e a comoção aumentou. O irmão criou coragem e partiu pra cima, e todo mundo foi junto. Clemente entrou na briga. Nunca deixaria um cara da Carolina apanhar sozinho.

Cena de cinema.

Os dois intrusos recuam, ficam de costas um pro outro para não serem atacados por trás e enfrentam a turba. Mas eles são muitos. Pinzé grita: "Vamos sair fora! Sai fora". Clemente não sai fora, não dá tempo, é agarrado bem na porta que dava para a rua. Os punks o seguram e começam a puxá-lo para dentro. Queriam terminar o serviço. Na porta, ele se debate. Começam a puxá-lo pela jaqueta. Mas um cara da gangue não deixa o outro sozinho. Ainda mais da Carolina. Pinzé volta e começa a puxá-lo para fora. Como um cabo de força, Clemente fica no ar. Um grupo o puxa para dentro, e o amigo forte como um touro, para fora. Até as mangas da jaqueta de Clemente rasgarem. Ele sai rodando e corre, levando estiletada nas costas, na barriga. Não pode cair no chão. Cair no chão já era. O Negão da Carolina aparece do nada com canivete em punho. Abre a roda e os resgata. Clemente só de coletinho. "Muito prazer, nós somos o Punk Terror", ouviram.

— Meses depois, a gente foi para um salão na Vila dos Remédios que as duas gangues frequentavam juntas. O clima era pesado, mas treta, mesmo, não tinha saído. Cadê os Punk Terror? Nada deles. Estamos lá no salão, só nós, aí eu saí. Fui tomar uma cerveja no boteco do Carlos Inácio, o Galinha, e um puta clima no centrinho lá na Vila dos Remédios. Comecei a batucar no balcão, chegou um cara, um negão, "Pô, meu, sambinha bom, né?", e eu "É da Primeira da Vila Carolina, né?".

"Primeira" é o apelido da escola de samba da Vila Carolina, Grêmio Recreativo Carolina Escola de Samba, a GRCES, fundada em 1970, que nunca desfilou no Grupo Especial. Chegou quatro vezes em terceiro no Grupo 3, e uma vez em décimo no Grupo 2, escola do bairro sem a glória das grandes ali da área, como Rosas de Ouro ou Mocidade Alegre. E punk lá gosta de samba? Gosta, sim. Cada vez que a Rosas ganhava um desfile, a diversão dos punks era tomar cerveja de graça no barracão da Freguesia. Traição do movimento em nome da dosagem etílica. O sujeito logo emendou:

— Pô, conheço todo mundo da Vila Carolina.

— Pô, sério?

E o cara enumerou os conhecidos, conhecidos dos punks, e se apresentou:

— Meu nome é Barbosa. Se você precisar de mim, tô na área.

Apertaram-se as mãos. Valeu, prazer, tudo de bom, estamos aí... Viva a Primeira da Carolina.

De repente, para um caminhão. Começa a descer nego com pau na mão. E os punks: "Que porra é essa? Vamos sair daqui!". Daqui a pouco tinha uns cem caras, a Vila dos Remédios inteira, pra pegar quem? A turma da Carolina. Todo mundo saiu do salão, tentou fugir, tentaram correr, ficaram cercados por um monte de gente.

— O Canal, que era um dos caras da minha gangue, falou "Ô, meu, quero que se foda que eles estão em cem, eu não vou correr desses caras, não".

Foi só tomar a primeira paulada para sair correndo. E os caras atrás dele. Ele pulou numa casa, bateu na porta e pediu pelo amor de Deus pra entrar. Entrou, o dono da casa pegou um cano, encostou na cabeça dele. "Meu, não confio em você, vai ficar sentadinho aqui." Ficou dentro da casa com um cano na cabeça, e do lado de fora uns cinquenta caras querendo matá-lo.

Indião também saiu correndo: se escondeu num terreno baldio. Callegari saiu correndo, tomou umas pauladas no braço e sumiu. Só ficaram Clemente, Marcelino, Galinha e Cavalo, Gustá, Silvinho, o resto da gangue. Cercados por outros cinquenta. O cerco foi se fechando. Eles estavam sendo confundidos com os Punk Terror, que haviam quebrado uns caras na semana anterior. O visual era o mesmo. Iam apanhar de graça. Então Clemente se lembrou:

— A gente é amigo do Barbosa.

Todos pararam.

— Vocês são amigos do Barbosa?

— Somos.

— Alguém chama o Barbosa, ele tá no bar lá.

Esperaram. Quem seria o Barbosa, para causar aquela mudança de humor e modificar o rumo da história? O fã do samba da Primeira da Vila Carolina iria reconhecê-lo? Poderia salvá-los?

Chegou o Barbosa dizendo que, de fato, eram amigos, e que ninguém deveria encostar neles. O cerco se abriu. E a turma da Vila dos Remédios foi se retirando aos poucos.

— Foi a nossa salvação. Pegamos o Barbosa e saímos pela vila, para resgatar todo mundo que tinha saído correndo e tomado paulada. Pegamos o ônibus e fomos embora. A gente nunca mais voltou lá. Se a gente voltasse, ia morrer. Nunca mais encontrei o Barbosa na vida.

Só depois souberam na GRCES que Barbosa era o maior traficante da região.

Pátria amada

Na adolescência, eu não entendia São Paulo. Não sei se alguém entendia. Era uma cidade fria e enevoada de arquitetura europeia encravada nos trópicos. Entediante e inexplicável. Que crescia descontroladamente, como um leite que ferve e sobe para ultrapassar os limites de uma panela alta, uma gosma viva.

São Paulo fica num vale entre os rios Tietê e Pinheiros, cortado por rios menores, como Tamanduateí, Anhangabaú, e córregos. Nos anos 1960, 1970, os bairros afastados, vilas pacatas como Lapa, Penha, se juntaram à cidade. A Estrada da Boiada, que seguia de Pinheiros à Lapa, virou avenida Diógenes Ribeiro de Lima, e me revolta ver que ninguém se refere mais a ela como Estrada da Boiada.

Os bairros operários foram tomados pela classe média. Os operários foram expulsos para o outro lado do rio. Nasceram Limão, Pirituba e Freguesia na Zona Norte; cresceu Osasco, na Oeste; Itaquera e São Mateus, na Leste; Capão Redondo, na Sul. Ruas de terra, condomínios populares e favelas de não se verem os limites.

Crianças do meu bairro burguês, Jardins, não brincavam nas ruas, como caiçaras cariocas e santistas faziam nas praias, não transformavam o asfalto em quadra de um futebol improvisado, camisas contra sem camisas. Não tinha campos de pelada em campinhos de terra, como no bairro do Clemente. Nas minhas calçadas não se empinavam pipas, nem tinha campeonato de bola de gude, como no bairro em que eu morava antes, no Rio. Ninguém andava de bicicleta. Ninguém tinha bicicleta. As minhas ruas eram para os carros. Nos fins de semana e nas férias, as ruas ficavam desertas. Itanhaém, Praia Grande, Santos, Guarujá e Litoral Norte, lotados. Alguns iam para sítios e fazendas do interior. Ou para as montanhas de Campos do Jordão.

Quem morava na periferia mal convivia com quem morava na região central. Talvez na periferia fossem mais felizes. Talvez tivessem espaço para correr, céu visível. Só no Capão, me contou o escritor local, Ferréz, no começo da ocupação desordenada tinha oito campinhos de futebol sem donos. Paz. Paz?

As pessoas queriam andar de carro, não a pé. Tudo era para o carro. Os elevados passavam por parques e praças, para facilitar o trânsito. O parque Dom Pedro, em que meus avós italianos, que moravam no Brás, passeavam com minha mãe e tias, não existia mais. A praça 14 Bis não resistiu a um elevado. A Marechal Deodoro, na São João, foi desfigurada pelo Minhocão, e nem árvore tem na praça da Árvore, que virou um respiradouro do metrô. Carro era o desejo maior, o maior símbolo de ascensão social. As pessoas faziam de tudo para ter um carro e um telefone.

Adolescentes da classe média ascendente jogavam pingue-pongue no prédio, botão no prédio, fumavam escondidos nas escadarias do prédio. Alguns prédios começaram a ter espaços para que as pessoas não saíssem dali, grades e guaritas para dificultar a entrada de outras pessoas. Alguns prédios viraram miniclubes com quadras, piscinas, salões de festas, academias de ginástica, até saunas.

Era um ato de rebeldia ser skatista. Compensados de propaganda sobre placas de ruas que arrancávamos no meio da madrugada eram serradas, lixadas, ganhavam rodas de poliuretano, vendidas na Vila Mariana, e viravam skate. As pessoas tinham serrote em casa. As ladeiras de Perdizes e Sumaré logo foram tomadas. Milhares de adolescentes invadiam as praças íngremes para descer ou observar outros moleques descerem as ruas num skate de fabricação própria. A polícia passou a reprimir, chamada pelos moradores. Invadíamos a rua vizinha. Os moradores chamavam a Prefeitura, que instalava lombadas.

Os bairros não se comunicavam. Eram nítidas as diferenças de sotaque da Zona Norte e da Leste, mais italianado. Na Zona Sul, como no ABC, falava-se como no interior, puxando o erre. A Zona Sul recebia influências da música negra americana. Leste era do samba do seu Nenê. Na Zona Oeste, o rock era progressivo, sob as asas dos Mutantes e Made. Na Zona Norte tinha o samba da Rosas de Ouro. Mas o rock era a norma, tocado em clubes, escolas, casas de amigos, rock pesado que virou o punk. E mal sabíamos disso. Nós, que morávamos entre os rios, não tínhamos ouvido falar disso. A cena cultural da periferia não chegava até lá. Mal cruzava as pontes.

O punk floresceu na Zona Norte, depois na Sul, na Leste, no ABC, mas ficou pelas extremidades da cidade por anos. Quando o punk já era história na Inglaterra e em Nova York, e o pós-punk de The Clash, Bauhaus, U2, New Order, The Cure, Siouxsie & The Banshees, The Smiths, Killing Joke, New Model Army, Psychedelic Furs e Echo & The Bunnymen dominava a cena, Ian Curtis do Joy Division já tinha se enforcado. Quando o new wave, com o Police, estava entrando nas discotecas, que passaram a se chamar danceterias, e se dançavam o gótico, o glam rock de David Bowie e Brian Eno, o punk brasileiro cruzou enfim os rios e chegou ao Salão Beta da PUC, e meses depois no Sesc Pompeia, na antiga fábrica reformada, que tinha acabado de ser inaugurado e virou um dos pontos culturais mais importantes de São Paulo.

Comprar instrumentos musicais no Brasil em crise, sem dólares, com restrições a importações, era para poucos. Só tinha duas marcas de guitarra e violão, as nacionais Giannini ("Gianola", como dizíamos) e Del Vecchio. A primeira guitarra Gibson que Clemente viu na vida foi a do Philippe, da Plebe Rude, de Brasília. Quando o guitarrista da Plebe sacou do case, ele exclamou, "Uau, isso existe!...". Em Brasília, os roqueiros, amigos ou parentes viajavam e tinham como trazer de fora.

Aos quinze anos, Clemente comprou sua primeira guitarra, de um cara apelidado de Made in Limão, fã do Made in Brazil, que morava no bairro. Parcelou. Mas o cara morreu e ele não conseguiu pagar integralmente. O braço da guitarra parecia uma asa de morcego, toda torta, ondulada, dizia.

Como todo moleque fã de rock pesado da época, não ouvia MPB, odiava a MPB. Ouvia Stooges, MC5 e NYDolls, quando ainda não se tinha definido o que era punk, antes mesmo de surgir o nome.

Alguns consideram que a música que dominava o Village, em Nova York, nos dias de glória do Velvet Underground, Television e

Patti Smith Group, só virou punk com a chegada dos Ramones, em 1974. Ninguém entendeu Ramones. O som era tão ruim, os caras eram tão péssimos, que muitos foram embora putos do CBGB, a casa em que tocaram, com aquela primariedade, músicas rápidas demais, tocadas num ritmo frenético, num fôlego só, em um minuto e meio, sem solo, refrão. Os Ramones contam: queriam voltar às origens do rock, quando as músicas tinham que ter no máximo três minutos; o problema é que tocavam rápido demais, e as músicas duravam menos, sem os solos de horas do Deep Purple, Yes, Emerson, Lake & Palmer e das complicadas bandas de rock progressivo, em que, quando você estava curtindo o solo da guitarra, entravam o violino e a ópera.

Vida longa ao hardcore! Ao metal! Ninguém inventa nada. Os Ramones reinventavam um novo estilo, sem saber. Todos que detestaram o primeiro show voltaram pro segundo, para verificar se aquele lixo de banda era aquilo mesmo ou se eles estavam chapados demais ou debochando. Não. Era aquilo mesmo. Calça jeans, casaco de couro preto, cabelo na cara, óculos escuros. A banda era ruim, mas os caras eram tão esquisitões que pareciam personagens de história em quadrinhos. Pareciam, não, viraram. Uma molecada que frequentava o CBGB fez a revista chamada *Punk*, cujo anti-herói entrevistado na primeira edição foi Lou Reed, que frequentava a boate. Mas foram as tirinhas em que o herói era Joey Ramone que se popularizaram na revista. A revista *Punk* ficou associada a Joey e vice--versa. E tudo começou.

O Brasil estava fora da rota dos grandes shows internacionais. Foi com inveja, muita raiva, que soubemos que Pink Floyd tocaria no Peru, não aqui. Led Zeppelin nunca apareceu, nem apareceria. Quem veio foi Rick Wakeman, num show no Ibirapuera, *Viagem ao centro da Terra*, com seus computadores, fantasia, uma capa de super-herói, gelo seco, cajado e sintetizadores, muitos em looping, um inferno, um pesadelo, um horror... Dormi no show.

Por outro lado, Police, ainda na fase punk, veio ao Brasil. Tocou no Maracanãzinho. Veio para conhecer o Brazil, país exótico que abrigava Ronald Biggs, o maior assaltante inglês, fugitivo da polícia que, pelas leis brasileiras, não podia ser extraditado. Sex Pistols também desembarcou no Rio para conhecê-lo. Mas o Rio desconhecia Police e Sex Pistols.

O rock progressivo estava matando o rock: Supertramp, Jethro Tull, Genesis, solos longos, virtuosos. O produtor Ezequiel Neves dizia que o rock progressivo complicava o rock e, se você complica, mata o rock. O rock sempre precisa das origens para encontrar o caminho certo, se reencontrar. Mudar, transformar, romper, chocar.

Na boate nova-iorquina CBGB ninguém nomeava aquilo que estava rolando, mas todos viam pela TV que na Inglaterra tinha um mundo já girando em torno da moda nova, a do punk. A estilista Vivienne Westwood, casada com Malcolm McLaren, vendia roupas punks na Let it Rock, da King's Road: rasgadas, com alfinetes. Rasgavam as roupas de propósito e depois juntavam com tachas e alfinetes de fraldas. E Sex Pistols chegava no topo.

Quem inventou o punk é secundário. Na verdade, se não inventassem, ele surgiria do mesmo jeito e com outro nome, ou nome nenhum. Clemente lembra que lá na Vila Carolina eles já andavam com o visual dos Ramones antes dos Ramones.

— Se os americanos ou ingleses não tivessem inventado o punk, nós da Vila Carolina inventávamos.

Desde a adolescência, os caras da Zona Norte de São Paulo eram fissurados em rock. Iam atrás de uma expressão mais maldita e radical, que respeitasse as origens. Os caras eram fissurados em Alice Cooper. O rockabilly, que chamavam de "brilhantina", agradava aqueles que organizavam festas na casa de alguém, quando a família viajava, ou na Sociedade Amigos de Bairros. Os salões de festas eram ideais para se agitar um som de fita cassete. A molecada começou a "discotecar", se agrupar para escutar, pesquisar, adquirir, pirar em audições caseiras, aprender inglês para entender o que se cantava. Os discos eram raros. Quem os tinha gravava em fita K7, de gravador, e distribuía a amigos. Ou deixava amigos visitarem para escutar e debater. Na casa do Gusta ficavam os discos. Quem os tinha se vangloriava e os deixava lá por um tempo. A turma gravava. Depois o dono pegava. O disco raro e importado do Television se popularizou. Como Dead Boys, Ramones, The Saints, Radio Birdman, 999, Menace, The Dickies, Speedtwins, Penetration, The Clash, Stiff Little Fingers.

O salário médio de um office boy era quatrocentos cruzeiros. Um LP do Dead Boys saía por cem.

As garagens da Vila Carolina começam a ser ocupadas por um som cru, vindo de instrumentos vagabundos, de garotos que aprendiam a tocar enquanto ensaiavam, bebiam, se drogavam. A primeira vez que Clemente fumou maconha foi com Waltinho. Engasgou, tossiu, esperou o efeito, até dizer: "Que bosta!". Nunca mais fumou. Sua droga desde a adolescência era a da maioria dos adolescentes brasileiros pobres: a bebida. E sempre ajudou a espalhar a fama de que punk não se drogava, só bebia. Era mentira. Falar que o punk não usava droga era pra despistar a polícia.

Em 1978, Clemente, o guitarrista amador que tocava na escola, virou baixista da Restos de Nada, a primeira banda punk do Brasil. Mudou de instrumento porque já tinham guitarrista. No começo, ficava perdido com aquelas quatro cordas mais grossas e o braço mais fino do baixo, até descobrir que a afinação é igual à da guitarra: as quatro cordas grossas são afinadas geralmente como as quatro primeiras das seis cordas de uma guitarra ou violão. Com o tempo, cada guitarrista e baixista faz a sua própria afinação para cada música. Algumas são tão complexas que ninguém consegue imitar. Jimmy Page é o mestre de iludir guitarristas com afinações esdrúxulas.

A banda era muito boa. Clemente aproveitou e aprendeu com ela: Douglas na guitarra, Ariel no vocal, Charles na bateria. Charles tocava violão, piano, sax e flauta. Era mais velho, vinha de uma tradição mais jazzista. Esse cara intrigava. O que ele fazia com aqueles moleques inconsequentes? Charles enfim um dia respondeu, rindo:

— Toco com vocês por causa da energia…

Aos poucos Clemente aprendia a tocar baixo com ele. Em 1979, decidiu enfim assumir o instrumento e abandonar a guitarra comprada do Made in Limão. Tinha dezesseis anos. Saiu com a mamãe, dona Alice de busão, até o centro. Mãe e filho querido. Ela precisava ir ao Mappin comprar uma estante, ele iria à Casa Bevilacqua comprar seu primeiro baixo, um Giannini Supersonic, e um amplificador Thundersound. Custavam o salário de um ano de office boy. Na loja, não parcelavam. Contou com a ajuda da mãe: a estante que ela queria, parcelavam, então fizeram a troca, ele pagou pela estante, ela, pelo equipamento. Atitude nada punk contar com a mamãe para começar a carreira, mas ninguém precisava saber.

As irmãs se lembram do dia em que abriram um crediário e compraram o amplificador como um grande acontecimento na família, o quanto aquilo foi suado e significativo ao mesmo tempo. O amplificador tinha alças laterais. A banda ia tocar longe, de ônibus, então era mais fácil de carregar.

Marisa, irmã mais nova, fala do dia em que o aparelho chegou. Foi uma alegria imensa na casa. Ela se lembra de ter ficado feliz só de ver o quão feliz Clemente estava. Ele anunciou, radiante: "Agora, sim, eu vou tocar mesmo". E a partir de então o que a irmã mais se lembra é de vê-lo em cima de um palco. Quando adolescente, não perdia um show do irmão. Ela e a família toda.

Dona Alice sempre incentivava o filho a cantar e tocar. Ela mesma gostava muito de música, mas achava as letras do filho estranhas. A mãe gostava de bolero, samba; cantava muito, foi baiana da Mocidade, desfilava sempre que podia no Carnaval e cantava no coral da igreja. Fazia parte de movimentos da "melhor idade". Amava Carnaval, levava os filhos nas matinês e acabava dançando mais que eles.

Os desfiles de Carnaval naquela época eram quase amadores, nada comparados aos cariocas. Aconteciam na avenida Tiradentes ou no Ginásio do Ibirapuera; ainda não existia o sambódromo. As escolas entravam no ginásio e davam a volta lá dentro. Quando dona Alice queria ver um desfile, levava só uma das meninas mais velhas, a outra tinha que ficar em casa cuidando do Clemente. Ela ia escondida do marido e tinha que voltar antes de ele chegar. Sempre foi muito carinhosa, cuidava dos filhos e tomava conta de outras crianças ainda, mesmo sem se queixar. A única vez em que dona Alice bateu no Clemente foi com um pano de prato. Ele dormira fora sem avisar, ela acordou no meio da noite para ir no banheiro, viu que ele não estava em casa e fez o maior auê: botou todo mundo na rua de madrugada pra caçar o menino. Clemente tinha dormido na casa de um amigo que a família não conhecia, acabou ficando até a noite do outro dia. Dona Alice, desesperada, fez a família toda procurar em hospitais, até no IML. Márcia conta que, quando ele chegou, na noite seguinte, ela ficou feliz, mas queria matar o menino ao mesmo tempo.

Adriana Valéria, que prefere ser chamada de Valéria, se lembra dos ensaios das bandas na sua casa quando ela tinha quatro ou cinco anos. Ela ficava no meio deles, se divertia, eles a chamavam de "Clementinha". Ela cantava "Pânico em SP" no microfone com quatro anos. Os punks da banda, nas lembranças dela, eram muito polidos, carinhosos com ela e muito educados com dona Alice. Clemente, ela conta, era muito organizado, bem diferente da imagem de punk que tentava passar. Desde sempre ele tem creme pra tudo: creme pra mão, creme pra bochecha, creme pós-barba, creme pra careca. Organizado e vaidoso.

No futuro, ele cuidaria muito bem dos filhos, dando mamadeira, fazendo comida, passando roupa, assim como cuidava das duas irmãs menores. Valéria diz que ele é muito engraçado e desligado; que a família toda é bem-humorada e ri à toa. Deram risada até no velório da mãe. Dona Alice chamava Clemente de Cremente. Ele era o xodó dela mesmo, mas as meninas não sentiam ciúme. Ele nunca deu trabalho ou criou problema. Chegava bêbado em casa às vezes, mas nada grave. Uma vez, depois de uma briga, quando ele trabalhava no Napalm, chegou em casa muito machucado, porque tinha sido jogado numa porta de vidro. Dona Alice ficou desesperada, mas cuidou dele. Era o filho homem dela, ela fazia tudo que ele queria. Mas Clemente também fazia tudo que dona Alice pedia, como ir ao mercado ou cuidar das irmãs mais novas. Quando ele ficou um pouco melhor de vida, começou a ganhar dinheiro, ele ajudava dona Alice. Ela pedia uma televisão, ele atendia.

Valéria lembra que ele a levava para a escola de mãos dadas. Depois da janta, cada um tinha que lavar seu prato. Clemente pagava Valéria pra lavar o dele. Ele dava um dinheirinho, ela corria na padaria do lado pra comprar paçoca. Para ela, ele é o tipo de pessoa que sempre está preocupado e cuidando dos outros. Tem certeza de que, se precisar de alguma coisa no meio de um dia de trabalho dele ou de um ensaio, ele para tudo que estiver fazendo pra atender.

Ela se lembra de um show que a 89 FM organizou no Anhembi: ela devia ter catorze ou quinze anos, estava no ombro de um amigo, começou a cair, Clemente parou o show e falou no microfone:

— Valéria, desce já daí!

"Baixo é simples, não tem segredo. Especialmente no punk." Quem disse? Ledo engano. Baixo é a locomotiva do punk. Baixo tem uns segredos, admite Clemente. Com Douglas, ele começou a se aprimorar. Aprendeu com ele. Tocavam todos os punks que conheciam. Até montarem Restos de Nada.

— Douglas era um puta guitarrista, se formou em música e virou maestro. Tocava no Restos pela estética. Ele tinha certa formação musical vinda do pai, que tocava acordeom e que o incentivava a tocar o instrumento, coisa rara na época, numa sociedade que achava música profissão de vagabundo.

O vizinho e colega do Eetal, Ariel, não tocava nenhum instrumento, mas escrevia bem. Entrou pra banda no final de 1978. Ele se lembra:

— Eu tinha dezoito anos e escrevia muito, me expressava através dos textos. Clemente e os outros tocavam muito bem. Eu sempre mostrava o que escrevia para os outros. Não tinha o dom musical deles, mas gostava de falar, escrever e falar do que escrevia. Minha afinidade era de pensamento, nem tanto musical. Então passei a adaptar meus textos para as músicas.

O primeiro show do Restos de Nada foi com o AI-5, banda do Tucuruvi, Zona Norte, da turma do radialista Kid Vinil. Kid trazia os discos das suas viagens da Europa. Era do bairro vizinho, Jardim Colorado, mas se conheceram na loja de discos Wop Bop.

AI-5 era a banda do Sid Valson, que se parecia com Sid Vicious, do Sex Pistols, por isso o apelido, e trabalhava na Wop Bop. Ele sabia o que acontecia lá fora. Era punk rock estético e debochado, a banda se vestia na última moda. Durou de 1978 a 1979. O hit era "John Travolta", uma crítica desbocada à discoteca. Sem um registro fonográfico decente, "John Travolta" ficou como um hino cult do começo do punk no Brasil.

A história é famosa, já rendeu até um documentário.

No porão de uma padaria abandonada do Jardim Colorado fizeram uma ligação (um gato) no poste. Fizeram história. Era comecinho de 1979. Kid foi com seu fusca buscar Clemente. Tirou o banco do carro para caber o equipamento do Restos de Nada. Tinha poucos punks na época, mas os que existiam demoraram três horas para ir de busão da Vila Carolina a Colorado. O chão do porão era de tijolo batido. O pó da dança começou a levantar durante o primeiro show de rock punk no Brasil. Pulavam sem se dar conta da precariedade do lugar. A única lâmpada que iluminava quebrou. Ninguém via nada. Foda-se. Todos cobertos de poeira vermelha. Pode-se dizer: o punk rock chegou.

O mundo era uma merda. O que passava na TV não importava a eles. O que tocava na rádio, o que era publicado no jornal, era o estereótipo de uma juventude que era mais ampla, cosmopolita, menos pragmática, mais contraditória e esperta, e que tinha coisas a dizer. Nos cansamos de ouvir sobre uma suposta geração alienada manobrada pelo poder, a Geração AI-5, a Geração Coca-Cola, que não teria nascido em tempo de fazer a revolução nas estepes russas, nas fábricas, no campo, não teria marchado com Mao, nem com Che pelas selvas de Sierra Madre e da Bolívia. Aqueles, sim, seriam tempos de revolução.

Os ideais da esquerda revolucionária se isolaram e não empolgavam as massas. Das grandes manifestações e greves anarcossindicalistas e comunistas do começo do século restaram uns grupos pequenos, autônomos, cujas ações eram confundidas com as de um terrorismo sem sentido, até justificável mas louco demais, sanguinário demais: IRA no Reino Unido, ETA na Espanha, Baader-Meinhof e Setembro Negro na Alemanha, Brigadas Vermelhas na Itália, Panteras Negras nos Estados Unidos, OLP no Oriente Médio. Por mais justa que fosse a causa, o método era questionado. Há possibilidade de se fazer revolução sem dor, morte, sangue? A arte tem esse poder? A música mobiliza? O rock muda o mundo? E o punk?

Começaram os conflitos na banda Restos de Nada. Não era a música o problema, era a política. Para Clemente, a banda começou a andar demais com a esquerda estudantil, a frequentar os bares universitários da esquerda, a ser doutrinada pelos trotskistas da Libelu, tendência do movimento estudantil, corruptela de Liberdade e Luta, fruto da Quarta Internacional Comunista, fundada por Trótski e seus seguidores, cujo princípio era a construção de novos partidos revolucionários de massa capazes de liderar a revolução do proletariado. Teve como militantes muitos estudantes, especialmente da minha escola, a ECA, jornalistas e roqueiros.

Clemente se entediava. Queria fazer a revolução. Acreditava nela. Sabia que o país só iria para a frente se houvesse justiça social, se tomassem o poder, fuzilassem a burguesia. Gostava das teses de Trótski, o intelectual exilado beberrão de Nova York, que reapareceu em 1917 na Rússia no comando do maior exército do mundo: revolução total! Clemente achava muito chato, muito falatório, só papo político. Faltava rock 'n' roll. Ariel não se conformava. Existia uma luta em andamento contra a ditadura e contestando os valores burgueses. Tinha greves e manifestações. O punk rock ficava à parte. Escreveu "Memórias de um invasor", um texto-manifesto publicado no portal Rock Press:

> Apesar de sermos proletários, éramos direcionados para a alienação, desde a mais tenra infância. Éramos moleques da periferia, malcriados, briguentos e delinquentes, vivíamos brigando com desafetos de outras gangues e sempre envolvidos em alguma treta com a polícia, que nos perseguia pelas quebradas, por pequenos furtos, pequenos tráficos, bebedeiras, brigas, desordem pública, estelionatos etc. A barra era realmente pesada. Seguíamos procurando diversão e sangue — e era aconselhável, se você curtia rock e estava a fim de sair para agitar um som, estar em alguma gangue, pois as ruas estavam infestadas de maldade, que certamente iria de encontro a você. Foi complicado e extremamente rude esse começo do punk em São Paulo, e, apesar de certa incoerência por parte dos garotos punks da periferia, o estopim para um movimento mais radical estava aceso e era questão de tempo até que estivéssemos engajados nessas manifestações políticas.

Foi o que aconteceu nos anos seguintes. A banda começou a militar na Libelu. Clemente não se enturmou. Ficava incomodado que todos queriam fazer a revolução, mas ninguém saía do bar. O povo tá lá na rua, dizia. Ia com Douglas, Ariel e Neli aos bares da esquerda. Tudo politizado. Ariel pegava um jipe do pai mecânico e zarpava lá para o Rei das Batidas, na USP, que juntava a esquerda estudantil uspiana. Trocavam ideias. Em 1979, ninguém sabia o que era punk. Clemente dormia durante as discussões. Provocava: "Quando chegar a revolução, me avisem que vou lá".

Ariel fala que ele, Douglas e Neli entraram na OSI, organização trotskista radical, e ficaram lá de 1977 a 1980. Tinham até nome de guerra. Com a banda Restos de Nada, procuravam levar as ideias trotskistas e a luta política para as ruas. Mas a política rachou a banda:

— Os outros não admitiam a luta política. Buscavam influência em outros lugares, no novo rock que estava nascendo, e não gostavam da minha atividade política e da do Douglas.

Outra banda, Condutores de Cadáver, dos amigos Antônio Carlos Callegari e Indião, começou a seduzir Clemente, irritado com os desafios políticos que se impunham ao Restos de Nada. Condutores eram considerados limitados musicalmente e recrutaram Clemente, que já tocava baixo muito bem. Nos Condutores, duas gangues estavam representadas, a da Carolina e a dos Ostrogodos. Clemente então saiu do Restos e se mudou pra Condutores, que durou de 1979 até 1981: Índio no vocal, Clemente no baixo, Nelsinho na bateria e Callegari na guitarra. Só existe uma gravação da banda, em um EP em vinil, feita no ano 2000.

Ariel escreveu que cada um que viveu esses anos o fez sob sua própria ótica. Mas ele não contava que o que aprontaram ia reverberar no universo da música, moda, cultura, política. E não só em São Paulo, mas no ABC, Brasília, Rio, Salvador, Porto Alegre, BH (Clemente considera a primeira banda pré-punk do Brasil a mineira Banda do Lixo, que jogava lixo de verdade no público), na USP, na PUC, nas ruas e festas, nos salões e nas casas de shows. Para Ariel, os punks deixavam um mundo antigo e desinteressante para trás, transformando-o numa cena juvenil empolgante novamente, resgatando ideias musicais e atitudes rebeldes. Rock repaginado com um sabor paulista, brasileiro.

Os inimigos eram três: o sistema, a alienante e desbundada discoteca e a paralisia, o distanciamento e a passividade hippie.

A música tinha se afastado demais do conflito urbano. Virara uma viagem para dentro de si, do sim, do eu, do self, da minha inconsciência, para abrir as portas da percepção. Rock virou a minha viagem pessoal, o meu cogumelo, a minha alucinação, o meu delírio, os meus pesadelos, traumas, meus carmas, meu lado espiritual desrespeitado pela sociedade industrial e injusta. Como posso contestar se preciso antes me enxergar, ver de onde vim, entender meu mapa astral? Posso jogar I-Ching antes?

Tínhamos já as bandas Restos de Nada, AI-5, Condutores de Cadáver e Cólera, todas com ligação na Zona Norte. Era péssima a qualidade dos instrumentos. Tinha preconceitos de todos os lados, especialmente das famílias de um bairro de trabalhadores braçais. Punks começaram a se interessar por tudo que provocasse o sistema, até pela esquerda revolucionária. As brigas de gangues não eram mais do que um conflito de classes, de estilos. Punks tomavam os centros urbanos.

Restos de Nada mudava de formação o tempo todo. Clemente saiu, entrou Irene. O único registro em vinil é de 1988, com um LP lançado pela Devil Discos, com a formação original — Clemente, Douglas, Ariel e Charles. Charles morreu em 2009 e Douglas, em 2011.

Em 1981, os Condutores viraram Inocentes. E começaram aos poucos a sair da Zona Norte. A banda passou a tocar em clubes, associações de bairro, escolas. Tocavam onde dava. Pegavam a grana na porta. Seus amigos punks da vila controlavam o entra e sai e a bilheteria.

— Deviam roubar pra caralho, né? — ri Clemente.

Do som de fita do Salão Construção, da Vila Mazzei — em que a molecada ensaiava os passos da dança que lembra uma pancadaria em roda sem controle, que ninguém sabe como começou —, passaram a tocar em qualquer barracão que descobrissem. Foi aí que Clemente conheceu um garoto mais novo da Vila Gustavo, de treze anos, João Gordo, que soube do show ao ver um panfleto numa loja de discos do Indião, de onde não saía. Amizade instantânea. Não se desgrudaram. João Gordo, figura, vestia-se como um maluco: capacete verde, dente verde, coleira do cachorro, botão de cartolina, roupas que ele próprio pintava, gravata do pai amarrada no pescoço. O garoto, com os anos, virou uma das maiores personalidades do rock brasileiro.

No Salão Gruta, na Conselheiro Moreira de Barros, 105, Santana, na Zona Norte, resolveram fazer um carnaval para quem odiava

Carnaval. No verão de 1980, Condutores tocou com Vermes, Cetro e Cólera. Indião, dos Condutores, organizava a maioria dos shows. Entre 1981 e 1982, já como Inocentes, deram show no Templo, espaço de São Caetano, para trezentas pessoas, com M-19.

As sirenes tocavam

As bandas começavam a lotar os salões da perifa. Quinhentos, seiscentos punks, aficionados, novos fãs. Já era um movimento que cercava a cidade. Mas nada disso chegava aos cadernos culturais. Chegava aos policiais.

Em 1981, morreu o jovem Edson Passos Nunes, numa briga entre punks em São Caetano.

O Pádua, da banda Passeatas, do ABC, perdeu a mão quando uma bomba caseira que ele segurava explodiu. Ele ia atirá-la contra punks paulistanos. Depois disso, muitos se perguntaram se valia a pena continuar com aquele movimento. A bomba que mudou a história do punk brasileiro. Depois dela, Clemente se perguntou se valia a pena continuar:

— A gente odiava os caras, e os caras nos odiavam. Neguinho tomou tiro na cara, todo mundo começou a andar armado, com calibre .22, .32.

Quando os coquetéis molotov começaram a explodir na tela de metal da varanda do Construção, eu fiquei ali estático, admirando aquelas explosões de vidro, gasolina e fogo. Eu nunca tinha visto coquetéis molotov em ação, parecia um garotinho vendo fogos de artifício pela primeira vez. Quando finalmente saí daquele estado de letargia e me aproximei da tela para ver o que acontecia lá embaixo, vi o tamanho da encrenca que nos aguardava, uma massa disforme de jaquetas de couro, 150, duzentos caras do ABC, ensandecidos e com sede de sangue. Nós não passávamos de uns sessenta caras e minas, tranquilos, tomando uma cerveja e ouvindo um som naquela sexta-feira modorrenta. Não tínhamos chance alguma. Corri para a escada gritando "Ninguém sobe!

Ninguém sobe!". *A escada era uma passagem estreita em que passava um cara, dois por vez, era como se fôssemos os trezentos de Esparta segurando o exército de Xerxes naquele estreito na costa da Grécia, ali estava a nossa vantagem. Havia poucos caras da Carolina Punk e Punks da Morte, o Nenê, o Paulão, o Zorro, Tikão e um catado de caras, cada um de uma gangue, e os caras da área, Mazzei e Tucuruvi, Aquino, Anselmo, o irmão do Alemão da Mack, o Debiloide, o Sardinha, a Lila, a Lucinha. Começamos a jogar tudo que aparecia nas mãos escada abaixo, voaram copos, garrafas de cerveja, tijolos, pedaços de madeira das cadeiras e mesas do bar. Eles não conseguiam subir, mas eu sabia que não conseguiríamos segurá-los por muito tempo, nossa munição estava acabando. Eu, como sempre, estava chapado, tinha tomado um litro de vinho barato sozinho, várias cervejas e caipirinhas, e tive uma ideia "sensacional". Pensei: "Vou descer". Sim, por que não? Eu tinha andado muito tempo com aqueles caras, tinha namorado com a Rose, irmã do Nenê, um dos líderes dos Anjos de São Bernardo, conhecia todo mundo que importava de lá. Quando me dei conta eu estava no meio do fogo cruzado descendo a escada sorridente, imaginando qual recepção eu teria. Soube anos depois que eles só não me massacraram porque eu desci a escada rindo, eles pensaram que ninguém seria tão idiota. Eu concordo, era uma ideia completamente idiota. Estavam lá embaixo o Negão, o Indião, o Binho, o Pádua, o Nenê e sua irmã, a Rose. Tentei negociar e conversar, não havia motivos para eles estarem ali querendo nos detonar, mas não teve conversa. A Rose estava lá, me puxou pela mão e me tirou do meio do redemoinho, e ficamos por ali juntinhos até que alguém gritou: "A bomba! Joga a bomba!".*

O Pádua pegou uma lata de cerveja, que ainda era daquelas de aço, e ela tinha um pavio e estava cheia de pólvora, bolinhas de gude, parafusos, pregos, era um engenhoso artefato de destruição. Acenderam o pavio e ele correu na direção da escada para jogar aquilo lá pra cima. Não deu tempo, o pavio era curto e a bomba explodiu quando estava saindo da mão dele. O barulho foi ensurdecedor. Algum estilhaço, alguma coisa me atingiu no estômago, ainda bem que eu estava com a jaqueta de couro fechada até o pescoço, como era costume na hora das brigas, para se ralar menos. Eu me dobrei de dor e, quando levantei a cabeça, vi o Pádua urrando com as mãos envoltas em sangue. Foi quando no final da rua, a uns dois quarteirões, virou o primeiro camburão, o segundo, o terceiro. Parei de contar, peguei a Rose pela mão e saí correndo. Entrei na primeira quebrada que achei, era punk correndo pra tudo que era lado. Mas eu era da área, me separei dos grupos grandes e fiquei sozinho com a Rose, e fomos andando desbaratinados até chegar a um ponto de ônibus. Lá paramos, acendi um cigarro e esperamos um ônibus passar, pegamos o primeiro que passou para Santana. Quando entramos no busão, todo mundo que estava lá dentro se levantou e olhou para trás. O ônibus estava lotado de caras do ABC. Eles vieram pra cima e a Rose gritou: "Ele tá comigo, ninguém encosta a mão nele". Na hora pensei até em reatar o namoro, a Rose era uma gata, uma morena jambo deliciosa, mas meu momento romântico foi interrompido por uma janela do busão que explodiu do nosso lado, depois outra, várias pedras voando pra dentro e fazendo um estrago enorme. Consegui dar uma espiada pela janela e vi o Debiloide com uma picareta na mão atacando o ônibus e um bando de garotos arremessando pedras. Era a rapaziada que estava dentro do Construção. Levantei e gritei: "Porra, Debiloide!! Sou eu, manô, tô aqui dentro!". Não teve ideia, acho que nem me ouviram, as pedras voltaram a voar pra cima da gente, o motorista acelerou e caímos fora dali. Fiquei ali conversando com Rose e umas meninas de São Caetano, elas disseram chorando que o Pádua tinha sido levado para o hospital e que perderia a mão. Diz a lenda que eu falei pra elas: "Bem feito, se fudeu, nunca mais vai poder fazer assim", e fiz aquele movimento de "top, top", com uma mão espalmada e a outra em cone, e desci do ônibus, não ia ficar num ônibus lotado de caras do ABC. Só lamentei ter deixado a Rose lá, queria ter ficado mais tempo com ela, quem sabe até reatar. Fiquei de tocaia até pintar outro ônibus, as ruas estavam movimentadas, muita polícia e pequenos grupos de punks estranhos. Finalmente peguei o busão pra Santana, cheguei no terminal, desci por uma passagem subterrânea e dei de cara com uns sessenta caras do ABC que eu nunca tinha visto na vida. Pensei comigo: "Fudeu!". Mas eles cordialmente vieram me perguntar como chegar ao Construção, eu falei pra eles o que tinha acontecido e que a rua estava cheia de polícia, e eles caíram fora. Encontrei com o Callegari, sozinho, indo pro Construção, e depois o Nelsinho Teco Teco. Éramos os Condutores de Cadáver, baixista, guitarrista e baterista, só faltava o Indião no vocal pra completar o time. Contei tudo pra eles, o Nelsinho ficou puto, queria descontar em alguém. Fomos pro ponto e passou um cara do ABC, sozinho, perdido. O Teco Teco não teve dúvidas, partiu pra cima dele e começou a massacrar o cara. Eu e o Callegari gritávamos desesperados pro Nelsinho parar, as ruas estavam cheias de gambés, com certeza iríamos em cana. Não deu outra: uma viatura parou e lá fomos nós quatro para o 13º Distrito Policial na Casa Verde. Eu realmente não estava a fim de passar a noite na cadeia naquele dia, fiquei puto, mas fazer o quê. E ainda botaram o cara do ABC na mesma cela que a gente, e o cara estava realmente com medo. Eu e o Callegari acalmamos o Teco Teco e começamos a conversar com o cara, ele era de Santo André e não fazia ideia de onde estava, não tinha grana e havia se perdido de todo mundo. Umas duas e meia da madrugada, os gambés soltaram a gente. Fizeram de propósito, pois sabiam que não tinha busão e a gente ia ter que se virar pra ir pra casa. E lá fomos nós a pé da Casa Verde pro Bairro do Limão e Vila Carolina, e o cara do ABC, que não sabia pra onde ir, veio seguindo a gente. Chegamos no largo do Limão, fizemos uma vaquinha, demos uma grana pro cara pegar o busão e o trem, deixamos ele no ponto de ônibus e fomos embora. Eu já estava do lado de casa, mas o Callegari e o Nelsinho Teco Teco ainda tinham uma boa caminhada até a Vila Carolina. Eu estava cansado, no outro dia tinha ensaio, precisava descansar.

Sempre tinha o pessoal que encarava o movimento com mais seriedade e buscava uma conciliação, como o Fabião, da loja Punks Rock Discos e da banda Olho Seco. Foi dele a ideia de fazer shows e discos de coletâneas. Começaram a acontecer os primeiros festivais punk. Várias bandas juntas. Primeiro o de São Miguel, Zona Leste, na Curva da Morte: foi o primeiro show do Inocentes num salão de rock. Tinha palco e PA, caixas e equipamento de som mais potentes.

No Luso-Brasileiro aconteceu o Segundo Encontro Punk. O show foi tomado pela polícia. Mandaram os punks descalçarem os coturnos, as pulseiras, e saírem. Antes de irem embora, os PMs misturaram todas as botas. O cara chegou com uma bota, foi embora com a de outro. Alguns com coturnos de tamanhos diferentes. Ou dois do mesmo pé.

O Alemão da Mack apostou com a gangue rival da Zona Sul, a Phuneral, conhecida por ser numerosíssima, a maior de São Paulo, que organizaria um show lá que teria mais punks da Zona Norte que da Sul. Levaria as bandas Inocentes, Fogo Cruzado, Lixomania, Cólera e Olho Seco. Bairros distantes queriam conhecer os sons de outros. Combinado. Mack alugou três ônibus da CMTC, antiga companhia municipal de transporte da Prefeitura. Chegaram e tomaram o clube deles. Ganharam o respeito e a aposta.

Mais e mais bandas apareceram na cena. No show Grito Suburbano, em 10 de outubro de 1981, na casa de shows Stop, tocaram Olho Seco, Cólera, Inocentes, Mack, Anarcoólatras. Desse show, decidiu-se gravar um disco coletânea para começar a apresentar as bandas que lotavam na periferia, mas não tocavam em rádios.

Gravaram o cultuado vinil (que é sempre reimpresso e vende até hoje) chamado *Grito suburbano*, no estúdio da Gravodisc, uma gravadora especializada em música evangélica, na rua dos Timbiras, 81, atrás da loja Punk Rock. Um amigo deles, Cavalo, deu o nome de "Grito do subúrbio", e o Fabião adaptou para "Grito suburbano".

O som ficou péssimo. Decidiram refazer. Eram tão inexperientes que não sabiam que bastava remixar. Refizeram tudo de novo, todas as bandas, em oito horas. A vantagem do som punk e suas músicas com no máximo quatro instrumentos, sem teclados e com menos de três minutos, é que foi mole refazer.

Lado A
"Desespero" (Olho Seco)
"Sinto" (Olho Seco)
"Medo de morrer" (Inocentes)
"Garotos do subúrbio" (Inocentes)
"João" (Cólera)
"Gritar" (Cólera)

Lado B
"Lutar, matar" (Olho Seco)
"Eu não sei" (Olho Seco)
"Guerra nuclear" (Inocentes)

"Pânico em SP" (Inocentes)
"Subúrbio geral" (Cólera)
"Hhei!" (Cólera)

A regravação das bandas Anarcoólatras e M-19 não rolou. A primeira ficou sem baterista — era o Redson do Cólera, que caiu fora — e a segunda ninguém lembra o porquê. Ficaram de fora da histórica e rara compilação, que saiu até na Alemanha.
 As tretas se espalhavam. Quem não era inteirado não entendia. Do nada, no meio dos shows, abria-se um clarão no público, punks agrediam punks. Paulada, murro, pontapé, sangue, canivetada. Coturnos com biqueira de aço, soco-inglês, facão. E, a partir de 1980, revólveres. As tretas de bairro pioraram quando toda a molecada virou punk. Turma da Carolina tinha virado Carolina Punk.
 Na perifa, a juventude queria sua gangue, para marcar território, encontrar os seus através da roupa, do cabelo e da música. Cada gangue precisava de uma cabeça de ponte para iniciar a revolução. Cada gangue precisava de hinos, estandartes, heróis. Precisava da sua banda rock. De punk rock. Quantas gangues? Tinha os Maquiavélicos, da Barra Funda. O líder era o Alemão da Mack, que fundou a banda punk Mack e era um agregador, uma espécie de Malcolm McLaren brasileiro: organizava shows com várias bandas de várias regiões da cidade. Tinha Os Melosos, do Bairro do Limão (Vila Espanhola); Carolina Punk, da Vila Carolina (era mais Freguesia do Ó). Até hoje se encontram pichações Carolina Punk pelos muros da Zona Norte. Tinha Os Metralhas, da Zona Leste; Phuneral Punk, da Zona Sul (de Santo Amaro), que era gigantesca. Tinha a temida Punk Terror, gangue de Pirituba, de onde saiu o Ratos de Porão. Tinha os Punks da Morte, da Casa Verde.
 — A gente era contra o sistema e contra o cara do bairro ao lado — Clemente se lembra e ri.
 Tinha os Piratas, Indecentes, Punkids, Repugnantes. Sempre alguém tinha um inimigo. E tinha os punks do ABC, mais unidos. Logo, São Paulo seria tomada por uma guerra entre as gangues. Guerra que não conhecia limites, fronteira, classes sociais. Guerra de que todos fizeram parte e, de certa maneira, tomaram partido.

Então os punks do ABC se tornaram os principais rivais.

— Eles se achavam, porque eram operários e diziam que nós éramos mais "ricos", diziam que éramos boys, que a gente tinha jaqueta de couro de verdade e eles usavam modelos de plástico imitando couro, andavam todos zoados. Eles vinham pra cá em bailes de fita e rolavam as brigas. Só pelo visual sabia-se quem era do ABC.

Os punks do ABC não tinham as mesmas preocupações estéticas dos paulistanos, nem ligavam para cabelos. Estavam enfronhados no movimento sindical, faziam as primeiras greves contra a ditadura, participavam das grandes manifestações dos metalúrgicos, sobrevoadas por helicópteros do Exército, em estádios de São Bernardo. O som era mais seco, as letras, mais elaboradas. A roupa: macacão de metalúrgico.

No fundo, todos falavam da mesma coisa, da exploração, do preconceito, de violência. Da luta de classes! Todos queriam a mesma coisa, o fim da ditadura. Todos queriam derrubar o sistema. Os que entenderam a lógica dessa luta ideológica comum passaram a debater com outros. Somos um grito só, o grito do subúrbio.

Clemente saiu atrás do pacto. Milagre: as tretas diminuíam conforme ia aumentando o número de bandas. Chegou 1982, ano em que o movimento estudantil começou a ganhar outra dinâmica. E se tornou aliado dos punks.

O discurso da velha esquerda não mobilizava mais. O Centro Acadêmico das Ciências Sociais da PUC, o Cacs, foi tomado por uma chapa anarquista depois de uma eleição livre e democrática. No ano seguinte, seria a vez do Centro Acadêmico Lupe Cotrim, da ECA, dominado pela chapa anarquista Picaretas. Ou Pica Retas. Em cuja posse tocaram as bandas punks Mercenárias, Ratos de Porão, Excomungados, uma banda punk do pessoal da História da USP e o Ira. Festa do Gato Morto. Na Poli, a faculdade de Engenharia da USP, outra chapa anarquista, Deliriosk, dominou o poderosíssimo centro acadêmico. O nome foi tirado do movimento sindical Solidarinosk, do líder polonês antistalinista Lech Walesa.

Em 1982, no Salão Beta, organizamos um debate pela descriminalização da maconha. O debate-assembleia era longo. Era uma luta solitária. A esquerda em ascensão temia a maconha. Temia a luta pela descriminalização do aborto, temia perder apoio da Igreja e do operariado cristão. Para nós, a luta era óbvia: maconha não vicia, é uma erva, o combate ao tráfico é dinheiro jogado fora, todos têm o direito individual sobre seu corpo e mente. O fim da ditadura para nós era o fim da ditadura sobre "nosso" corpo.

A única questão divergente era se deveríamos descriminalizar a maconha ou liberar, descriminalizar ou liberar todas as drogas. Marcamos uma manifestação para um domingo, na praça da República. Num ato de desobediência civil, fumaríamos baseados ao som de Peter Tosh, que no Festival de Jazz da TV Cultura, em setembro de 1978, cantou seu hit "Legalize Marijuana", num show transmitido ao vivo que provavelmente a censura dormiu no ponto e deixou rolar.

Na saída do Salão Beta, encontrei uns punks na lanchonete. Fiquei fascinado por aqueles caras que eu sabia que existiam em São Paulo. Como índios que visitam um espaço urbano, todos lanchavam e os olhavam curiosos. Alguns os temiam: tinham correntes, cintos com pregas, coturnos e, lógico, o casaco de couro familiar a todo roqueiro. Eles também nos olhavam curiosos. Um deles se chamava Callegari. O outro, Clemente. Lá estavam a juventude existencialista universitária paulistana e a voz niilista e discriminada da periferia de São Paulo. Que tomava café e comia pão na chapa, como nós. Punks no Brasil. Punk já tinha morrido na Inglaterra, mas fazia todo o sentido punks brasileiros. Claro, punks no Brasil. Arte operária, a voz da massa, do povo, do proletariado. Depois do samba de raiz, enfim uma arte que vinha da prole, do lumpesinato. Depois da bossa nova elitizada, da Tropicália cabeça, da Jovem Guarda burguesa, do Clube da Esquina universitário e da merda de música que não nos representava, o punk provava: o subúrbio tem muito a nos contar.

O que faziam na PUC? Acertavam com Renato Ganhito, do CACS, a série de shows punks para o Salão Beta. Foi Indião, do Condutores, quem descolou o contato. Três bandas por noite, três bandas de diferentes regiões da cidade, três bandas de punks que viviam em tretas. Aqueles punks ali, Callegari e Clemente, vinham com um projeto de unir o movimento. O Centro Acadêmico daria estrutura. As bandas poderiam cobrar ingresso e distribuir o que arrecadassem entre si.

Na época, Ganhito ficava com a musa do Centro Acadêmico Benevides Paixão, Astrid Fontenelle, da faculdade de jornalismo. Um CA com nome de um personagem de humor (Benevides Paixão, personagem do cartunista Angeli, é um jornalista gordinho e baixinho que se considera o maior jornalista do mundo, mas virou assessor de imprensa da prefeitura de Michirim do Norte) já prova que a tônica do movimento estudantil era outra.

A PUC era a grande universidade libertária de São Paulo, numa época em que a Igreja brasileira era dominada por uma corrente progressista e marxista, apoiada pela Teologia da Libertação. Na "prainha", espaço entre o prédio antigo e o novo, em que ficam os centros acadêmicos, fumar maconha era liberado. Fumava-se maconha pelos corredores, às vezes com professores, dia e noite. Rui Mendes lembra que na PUC as disciplinas de diferentes faculdades eram unidas e que todos se conheciam: era uma faculdade mais cosmopolita. Todos se reuniam juntos em lugares muito pequenos. Ganhito diz que em 1982 a ditadura não era tão repressora e temia entrar em campus acadêmicos, para não repetir a cagada de anos anteriores.

— Tínhamos espaço para desabrochar, debochar, ousar, chamávamos a velha esquerda de "esquerdofrênicos". Pessoas carregadas do frescor da sociedade começavam a agir.

De fato, o novo movimento estudantil era dominado pelo velho PCDOB. O presidente da UNE, Aldo Rebelo, era uma figura sem carisma, maoista anacrônico. Numa eleição com 2 mil a 3 mil eleitores, a chapa anarquista Grupo Maria ganhou fácil a eleição do CACS.

— Nunca tinha lido um pensador anarquista, mas era a coisa mais próxima de um movimento que não queria dirigentes, nem ter autoridade sobre ninguém — diz Ganhito.

Grupo Maria era uma homenagem ao clássico "Maria Maria", cantado por Milton Nascimento. CA para eles servia para agendar festas e organizar shows. A recepção dos calouros ficou para a história: três elefantes de verdade desceram as rampas da PUC. Escrevem-se teses hoje sobre o CACS, para entender como o movimento anarquista furou o monopólio de anos da esquerda no movimento estudantil brasileiro:

— A gente queria dessacralizar, queríamos organizar festa, queríamos nos divertir.

Quanto à associação com os punks? Foi natural, pois eles eram a novidade musical do underground e eram anarquistas.

— Não era uma afinidade só com os punks, mas com o que estava acontecendo. Nunca discutíamos nada profundamente. Éramos moleques nos reunindo para falar da vida, era rotina da vida.

Não se queria o rigor da disciplina leninista; queria-se fazer revolução sem líderes. A manifestação na praça da República pela descriminalização da maconha não rolou. A luta se esvaziou. Nem precisávamos mais dela. Tínhamos uma nova causa e um novo programa: os shows das bandas punks na PUC.

Mais uma vez, a história foi reescrita naquele salão.

Feliz por estar me sentindo parte de algo com que me identificava, fui ao barbeiro. Ao meu, a que ia desde os catorze anos, na rua José Maria Lisboa. Era o barbeiro do bairro, chamado Zé Cabeleireiros, ou Zé Barbeiro; um senhorzinho chamado Zé que tinha varizes, usava meias elásticas e, depois de um tempo, não conseguia ficar muito em pé, atendia a poucos clientes e chamava uma nova geração que queria ser barbeiro para aprender com a experiência. Pedi um corte punk. Ele não sabia nem por onde começar, levou meses para entender, comprar revistas, aprender e desistir: deixou para os barbeiros mais jovens a missão.

Mas o que eles não sabiam. Aliás, o que ninguém sabia. Era o que estava acontecendo, ou que realmente acontecia. Pânico em SP, pânico em SP, pa-ni-cô em esse pê.

Punk em SP. Pânico em SP. Anos de pânico em SP. Quem aguentava? Anos sem saber para onde correr. Anos em que se temia a polícia, o Estado, em que todos se sentiam bandidos, inimigos daqueles que deveriam proteger.

As sirenes tocaram, as rádios avisaram que era pra correr. As pessoas assustadas, mal informadas, se puseram a fugir sem saber do quê...

Sem saber do quê, por quê, para onde. Fugir, fugir, fugir. Era tudo que fazíamos naquelas décadas terríveis. Fugir. A ditadura durava tempo demais, quase vinte anos, nenhuma esperança pela frente. Helicópteros do Exército davam rasantes em assembleias sindicais. A polícia batia em estudantes, batia em manifestantes contra a carestia. Bombas de gás. Cavalos. Porrada. Sequestravam bispos. Naqueles anos, estouraram bombas para sabotar a redemocratização e, em bancas de jornal, para sabotar a liberdade de imprensa. Em 1979 e 1980, trinta atentados contra bancas de jornal. Entre 1980 e abril de 1981, mais de quarenta. Só no dia 27 de agosto de 1980, três bombas explodiram no Rio. Uma, na sede da OAB, matou a secretária, Lyda Monteiro da Silva. A segunda foi na Câmara Municipal, seis pessoas atingidas. A terceira explodiu no jornal *Tribuna da Luta Operária*.

Pânico no RJ. Pânico no Brasil. Era uma atrás da outra. Uma bomba foi desativada no Hotel Everest, em que estava Leonel Brizola, de volta do exílio. Outra no escritório do advogado de presos políticos Sobral Pinto. Bombas no Salgueiro, durante um comício do PMDB, no carro do deputado Marcelo Cerqueira, na sede da Convergência, tendência estudantil de esquerda. A linha dura entre os militares não queria a abertura. Em 1980, no dia 26 de abril, uma bomba explodiu numa loja que vendia ingressos para o show de Primeiro de Maio. No dia 30, explodiu a primeira banca de jornal. Até setembro, São Paulo, Brasília, Rio, Porto Alegre, Curitiba, Belo Horizonte e Belém viram explodir bancas que vendiam jornais livres da censura e contrários ao regime.

As notícias eram assustadoras. Era o próprio Estado em racha, milicos contra milicos, e todos sacaram isso.

Em 23 de maio, uma bomba destrói a redação do jornal *Em Tempo*, em Belo Horizonte. Duas na sede do jornal *Hora do Povo* no dia 30, no Rio de Janeiro. Em 27 de junho, outra explode o Sindicato dos Jornalistas em Belo Horizonte. No dia 11 de agosto, encontram uma bomba ali no Tuca. No dia seguinte, uma bomba fere onze estudantes na cantina do Colégio Social da Bahia. Em setembro, desarmam uma na Lapa e, no dia seguinte, explodem outras duas: uma fere duas pessoas num bar de Pinheiros, e a outra no pátio da 2ª Companhia de Policiamento de Trânsito no Tucuruvi.

Em novembro, três bombas explodem em supermercados do Rio e na Livraria Jinkings, a mais importante de Belém, da família comunista do ex-deputado e dirigente Raimundo Jinkings. Dias depois, uma bomba incendiária destrói o carro do filho dele. Em 1981, atentado em um supermercado do Rio, num ônibus na Cidade Universitária do Rio, no relógio público instalado no Humaitá, no Rio. No aeroporto de Brasília, uma bomba é desarmada. No dia 23 de março, atentado ao tradicional jornal carioca *Tribuna da Imprensa*. No final do mês, explosão no posto do INPS de Niterói. Em abril, bomba na casa do deputado Marcelo Cerqueira. Um dia depois, na Gráfica Americana no Rio. Até o histórico dia 30 de abril de 1981, no Riocentro.

Enquanto 20 mil pessoas dançavam e cantavam no show em homenagem ao Dia do Trabalho, uma bomba explodiu dentro de um Puma, no colo de um agente do DOI-Codi, o sargento do Exército Guilherme Pereira do Rosário, que morreu, e feriu outro, o capitão Wilson Dias Machado. Queriam explodir o Riocentro com milhares de pessoas dentro no show-comício pela redemocratização. Planejavam explodir bombas nos geradores de energia, mas ela foi detonada antes da hora, no estacionamento. Eram então militares do próprio Exército que portavam aquela bomba. Ambos agentes do DOI-Codi. Assim o Brasil saía de 1981 e entrava em 1982. Era o Exército que bombardeava o país naqueles anos.

Pânico em SP, pânico em SP, pânico em SP.

Em 1982, ninguém sabia. Começavam a saber. A periferia tomaria São Paulo. Os punks. Era 28 de agosto no Salão Beta. O Show da União, com que comecei este livro, misturava três bandas de três regiões diferentes em guerra há tempos: Inocentes, da Zona Norte, Ulster, de território neutro, e Passeatas, do ABC, a trezentos cruzeiros o ingresso. Foi Clemente quem teve a ideia da paz, pensou em unir o movimento, afinal queriam uma coisa só, a revolução. A banda do ABC achou que era cilada e foi ao show armada. Por precaução, os garotos da Zona Norte também. Todos com revólveres na cintura.

Ulster começou a tocar. Ulster era assustadora. Tocavam mascarados, como prisioneiros amotinados de um presídio. Depois tocou Passeatas: rock do ABC, mais duro, mais pancada, sem as jaquetas de couro; mais operário. Entrou Inocentes.

Primeiro a bateria do Marcelino Gonzales. O baixo do Clemente dava aquele solo que era marca da época: quatro notas. A guitarra de Antônio Carlos Callegari solava. Era uma performance única, incrível, ninguém tirava os olhos. Afinal o que Trótski dizia? "Guerra total." A banda, que tinha um ano de carreira, junção do Condutores de Cadáver com o racha do Restos de Nada, a primeira banda punk do Brasil.

O nome Inocentes vem da música dos primórdios do punk inglês de John Cooper Clarke, "Innocents". Clemente, boy, tocava um baixo que comprou com a ajuda da mãe. Via o público crescer a cada show, a cada dia mais punks na cidade, a cada dia o movimento ganhava mais força. Via eu, o cadeirante endiabrado, entre eles. Começou a me ver em muitos shows, a se preocupar comigo, e combinou com outros integrantes que alguém tinha que cuidar de mim. Em todo show que eu ia, alguém era eleito para se responsabilizar por mim. Eu nunca soube disso.

No meio do show do Salão Beta, ouvimos gritarem:

— A polícia tá aí!

Era a Rota, barra-pesada. Todos começaram a dispensar as drogas. Alguém deixou um revólver com ele, e ele o entregou à sua namorada, Macá. Andavam armados. Muitas tretas. Mas eles estavam ali exatamente para mudar isso, unir o movimento, um bloco só. Somos a vanguarda revolucionária que vai derrubar a ditadura e o capitalismo através da nossa cultura, Clemente acreditava. Não somos mais marionetes ou otários que brigam para defender o território, como gatos sujos mijando em postes de bairros degradados do subúrbio. Vamos para a ação! A periferia continua desunida, vamos uni-la; a ditadura não cai, vamos derrubá-la; o anarquismo não vinga, vamos à revolução total!

Pânico em SP, pânico em SP, pa-ni-cô em esse pê.

Ainda tinha briga toda semana, facada, paulada na cabeça, soco-inglês, ameaças com revólver, canivete, em todo show tinha treta, tinha inimigos pra todo lado, estou cansado, queria a paz, fizemos este show tentando uma trégua, é a última chance de nos unirmos, e agora essa merda da Rota, porra? O público já tinha se dispersado. As bandas corriam para desmontar o equipamento e se mandar. Um tenentinho filho da puta veio todo autoritário:

— Quem é o responsável aqui?

O responsável aqui é ele, apontaram para Clemente. Enquanto dialogava de igual para igual com o tenente da Rota...

— O responsável aqui sou eu — disse Callegari.

— A responsável aqui é a Pontifícia Universidade Católica — chegou um professor esbaforido. O professor João Edênio Reis Valle se apresentou como representante da PUC.

— O responsável aqui somos nós do Centro Acadêmico.

Em minutos, a explosão. A sede do Centro Acadêmico começa a pegar fogo. Três caminhões do Corpo de Bombeiros foram chamados. Conseguiram apagar só depois da meia-noite. No 23º DP das Perdizes, o professor disse, enfrentando o delegado, olho no olho, que eles tinham autorização para dar o show. No dia seguinte, a manchete em jornais: "Punks incendeiam a PUC". Clemente leu e lamentou:

— Acabou o movimento aqui.

Claro. Eram sempre os punks que faziam toda a merda. Pegaram o Callegari. Invocaram com ele. Queriam processar o Callegari. Deu a maior treta. E alguém acredita que não foi a PM que colocou fogo?

Mais de dois anos depois, em 22 de setembro de 1984, no aniversário da invasão da PUC, o teatro Tuca estava sendo preparado para um espetáculo. Técnicos viram chamas atrás do palco. As labaredas se alastraram para a plateia e atingiram o teto. Bombeiros chamados. Encontraram cenários, cortinas e o equipamento de material inflamável destruído. Foi difícil apagar o fogo porque o foco do incêndio estava nos fundos do teatro. Um carro-pipa da Prefeitura e outro da Sabesp foram solicitados para o rescaldo. Fortes suspeitas de ter sido um ato criminoso. Mesmo assim, o laudo da perícia da polícia apontou um fenômeno termoelétrico como causa do fogo.

Mas, em 13 de dezembro do mesmo ano, aniversário de 25 anos do Ato Institucional nº 5 (AI-5), eles conseguiram. A ditadura conseguiu. Às vésperas de ela acabar, o teatro da PUC foi completamente incendiado. Restos de uma bandeira embebida em tíner foram a causa. Dessa vez, depois de criticados no primeiro laudo, os peritos concluíram ter sido um ato criminoso. As hienas da ditadura riram: nos tiram do poder, mas tiramos de vocês o Tuca, o Salão Beta, fodam-se!

O teatro ficou fechado por quatro anos. A instituição, sem dinheiro para reconstruí-lo, apelou para doações. O Tuca só foi completamente restaurado e modernizado em 2003.

Quanto às bombas que assustaram o país em 1980 e 1981: só em 1999 o coronel Wilson Machado foi indiciado por homicídio qualificado, o general da reserva Newton Cruz foi indiciado por falso testemunho e desobediência, assim como o coronel Freddie Perdigão, falecido em 1997, o organizador do atentado. Em 2014, o coronel Wilson Machado, o ex-delegado Claudio Antônio Guerra e os generais reformados Nilton de Albuquerque Cerqueira e Newton Araújo de Oliveira e Cruz foram denunciados sob as acusações de homicídio doloso, associação criminosa armada e transporte de explosivo. O general reformado Edson Sá Rocha foi denunciado sob a acusação de associação criminosa armada, e o major reformado Divany Carvalho Barros, por fraude processual. Nunca foram presos.

Vocês não podem desistir

Vagando pelas ruas, tentam esquecer tudo que os oprime e os impede de viver. Será que esquecer seria a solução, pra dissolver o ódio que eles têm no coração. Vontade de gritar sufocada no ar. O medo causado pela repressão. Tudo isso tenta impedir os garotos do subúrbio de existir. Garotos do subúrbio, garotos do subúrbio, vocês, vocês, vocês não podem desistir... de viver! ("Garotos do subúrbio")

Algo difícil explicar do mundo punk: o sucesso não interessava. O sucesso é burguês. Fazer sucesso é ceder. Não faria diferença vender ou não vender centenas ou milhares de discos. Música como missão. Inocentes abortavam todas as propostas que surgiam de confeccionar uma camiseta da banda para fãs; seria ceder ao sistema. Esse paradoxo punk tinha um resultado: ganhava admiradores, surpreendia, mas por outro lado era seu veneno, podia matá-lo.

Soa estranho hoje em dia, mas, pode apostar, era assim mesmo: os punks não tinham ambição de ganhar dinheiro com a música, de ser famosos nem de gravar discos. O conceito da vitória, do sonho realizado, da persistência, de "vencer", é um conceito capitalista americano, de uma sociedade competitiva que dita que você só é alguém se fizer sucesso ou chegar em primeiro ou enriquecer ou for o melhor. São ingredientes de uma sociedade cuja base é a competição. O movimento punk é anarquista. Ninguém é melhor que ninguém. Ninguém é superior ou manda mais. Não precisamos de heróis. Todos temos o mesmo poder. Querer fama, sucesso, grana era ir contra os ideais punks. Combater o narcisismo exacerbado do roqueiro e a competitividade insana e destruidora do capitalismo era o propósito. Os meios eram a música. A revolução era o fim.

Foi o Fabião da Punk Rock Discos quem insistiu que existia um mercado, que as pessoas queriam ouvi-los em casa, não apenas em show. Eram como eles, que adoravam ouvir discos de bandas estrangeiras e gastavam todo o salário de boy em discos. Foi Fabião quem os pilhou a lançar coletâneas e organizar turnês. Clemente acabou concordando. Começou a pensar em algo mais amplo, em festivais que rodariam a periferia e transformariam o ideal punk num movimento social. Tinham a noção de que era uma periferia totalmente discriminada. Shows de seiscentas, setecentas pessoas, tretas homéricas. Tudo era subterrâneo.

Poucos entendiam o punk brasileiro. Luiz Fernando Emediato, premiado jornalista, lançou em maio de 1982, entre os dias 2, domingo, e 8, sexta, no *Estadão*, a série de reportagens Geração Abandonada.

Abria no domingo com o título "Drogas, álcool e um revólver na mão". Dizia que os jovens parecem ágeis e saudáveis, mas são tristes e amargos, condenados à solidão. Tentavam se matar ou encontraram o "refúgio nas drogas". O jornal esclareceu que o repórter passou mais de dois meses convivendo com jovens — não todos, mas com parte deles. E citou uma pesquisa da Fundação Oswaldo Cruz, em que havia 100 mil jovens viciados em drogas no Rio de Janeiro e 200 mil em São Paulo. Parte da reportagem é um texto de ficção sobre os amigos Ricky e Júnior. Começa bem: "Rick apontou o revólver para a cabeça de Júnior e disparou. A bala calibre .22 passou raspando". Tratava-se de uma brincadeira do amigo. O que começou a causar problemas foram as chamadas "subs" da matéria, os textos em separado no pé de página com explicações, dados, pesquisas e entrevistas com especialistas. No mesmo dia, "Um imenso pasto para o Grande Irmão" acusa a nova geração de ser alienada e desinformada.

Na terça, dia 4, "Música, amor, violência e loucura". Na quarta, dia 5, "Um rebanho caminhando para o nada". No pé de página, uma chamada: "Usam suásticas. Mas não sabem quem foi Hitler". Trazia uma pesquisa do jornal, em parceria com Instituto de Ciências do Comportamento, de um "especialista em jovens", o psicólogo Jacob Pinheiro Goldberg, que atestava que 40% dos jovens brasileiros entre dezesseis e 24 anos não sabiam quem foi Sócrates, o filósofo; 73% não sabiam quem foi Guimarães Rosa; mas 58% afirmavam que liam livros regularmente e 56%, jornais.

Durante dois meses, o repórter investigativo andou com "vários grupos de jovens", acampou com eles, viajou por praias desertas e fazendas do interior. O texto menor, mais abaixo, do dia 4, "Alegres e amargas noites no Jolly's Bar", causou indignação. Emediato comparava os "jovens poetas, jovens amargurados, jovens felizes", frequentadores do Jolly, bar no começo da avenida Paulista do pessoal da Faap, EAD, publicitários, ao lado do lendário e já decadente Riviera, com os punks. Jolly era frequentado por uma geração dez anos mais velha que a dos punks, velhos hippies jovens. Os punks frequentavam a São Bento, a Galeria do Rock e o Ritz, da alameda Franca. E, lógico, se concentravam mesmo na periferia.

Um trecho sobre os punks foi lido na Galeria do Rock por muitos deles:

Discípulos de Satã, o ídolo que veneram, eles não veem muita diferença entre Marx, Kennedy ou Hitler, entre Bem e Mal. Eles gostam de bater, só isso. Alguns, mais cruéis, roubam e espancam velhinhas — acham muita graça nisso. [...] Os punkers odeiam álcool e drogas, embora gostem de sexo. Eles preferem beber leite com limão — e muitas vezes, depois que bebem esta mistura, provocam vômitos em si mesmos e vomitam o leite coagulado na cara de suas vítimas.

Ficaram putos, decidiram que tinham que escrever uma resposta pro jornal, esclarecer. Mas quem vai escrever? Olharam para Clemente, que sempre foi o aluno exemplar do Eetal e estava na faculdade, cursando comércio exterior. Na verdade, fez só o primeiro ano da Faculdades Tibiriçá, curso superior noturno tocado pelo Colégio São Bento. A empresa em que trabalhava, Plancap, de comércio exterior, pagava o curso. Ele parou quando saiu da empresa, já que não teria dinheiro para pagar.

Ele olhou ao redor. Viu os amigos punks indignados. A maioria estava ainda na escola, ou a tinha abandonado, ou nunca estudou na vida. Ele, não. Nunca repetiu de ano. Terminou o colegial na idade certa, dezessete anos, e no semestre seguinte estava na faculdade. Era ele quem tinha que responder. Decidiu escrever.

O texto de Emediato não descreve os punks de São Paulo, mas lembra personagens do livro *Laranja mecânica*, de 1962, de Anthony Burgess, sobre uma gangue inglesa, os Droogs, que espanca mendigos, velhas, mulheres, e bebe no Bar Korova um leite batizado com "velocete", "sintemesque" e "drencrom", drogas que potencializam a violência. O filme de Stanley Kubrick tinha sido lançado nos cinemas no Brasil em 1978.

Clemente começou a redigir a resposta para o jornal. Sozinho, com ironia e desprezo, procurava defender a sua causa, caluniada por uma reportagem sensacionalista, publicada num dos jornais mais lidos do país. No final da série de reportagens, o repórter ouviu o ministro da Justiça, Ibrahim Abi-Ackel, que defendeu o governo dizendo que não tem dinheiro para abrigar tantos jovens drogados no seu "sistema prisional". Isso mesmo. Falou da deficiência do SISTEMA PRISIONAL. Então me lembrei: durante a ditadura, usuários de drogas iam presos, não eram internados em clínicas de reabilitação. O Brasil tinha uma das políticas mais atrasadas em tudo que se relaciona às drogas — como hoje. Na época, um usuário (ou "drogado") era bandido, tinha o mesmo status de um traficante. Se pego com drogas, ia em cana. E poucos discutiam esse abuso de poder.

O ministro Abi-Ackel, do regime do general Figueiredo, foi envolvido num escândalo de contrabando de pedras preciosas no ano seguinte, 1983. O americano Mark Lewis, preso na alfândega dos Estados Unidos com pedras brasileiras avaliadas em 10 milhões de dólares, confessou que elas tinham conexões com um amigo de Abi-Ackel, apontado como um dos envolvidos no contrabando pelo advogado norte-americano Charles Haynes. O *Jornal Nacional*, da Rede Globo, que a essa altura já apoiava o fim do regime militar, noticiou amplamente o caso. No livro *Ibrahim Abi-Ackel, uma biografia*, da jornalista Lígia Maria Leite e com prefácio do senador Aécio Neves, Ackel afirmou que malotes enviados pela Rede Globo para sua sucursal no exterior transportavam drogas, por isso ele fora vítima de um complô da emissora. Um parágrafo com a fala do ditador general Figueiredo, numa entrevista à rádio gaúcha Pampa, explica:

A campanha do Roberto Marinho contra o ministro Ibrahim Abi-Ackel se deveu a um engano do sr. Roberto Marinho. Os malotes da Rede Globo para Nova York serviram de transporte para cocaína. A Polícia Federal apreendeu dois desses malotes, e o Roberto Marinho nunca perdoou o Abi-Ackel, porque pensou que foi ele que mandou fazer a apreensão.

Na redação do *Estadão*, chegava a carta-resposta de Clemente Tadeu Nascimento, de uma banda punk chamada Inocentes. Réplica bem escrita, sarcástica, sem acusações.

Sr.: Os meios de comunicação que até hoje divulgaram o movimento Punk Rock do Brasil, em vez de se encontrarem com bandas punks e procurarem saber qual é a proposta ideológica do movimento, se preocupam apenas em fantasiar e sensacionalizar pequenos atos de vandalismo que, feitos por uma pequena minoria, acabam por comprometer todo o movimento punk no Brasil.
O punk é um movimento sociocultural, ele é a revolta de jovens da classe menos privilegiada, transportada por meio da música. Estes jovens já organizaram vários shows pela periferia de São Paulo, com bandas como Inocentes, Desequilíbrio, Fogo Cruzado, Lixomania, Juízo Final, Guerrilha Urbana, Suburbanos, Olho Seco, Cólera, Setembro Negro, Mack, Estado de Coma e muitas outras. Três dessas bandas estão gravadas num mesmo disco, chamado *Grito suburbano*. As bandas são Olho Seco, Inocentes e Cólera.
Portanto, os punks não são "gangs" de blusões de couro que vivem a assaltar velhinhas em estações de metrô, e sim um movimento social que realmente não sabe a diferença entre Deus e o Diabo, porque nunca foram à igreja, mas que sabe muito bem a diferença entre Kennedy, Marx e Hitler, e que acha que quem tem o costume de beber leite com limão realmente tem um gosto muito requintado para poder dispensar uma cerveja bem gelada.
E aproveito o momento propício para lhes dizer que não estamos atrasados e que surgimos quase ao mesmo tempo em que surgiu o movimento punk na Inglaterra, e que este ainda não morreu e sim cresceu, tanto é que mantemos correspondências com punks da Ingla-

terra, como também com punks de muitos lugares da Europa, como a Finlândia, Itália, Suécia, Alemanha, Espanha, Portugal e até com os Estados Unidos, e o que morreu realmente foi a tentativa de transformar o punk em mais uma moda passageira.

E, como todo bom amigo, deixo um conselho: antes de falar sobre alguma coisa, seria melhor se aprofundar mais, conhecer mais sobre o assunto para que este país não continue atrasado como sempre. Punks de SP.

O jornal publicou e não se conteve. Numa nota da redação abaixo da carta, também ironizou. Clemente tinha mandado o convite de um show punk. O jornal escreveu:

> O missivista punk refere-se a uma reportagem da série Geração Abandonada [...]. Junto com a carta ele enviou um convite para um espetáculo de vários grupos punks, com a seguinte observação, dirigida aos jovens convidados: "Não destrua os ônibus, eles serão úteis nos próximos encontros". E o apelo: "Paz entre os punks!".

A verdade é que o mais importante foi dito: não eram os punks que estavam atrasados, mas a grande imprensa brasileira, que não detectara um movimento que já existia há anos, era generalizado na periferia, entre proletariado e bairros operários, era político, tomava o centro de São Paulo, popularizava-se entre jovens de classe baixa, influenciava a elite universitária e existia em muitas outras cidades.

No dia seguinte, o escritor Antônio Bivar, por sugestão de uma amiga, apareceu na Punk Rock Discos para começar a pesquisa do livro que se tornaria um clássico dessa geração, lançado ainda em 1982 pela editora Brasiliense: *O que é punk?*. Bivar, dramaturgo conhecido, ex-hippie, que se autoexilou durante a ditadura, recém-chegado da Inglaterra, onde viu o punk florescer, se encantou com aquilo e viu todo sentido no movimento punk brasileiro. Passou a ser um porta-voz dele.

Também apareceu o jovem estudante de arquitetura da FAU-USP e videomaker Fernando Meirelles, que tinha uma câmera de vídeo e uma produtora independente, Olhar Eletrônico. Completamente desconhecido, e aprendendo ainda a operar uma câmera que contrabandeou, foi até a casa do Clemente, ele e mais três caras numa Brasília verde. Aquilo causou uma baita impressão. Brasília verde era carro de quem tinha dinheiro. Conta Meirelles:

— Li a matéria no jornal. Olhei surpreso. Não pareciam punks como os ingleses. Parecia uma provocação. Faziam cara feia, como se representassem. Eu precisava checar aquilo, conhecer aquilo. Entender. O que a USP buscava era se aproximar do povo. Na arquitetura da FAU, por exemplo. Era uma performance? Tinha muito disso na época na USP. Fui atrás dele, imaginando encontrar uns provocadores.

A produtora Olhar Eletrônico era mais uma república de uspianos desgarrados que moravam juntos em Pinheiros. Fizeram o curta-metragem sobre os punks no Brasil. Inscreveram-no no grande festival de vídeo da Fotoptica, o principal do país, no Museu da Imagem e do Som (MIS). Ganharam os principais prêmios. Passaram a ser conhecidos depois daquele festival. Quando Meirelles passou o documentário no MIS, Clemente brigou com ele. E se arrepende até hoje:

— Foi uma merda, ficava uma galera na minha orelha: "Você vai deixar eles fazerem isso? Eles estão transformando o punk em pop". Mas eu gostava do Meirelles. Eu fui lá, então, "Moleque, ficou uma bosta". Acho que ele tem raiva de mim até hoje. Por isso ele não me chamou nem pra fazer uma ponta em *Tropa de Elite*.

— *Tropa de Elite* não é dele, caralho. É o *Cidade de Deus* — corrijo.

— Falei tanta merda pra ele…

De fato, Meirelles se lembra bem. E disse, rindo:

— Ele foi a única pessoa na vida que quase me bateu. Nunca fui confrontado assim. Deu medo. Ele estava bêbado. Escapei por pouco.

A essa altura, Clemente trabalhava no Banco Real, em uma agência do centro, na compensação de cheques. Entrava cedo, às 7h da manhã, e saía às 13h. Chegou bêbado várias vezes no trabalho, vindo de algum show. E lembra que, apesar das tretas, muitas coisas estavam evoluindo.

A série de reportagens de Emediato virou livro em dezembro pela EMW Editores. E um anúncio no pé da página no próprio *Esta-*

dão de 9 de dezembro de 1982, quinta-feira: "Ganhe seu filho neste Natal. Drogas, violência, abandono. Seu filho está exposto a muitos perigos. Não o abandone. Dê a ele um exemplar de *A geração abandonada*. O livro de Luiz Fernando Emediato que está aproximando pais e filhos". Na arte, o desenho de um hippie de costas, com bolsa de couro, cabelos ao vento, caminhando sem lenço nem documento.

Coincidentemente, cinco dias depois, terça, 14 de dezembro de 1982, lancei *Feliz ano velho* pela editora Brasiliense, num corredor do velho conhecido Sesc Pompeia.

Para Bivar, o movimento punk foi importantíssimo. Ele acompanhou em Londres o "punk is not dead", a retomada: um punk mais político, que revelou uma tomada de consciência mais séria. Quando voltou ao Brasil, o país ainda estava naquela coisa do hippie, John Lennon tinha decretado o fim do sonho, ainda aquele clima meio bicho-grilo. Encontrou na Galeria do Rock o movimento punk brasileiro. Ficou amigo especialmente de Clemente e Callegari. Diz que eles o inspiravam.

Bivar tinha um apartamento meio vazio na rua Barão de Capanema, que lembrava um *squat* (prédios abandonados da Europa que eram tomados pelos punks). Servia de ponto de encontro pra todo tipo de gente. Clemente com Inocentes, Ratos de Porão, até Júlio Barroso, da Gangue 90 — que já era considerada pelos punks como new wave —, o genial humorista e ator Patrício Bisso e modelos. Rolavam altas discussões. Faziam fanzines, agitavam shows. Tudo por prazer, sem dinheiro. Bivar logo ficou muito amigo de Clemente. Diz que ele era engraçado, sempre foi, e brilhante. Que tem qualidade de uma estrela do rock. Que, mesmo os punks tendo vindo de baixo, da periferia e de uma classe mais proletária, que não gostava de se misturar, levava o Clemente para lugares mais burgueses, e ele se saía muito bem. Quando começou a escrever o livro, passou a frequentar as casas dos punks. Ficou impressionado com a casa da família da dona Alice:

— Era uma família pobre, mas muito, muito digna. Os punks são os heróis de uma época. O país ainda vivia sob a ditadura, e mesmo assim os punks cantavam contra a polícia e outras mazelas sociais.

Os shows que os punks organizavam não saíam em lugar nenhum. Para Clemente, a questão não é que eles eram ignorados pela imprensa. Eles nem sabiam que o que faziam era algo que a imprensa burguesa poderia retratar. Era uma arte da periferia, que faziam como missão. Estavam acostumados: a cultura da periferia não era notícia, a periferia não era notícia, a não ser que tivesse uma catástrofe, incêndio, enchente, uma execução.

A cultura musical daqueles caras era vasta. Muitos se aproximaram deles para trocar e também aprender. Como Sandra Coutinho, nossa colega da ECA. Ela conta que desde criança teve contato com música. Começou a estudar piano, aos poucos foi tomando gosto pela coisa e chegou até a tocar Villa-Lobos. No ginásio, participou de festivais de música para jovens. Mais adolescente, passou pro violão, canção, samba. E começou a estudar um pouco de rock. Entrou na ECA em plena ditadura. Começou a fazer parte do movimento estudantil e passou a trafegar por todas as tendências, inclusive pela Libelu, e a se interessar pelos *squats* de punks ingleses (o Crusp, residência estudantil fechada pelos milicos, foi invadido e retomado naquela época pelos estudantes ativistas).

— O pessoal ali era muito mais rock 'n' roll. Era outro tipo de arte, as pessoas não ficavam escutando Chico Buarque.

Na Woodsteca, famosa festa anual da ECA, ela começou com a banda Gralhas Malditas. Decidiu que precisava fazer música para "dizer o que queria". Foi estudar na Fundação de Artes de São Caetano e chegou na perifa com o marido cineasta, que estava fazendo um documentário sobre bandas punks. Foi o seu primeiro contato com os punks. E foi muito, muito forte. Gostava da interação entre o público e a banda, era muito "vanguardista". Decidiu então parar com os estudos musicais e formar a Mercenárias, uma banda de amigas da ECA principalmente. Os meninos do punk como Clemente as influenciaram sobretudo na atitude que tinham, na postura. Era o que mais a impressionava neles.

— A música em si, naquele contexto, não era o mais importante, mas o conceito daquilo tudo: uma coisa meio "através da atitude você faz política".

Ela passou do piano para o baixo. E trocou de homem, passou a namorar Clemente. Nascia ali uma história de amor digna de um romance inglês. Sandra começou a namorar o punk moleque que não sabia nada de relacionamento amoroso, quando ela ainda tocava piano com a Eliete Negreiros. Foram juntos ver um show do Arrigo Barnabé no Sesc Pompeia. Bêbado, o moleque desrespeitoso começou a rir alto e ameaçou bater no Arrigo, que zoava dele no palco. Ele conta:

— O povo não conhecia nada, a gente conhecia muito mais coisa. A gente não ouvia só punk. Ouvia punk, new wave, a gente gostava de toda aquela coisa que era nova.

Ninguém sonhava em fazer sucesso, ninguém sonhava em ganhar dinheiro. Ela com 24 anos, ele com dezenove. Ela morava no Butantã com a mãe, dona Francisquinha. Tinha uma penca de discos. Clemente, gozador, desprezava todos. Disse que os únicos que prestavam eram os da Nina Hagen e da Patti Smith. A garota universitária paulistana tentava ensinar ao moleque do subúrbio e acabou aprendendo mais. Aos poucos ela se transformava, começou a ouvir coisas diferentes. Tinha um estúdio na casa dela. Clemente se lembra de café da manhã com croissant, suco de laranja. Ela cuidava dele. Mimava ele. Clemente confessa que, se não fosse tão moleque, se casava com ela. Adorava ela. Sexualmente, foi com ela que amadureceu.

Mas não ia dar certo. O moleque queria molecagem. Cansaram-se do chove não molha. Sandra montou Mercenárias, a melhor banda feminina (punk) que já existiu no Brasil, e se casou com Edgard Scandurra, o melhor guitarrista que já existiu no Brasil. Que foi tocar bateria nas Mercenárias por um tempo.

Clemente voltou às origens. Voltou a namorar outra punk do ABC, uma garota linda: Mariza. Passeavam pelos salões de rock, pelos points tradicionais. Outra garota do subúrbio cuja família ele não podia conhecer. Namoravam na casa da dona Alice, no quarto separado do único homem da casa. Por sinal, ele nem sabia onde exatamente ela morava. Deixava-a na estação de trem em Santo André e voltava.

E, quando ele ia deixá-la numa estação de trem do ABC, os nervos ficavam atiçados. Se o descobrissem lá, estava morto. Por que se enrolar com uma punk de outro universo social, de outra gangue? Ele se despedia dela aos beijos no canto escuro de uma plataforma. Ela ia. Ele subia as escadas escuras e desertas para voltar, pegar o trem na plataforma oposta, atravessando a passarela. Levantava a gola da jaqueta e não tirava os olhos do chão. Cruzava com punks na estação, que não o reconheciam. Para sua surpresa, viu pichado em toda a passarela GAROTOS DO SUBÚRBIO. Foi quando sentiu o poder do movimento e como ele se expandia. O nome de uma música sua pichado numa cidade vizinha, adversária, em letras gigantes. Era a primeira vez que via pichado o nome de uma música do Inocentes.

Quando Mariza tomava cerveja com a turma do Clemente, só falava bem dos punks do ABC. Parecia querer provocá-los, ou marcar território. Os amigos dele se invocaram. O Zorro queria estrangulá-la: "Essa mina tem boca dura, só fala mal da gente". Ela era linda, mas o preço era alto. Muita tensão. Clemente decidiu se separar. Discutiram na Estação da Luz e nunca mais se viram. Ele se arrependeu. Não sabia onde ela morava, nem podia circular pelo bairro dela. Telefonou, ela nunca atendeu. Sumiu.

Clemente sempre teve o quarto separado na casa da mamãe, a dona Alice. As mulheres moravam no segundo andar do sobrado: as quatro irmãs, em beliches num quarto, e os pais no outro. Ele, no quartinho da empregada, minúsculo, com uma entrada separada. Sobrado numa descida, que tinha um quintal e um porão onde ensaiavam. A mãe nem o via entrar. Quando ele aparecia.

A irmã Marisa lembra que a convivência em casa era muito pacífica. Ela nunca brigou com o irmão. Muito pelo contrário, era Clemente que separava as brigas dela com a irmã mais nova, Valéria. Se pensa nele ou fala dele, ela se lembra logo de música, não tem como separar uma coisa da outra. Lembra dele se "fantasiando", como a mãe dizia, e indo pra rua. Era punk, tocava, saía à noite, mas sempre trabalhou muito, era muito responsável — segundo ela, só fazia as "loucuras dele" depois do expediente. Saía do trabalho e então ia tocar e ensaiar. Era nesse porão da casa nova que ensaiava sozinho e com as bandas. Ela conta que levava suas amigas e "pretendentes", "paqueras", para mostrar e impressionar. "Olha só, meu irmão toca", morrendo de orgulho.

Dona Alice continuava a paparicar o filho. Tudo o que fazia era pro Clemente. "Hoje vou cozinhar o prato X porque o Clemente gosta." Ele era o preferido, não tinha jeito, eram quatro mulheres e ele. Marisa acha que, inclusive, só deu certo toda a história da música na vida do Clemente porque os pais faziam de tudo para ajudá-lo.

— Se fosse uma das meninas, ninguém teria levado a sério.

Dona Alice não era muito de mimar no sentido de dar afeto, ficar abraçando ou beijando. Gozava o filho, dizendo que ele "se fantasiava" para sair, mas era ela que fazia tudo das "fantasias" dele: rasgava as calças, pregava o que precisava, tirava o zíper e trocava de lugar; customizava tudo o que ele pedia.

Até hoje ele chama as duas mais novas de "irmãzinhas". A família toda é assim: calma, bem-humorada e extremamente "desligada". A irmã mais velha, Márcia, conta que o problema com alcoolismo da mãe se agravou na pré-adolescência dos filhos, mas que dona Alice era tão querida por todos e "tão gente fina", que todo mundo respeitava e tentava ajudar. Ela era uma pessoa íntegra, andava sempre arrumada, viajava, dançava. Quando os vizinhos viam que ela não estava bem e estava sozinha ou na rua, levavam pra casa, conversavam, tentavam cuidar. Ela era muito respeitada por todos, mesmo quando bebia. Do alcoolismo, ela se curou com o AA da igreja. Tinha "crises" de começar a beber e parar depois de uma semana, precisava ficar de cama. Para as crianças e adolescentes era o.k. lidar com aquilo, Márcia diz. Dona Alice não "fantasiava" nem escondia nada. Eles cresceram num cortiço, vendo a realidade das coisas, eram sempre protegidos, mas sabiam de fato o que acontecia no mundo. Então, quando o problema chegou em casa, eles souberam lidar com naturalidade. Márcia diz que tinham de tudo para levar uma vida ou infância difícil, mas não foi assim, pelo contrário. Tinham comida, casa, a roupa que queriam, viajavam, e o pai sempre teve carro. Então aprenderam a ser solidários também, lidavam com aquilo tudo, ajudavam e tinham muita paciência. Márcia conta que Clemente, sobretudo, tinha muita paciência com a mãe. "Um ia fortalecendo o outro", e nenhum deles deixou que o problema dela afetasse os estudos ou o andamento da casa. Márcia cuidava da higiene, limpeza, roupa; a irmã mais velha cozinhava; Clemente se virava, passava roupa e fazia o que precisasse.

Miséria e fome

É tão difícil viver entre a miséria e a fome, senti-la na carne e ter que ficar parado, calado. É tão difícil entender como homens armados expulsam outros homens das terras em que eles nasceram e se criaram, que são deles por direito, para lá plantarem nada... nada... É tão difícil entender como o governo pode permitir que os homens saiam do campo e venham para a cidade criar mais miséria, criar mais fome... Não estou culpando ninguém, não estou acusando ninguém, apenas conto o que vi, apenas conto o que senti. ("Miséria e fome")

Meus amigos da faculdade trabalhavam para uma revista fanzine, *Gallery Around*, editada por Joyce Pascowitch, Bivar e Caio Fernando Abreu. Eu era um escritor sem livro publicado. Toda a faculdade sabia que eu escrevia um livro e que eu já tinha contrato com uma editora, a Brasiliense, mas não sabia do que se tratava. Aliás, na minha classe, uns três caras estavam escrevendo livros, todos inspirados em *On The Road* e *O apanhador no campo de centeio*. Acredito que em todas as salas de todos os departamentos de comunicação do Brasil existam uns três caras escrevendo um livro.

Como autor sem rumo, eu escrevia em jornais da faculdade, panfletos, jornais independentes, em revistas literárias, como *Leia Livros*, e na *Gallery Around*, que depois virou só *Around*. Uma revista sobre o que rolava de bacana e moderno na noite paulistana, que começou como um veículo institucional da boate Gallery.

Bivar publicou ali a primeira entrevista do Inocentes, na edição de agosto de 1982. Publicou também na íntegra o texto conhecido como "Manifesto punk", que causou uma grande repercussão, nos fez refletir, virou tema das rodas literárias, musicais e boêmias, e angariou fãs do lado de cá dos rios. Escrito, claro, por Clemente Tadeu

Nascimento, na Olivetti portátil de Bivar, no apartamento *squat* do dramaturgo, ponto de encontro da galera:

> Nós, os punks, estamos movimentando a periferia — que foi traída e esquecida pelo estrelismo dos astros da MPB. Movimentando a periferia, mas não como Sandra de Sá, que agora faz sucesso com uma canção racista e com uma outra que apenas convida o pessoal para dançar: ou, na verdade, o convida para a alienação. Nos nossos shows de punk rock, todos dançam; dançam a dança da guerra, um hino de ódio e de revolta da classe menos privilegiada. Já Guilherme Arantes diz que é feliz, mesmo havendo uma crise lá fora, porque não foi ele quem a fez; nós também não fizemos esta crise, mas somos suas principais vítimas, suas vítimas constantes — e ele não. Nossos astros da MPB estão cada vez mais velhos e cansados, e os novos astros que surgem apenas repetem tudo que já foi feito, tornando a música popular uma música massificante e chata. Mesmo assim, eles ainda conseguem fazer o povo chorar. Não sei como, cantando a miséria do jeito que eles a veem, do alto, mas que não sentem na carne como nós. E também choram de alegria quando contam o dinheiro que ganham. Nós, os punks, somos uma nova face da Música Popular Brasileira, com nossa música não damos a ninguém uma ideia de falsa liberdade. Relatamos a verdade sem disfarces, não queremos enganar ninguém. Procuramos algo que a MPB já não tem mais e que ficou perdido nos antigos festivais da Record e que nunca mais poderá ser revivido por nenhuma produção da Rede Globo de televisão. Nós estamos aqui para revolucionar a Música Popular Brasileira, para dizer a verdade sem disfarces (e não tornar bela a imunda realidade): para pintar de negro a asa-branca, atrasar o trem das onze, pisar sobre as flores de Geraldo Vandré e fazer da Amélia uma mulher qualquer.

O jornalista Cadão Volpato, da Libelu da ECA e da banda Fellini, se lembra da repercussão:
— Essa frase "para pintar de negro a asa-branca, atrasar o trem das onze, pisar sobre as flores de Geraldo Vandré e fazer da Amélia uma mulher qualquer" ficou eternizada em nós. Foi bombástica. Clemente saiu do anonimato. Virou aí o líder que sempre foi.

A revista toda era dedicada ao punk. Para lançá-la, a Gallery, boate da alta (mas alta mesmo) burguesia paulistana, na rua Haddock Lobo, 1626, nos Jardins, um clube fechado comandado pelo empresário da noite José Victor Oliva, resolveu fazer uma festa. Com os punks.

Joyce se lembra. Diz que as festas não eram como as de hoje, eram muito mais sofisticadas: homens usavam black tie, e as mulheres, vestidos longos; todos se produziam muito mais e davam mais importância para as festas; eram eventos ocasionais, não aconteciam todos os dias ou com tanta frequência. Ela se lembra da festa do Gallery como "uma confusão", ideia do Bivar.

— Fazia sentido para chocar aquele público, e de fato chocou — ela diz.

Eu não a perderia por nada. Foi a primeira (e única) vez que entrei na boate com piso quadriculado, onde os garçons também usavam black tie. Era toda escura, com sofás e poltronas de couro preto e mesas baixas, teto também baixo, e tinha um palco no fundo.

Nunca vi tanto uísque rolando. Grátis. Não se bebia aquilo onde eu frequentava. Aquilo era uma preciosidade da qual eu não poderia abrir mão. Bebi por todo o mês, como se eu quisesse reservar nos espaços vazios do meu corpo bolsões de uísque escocês doze anos para serem digeridos depois, aos poucos. Anos mais tarde, minha amiga, a jornalista Barbara Gancia, que também estava na festa e escrevia para a revista, me contou que soube que toda aquela uiscarada do Gallery era no fundo uma enganação: metiam o brasileiríssimo Bell's em garrafas de Black Label. Ela descobriu isso quando certa vez entrevistou o fornecedor de Bell's, que lhe contou que era o maior fornecedor do Gallery. Vai saber... Para nós, Bell's de graça e ao léu era tão valioso quanto qualquer escocês envelhecido.

Patrício Bisso abriu o show. O ator argentino, humorista, performer, provocador, cara brilhante, com seu sotaque histriônico e propositalmente carregado, conseguiu entreter todos os presentes. Innocentes viria depois. Mas demorava. Na verdade, tinha uns cinquenta punks lá fora querendo entrar, e eles eram barrados pelos seguranças assustadíssimos com aqueles estranhos que desceram a ladeira da rua Haddock Lobo como guerreiros uniformizados. A banda não tocaria se seus amigos, parceiros, vizinhos e verdadeiros fãs não entrassem. O impasse durou. A essa altura, eu estava tão bêbado que puxei o rabo do smoking de um garçom para pedir outro uísque, e só depois me dei conta de que era o próprio Victor Oliva, que não se incomodou e me respondeu educadamente. Logo reapareceu com um copo cheio, enquanto eu me esforçava para não deixar a cabeça cair sobre a tigela de amendoim, torradas e caviar na mesa espelhada. Finalmente Bivar intercedeu e conseguiu colocar uns punks para dentro. Que não se intimidaram e, como sempre, ficaram na beira do palco. O show teve início. Logo de cara, a banda começou a cuspir nos presentes. Que se afastaram e depois ignoraram.

Ninguém prestava atenção. Na verdade, achei o volume baixo. Não fazia sentido Inocentes estar ali. Nada fazia sentido. O show que eu estava acostumado a assistir não era aquele. Tinha poucos punks no salão. Não tinha espaço para dançar. Tinha muitas mesas. E muitos garçons passando com bandejas. Muito caviar. Todo mundo comendo caviar. Se esbaldando. Poucos prestavam atenção. Até a banda parar e discursar.

— Não adianta tocar para vocês. Vocês, a gente combate. Vocês nem estão prestando atenção. A gente toca para eles!

E apontavam para os colegas punks e os garçons. A maioria do público do Gallery estava de lado, reencontrando seus parceiros de polo, de golfe, de Campos do Jordão, de negócios, achando exótica aquela festa preparada pelo maluquinho do Victor Oliva e pela doidona da Joyce, mas aquela música mal tocada, sem harmonia, um pouco barulhenta, aqueles garotos gritando ofensas aos preceitos do capitalismo, dos negócios, do livre mercado, da livre-iniciativa, da concorrência que proporciona uísques de qualidade, como aqueles que bebiam. Estavam mais preocupados com a nova dieta, o novo investimento, o condomínio privado em Itu que construíam, as folias do pessoal em Punta, o dinheiro gasto em cassinos, as peripécias da família real do principado de Mônaco e a beleza das herdeiras do trono. A gritaria estava alta demais. Decidiram desligar o som. Chega, né? Fim de festa. Coloquem uma Donna Summer, Bee Gees, vamos dançar como John Travolta.

Para Joyce, a festa foi como misturar água e azeite:

— Existem diferenças que fazem sentido e se complementam, mas ali não fez, a diferença não era complementar.

Segundo ela, "faltou pulso", faltaram uma conversa e uma direção, faltou habilidade. Ela disse que várias das confusões que aconteceram poderiam ter sido evitadas com uma conversa antes, e que ambos os lados mereciam respeito. Mas que não houve consenso. Teve mais ousadia do que habilidade. Joyce até foi depois em alguns shows do Inocentes, inclusive no Madame Satã, mais por curiosidade do que por interesse. Diz que não era sua música preferida, nem sua "vibe".

Clemente, como eu, se recorda pouco de como terminou aquela noite memorável. Bebemos demais. A bebida boa e de graça fulminou os punks. Todos beberam tanto que desmaiaram pelo salão, enjoados de caviar. Punks derretidos de porre em poltronas de couro lembravam uma pintura de Dalí. Punks abraçados a garçons, reclamando da dureza do sistema, conversando com o espelho do banheiro, rindo das luzes que não paravam de piscar. Foi uma sorte a bebida ter sido oferecida sem controle. O que podia terminar numa grande treta justificada pela luta de classes terminou num grande porre. Clemente se lembra:

— Chapei, chapei naquela noite, fiquei muito bêbado. Eu lembro que era uma quarta-feira, e na quinta eu entrava às sete horas no banco. Sete horas da manhã!

Não sabe como chegou no emprego no centro da cidade.

Em 3 de outubro, o *Estadão* se redimiu e reconheceu a dimensão do fenômeno. Numa grande reportagem não assinada, "O universo suburbano e musical dos grupos punks", com fotos de punks na Galeria do Rock, em festas e em shows, o abre: "A palavra existe, é usada há muitos anos. Para Shakespeare, punks eram as prostitutas".

Então a fonte, Clemente, explica didaticamente o que é o movimento, "formado por jovens marginalizados". A matéria cita bandas, letras de músicas. O abre termina:

No visual, expõem uma estética marginal que se reflete não só nas roupas como nas capas dos discos, na construção poética. A rapidez de raciocínio e nível de informação de alguns surpreende pelo grau de instrução. Muitos mal concluíram o primário, mas são capazes de opinar sobre o massacre de Beirute.

Sobre a acusação de que o punk paulista seria uma música "copiada dos ingleses e de baixa qualidade", Zorro, do M-19, dá uma ótima resposta: "Se fôssemos tirar de circulação todas as músicas que sofreram influência estrangeira, teríamos que começar pelo afro, samba e bolero, não sobraria nada".

Além de Zorro, foram ouvidos Vitão, dos Saturados, Dilma, da banda feminina Zona X, Tiquinho, do Lixomania, Mingau, o xodó da turma, de quinze anos, talentoso músico do Ratos de Porão, Fabião, do Olho Seco e dono da loja, e, claro, Callegari e Clemente, que concluiu: "Aqui fazemos arte, não tem nenhum marginal, nem mesmo trombadinha".

Existia no punk o sentimento de desespero e pessimismo. Ronald Reagan assumira na Casa Branca com um discurso apocalíptico. "A vida não vale a pena" era um discurso punk. A vida estava por um fio (por um botão na mesa de controle de mísseis). O filme *O dia seguinte* (*Day After*, no original) mostrava que, qualquer que fosse a batalha com armas nucleares, o mundo estava perdido num fenômeno nunca antes debatido, o inverno nuclear. Se na Europa ativistas pediam o fim das armas, o quadragésimo presidente americano, Reagan, reacendia o pavio da Guerra Fria. Ameaçava, investia dinheiro num escudo fantasioso, inspirado em *Guerras nas estrelas*, que defenderia os Estados Unidos de ameaças nucleares. Anticomunista ferrenho desde a juventude, incentivou a corrida armamentista. Se o desânimo dos jovens lá fora era imenso, no Brasil, para complicar, tínhamos um governo ditatorial aliado a uma sociedade ultraconservadora, que reprimia avanços comportamentais, legados da revolução sexual. Não podíamos nos reunir, que a polícia vinha reprimir. Não podia haver jovens juntos, que recaíam as suspeitas de subversão, atentados contra a segurança nacional e a ordem pública.

Em outubro de 1982, no dia 26, o disco *Grito suburbano* foi lançado numa casa de shows da avenida Cruzeiro do Sul, 3320, em Santana, Zona Norte. Ingresso: quatrocentos cruzeiros. Tocaram Olho Seco, Inocentes e Cólera. Nada na imprensa cultural. Mas algo diferente acontecia na música brasileira. Era rápido e não tinha solo de guitarra; era aos gritos, sem embromação. Música que enfim começava a ser ouvida por formadores de opinião, pela elite jornalística, pelo mercado.

A ideia de mais paz e menos tretas entre os punks saiu da loja do Fábio, com incentivo do Bivar. Vamos fazer um grande festival. Callegari e Meire foram de trem ao ABC, e Clemente, para as quebradas mais obscuras e temerosas de São Bernardo. Foram aliciar bandas punks para o grande festival que juntaria todas as bandas em atividade e rolaria nos dias 27 e 28 de novembro de 1982, no recém-inaugurado Sesc Pompeia: o primeiro festival punk, nomeado como O Começo do Fim do Mundo. Dessa vez, a cobertura da imprensa seria ampla. Ampla até demais. O objetivo era um pacto de paz entre as facções rivais de punks da capital e do ABC, que se envolviam em brigas cada vez mais sangrentas. Vamos nos unir, o punk precisa viver, o punk está vivo, o punk é maior do que desavenças bairristas.

Patrocinado pela Fotoptica, que também promovia festivais de vídeo, os shows rolariam sábado e domingo, entre 14h e 18h, no fundo da antiga fábrica. Nos primeiros salões, exposições. Era a oportunidade de Bivar lançar o então já pronto *O que é o punk?* Deu tudo certo no sábado. Bivar lançou o livro, que trazia o manifesto. Fabião expôs produtos da Punk Rock, vendeu camisetas, discos, coisa e tal. Tinha banda que não tinha instrumento; tocavam com o baixo do Clemente e o equipamento do Inocentes.

TVs, rádios, jornais… A imprensa deu uma tremenda cobertura ao evento. Especialmente a *Folha*, cujo caderno cultural era editado por Matinas Suzuki, velho simpatizante da Libelu, cara antenado que se dizia adepto mais da liberdade que da luta. Matinas participou das manifestações estudantis contra a ditadura de 1976, 1977, 1978, e deve ter se perguntado, surpreso, como todos que leram suas reportagens na Ilustrada: mas tem punk no Brasil?

Lá fomos nós, todos interessados em música, cultura, em revolução, ao Sesc Pompeia.

No sábado: Dose Brutal, Psykóze, Ulster, Cólera, Neuróticos, M-19, Juízo Final, Fogo Cruzado, Desertores e Inocentes.

No domingo: Suburbanos, Passeatas, Decadência Social, Olho Seco, Extermínio, Ratos de Porão, Hino Mortal, Estado de Coma, Lixomania e Negligentes.

Bandas de São Paulo e do ABC. A garotada gritava pelos corredores: "Foda-se o capitalismo!". Bandas abriam e gritavam palavras de ordem. Inocentes gritou no microfone: "Viva o proletariado brasileiro!". Todos se diziam contra o sistema. E, a qualquer momento, uma pancadaria entre gangues punks podia rolar a rampa de paralelepípedo abaixo. Muitos estavam armados. Clemente lembra, orgulhoso:

— Todo mundo, todas as gangues, todas as bandas. Foram dançar as músicas. Umas dez bandas tocaram com meu baixo, umas dez outras com a guitarra do Callegari. Os caras não tinham instrumento. Amplificador era nosso, equipamento era tudo do Inocentes. Puta clima legal.

No domingo, quando a coisa estava para acabar em paz, Indião subiu num poste, lá na rua, não dentro do Sesc, e fez um discurso bélico:

— Vocês não se odeiam? Por que não resolvem agora as tretas?

Já estavam entre eles os Carecas do Subúrbio, gangue nova, não fascista, que tinha um movimento próprio, de esquerda, o movimento dos skins, o Punk dos Skins; curtiam ska, reggae, o street punk, diferentemente do punk original, mais cantado, com mais harmonia. Os Carecas tinham treta com os Punks da Morte, que andavam com os da Carolina. E aí começou.

— Por uma época, morei na mesma rua que o Sé e o Tikão, que eram da gangue Punk da Morte. Anos depois, os dois morreram. O Sé de aids, acho que de injetar. Ele tomou várias facadas dos Carecas, ficou em coma, era um puta cara gente boa. Saiu do hospital, era todo magrinho, mas andava com um .38. Ele virou o diabo. A gente andava tudo meio junto, punks da Morte e da Carolina. E aí, quando saiu essa treta, tinha uns trezentos punks brigando. Já era uma guerra campal. Briga de torcida de futebol.

A vizinhança reclamou. Polícia chegou às 16h10 do domingo. Entrou no Sesc. Levaram som e câmeras, enquanto o pau comia na rua Clélia. Punks cobravam broncas. Pancadaria. A imprensa lá. O tumulto se generalizou pelo bairro. A turma dos punks do ABC, acuada, correu para a igreja evangélica em frente, pediu abrigo ao pastor, que fazia um culto. A nuvem de bomba de gás lacrimogêneo começou a entrar na igreja. Fecharam as portas. Fiéis e punks lá dentro. Chegou a Tropa de Choque. De dentro, os punks fecharam o portão vermelho de entrada do Sesc, uns subiram no muro, mas a polícia entrou. Aquele momento foi o ápice e o começo da queda. A *Folha* noticiou: "Festa dos punks termina com prisão". "Prisões, pancadarias e protestos — assim terminou o festival punk, com presença de jovens que 'tumultuaram o ambiente', segundo os moradores que chamaram a PM."

O Sesc estava sob comando de José Papa Júnior, e seu nome aparecia nos cartazes oficiais do festival O Começo do Fim do Mundo. Logo José Papa Júnior, conhecido como Zizinho, que comandou a Federação de Comércio de São Paulo de 1969 a 1984, tentou ser senador pelo PDS, herdeiro da Arena, antigo partido governista na ditadura. Foi cotado para vice-presidente de Collor. Sua família era dona do banco Lavra, concessionárias de veículos, de imóveis, fazendas e uma distribuidora de ferro e aço, a Cibraço. Em abril de 2000, o Banco Central decretou a liquidação extrajudicial do Lavra: identificou um rombo de 30 milhões de reais. O grupo ruiu. Os Papa foram acusados de lançar títulos podres no mercado internacional e de depositar em contas na Suíça dinheiro de caixa dois. Zizinho se afastou do banco.

Se Papa enfrentava problemas na justiça, seu Sesc bombava. Entre 1983 e 1984, o Sesc Pompeia abrigou o programa de TV *Fábrica do Som*, apresentado pelo poeta, videomaker e artista multimídia Tadeu Jungle. Exibido aos sábados à tarde na TV Cultura, o *Fábrica* deu o tom do que estava por vir: uma geração que saiu do coma no *Trate-me leão* e engrenou no punk saudava o novo rock. Foi a primeira vez que bandas como Capital Inicial, Ultraje a Rigor, Paralamas do Sucesso e Titãs apareceram na TV. Jungle se lembra:

— No *Fábrica do Som* podia tudo, tínhamos liberdade total. Foi uma loucura aquele programa, nunca mais se fez algo igual. Poetas concretistas com Caetano, o pessoal do Asdrúbal, bandas de rock, punks, estudantes... Durou dois anos. Tinha um quadro em que as pessoas podiam subir e falar o que quisessem. Era redemocratização, queríamos dar voz à juventude. No último programa, convoquei uma menina para subir no palco e disse: "Pode fazer o que quiser". Ela tirou a roupa. Acabou o programa ali.

Foi muito para a TV Cultura e para o Sesc. E, em novembro de 1982, mal sabia Papa Júnior que em suas instalações ocorria um dos eventos mais divulgados pela mídia underground do mundo. Tinha correspondente até do *Washington Post*. *Maximum Rock 'n' Roll*, principal jornal underground americano, deu páginas e páginas sobre o festival.

Clemente conta:

— Tinha muita gente. Porque foram os punks e o pessoal ver os punks. Foi a descoberta. Ninguém achava que tinha disso no Brasil. A gente era tudo moleque. Era uma urgência, saca? Eu preciso fazer alguma coisa, eu quero tocar, pra botar pra fora uma coisa que estava reprimida. Eu mesmo acreditava que o movimento punk era a vanguarda do movimento revolucionário.

1982 tinha alma, tinha espírito, uma aura de renovação e mudanças pairando no ar, novas linguagens estéticas sendo experimentadas em tudo que é lugar, Marcelo Rubens Paiva lançou Feliz ano velho, *a produtora Olhar Eletrônico, de Fernando Meirelles, Marcelo Tas e Marcelo Machado, estava definindo como seria o trabalho de vídeo dali para a frente. No teatro, no cinema, na fotografia, nas novas publicações e zines, lojas de discos e casas noturnas, sempre tinha alguém com alguma proposta diferente e inovadora. A moda, o comportamento, tudo estava mudando. O punk, com seu lema "Faça você mesmo", era uma espécie de linha de frente de tudo aquilo; os caras que tomavam as primeiras tijoladas, uma vanguarda vinda da periferia, ligada e antenada em tudo que estava acontecendo no mundo, e que ia abrindo a mata fechada a machadadas. Éramos os arautos da revolução. Não mediamos consequências para falar sobre nada, depois que discursávamos não sobrava pedra sobre pedra, era terra arrasada. Estávamos decretando o fim da década de 1970 e inaugurando a de 1980. Foram os punks que arrombaram a porta para a década de 1980 entrar.*

A coletânea Grito suburbano, *com Cólera, Inocentes e Olho Seco, tinha acabado de ser lançada e nós éramos o centro das atenções. As tretas entre as gangues tinham quase cessado, os shows punks pipocavam e eu estava exultante. Entrei no ano de 1982 em grande estilo: deixei a faculdade e descolei um trampo num banco, ganhava bem e trabalhava só meio período. Na verdade, descolei esse trampo na marra. Eu tinha participado três vezes do processo de seleção e sempre emperrava no teste de datilografia. Não aguentei, cheguei pra mulher e disse: "Eu sei que existem coisas para se fazer num banco que não precisam que eu seja um bom datilógrafo, portanto me contrate". A mulher me olhou bem nos olhos e me passou no teste. Me mandou para um lugar na compensação onde se faziam livros com os recibos e boletos diários; era um trabalho medieval, com prensas, cola e paciência, mas eu não estava nem aí para o que eu tinha que fazer, trabalhava meio período e ganhava bem, era isso que importava. Entrava às sete da manhã e à uma da tarde estava livre e marcando ponto na Punk Rock Discos, ou simplesmente ia pra casa fazer absolutamente nada.*

Eu ainda era um menino, cheio de raiva e fúria em 1977, quando comecei a participar de tudo isso. Passei anos me arrastando pelas ruas tentando ser o mais desprezível possível, era essa a minha resposta a uma sociedade que nos tratava feito lixo. Eu era um cara de gangue que tocava numa banda, primeiro no Restos de Nada, de 1978 a 1979, depois no Condutores de Cadáver, de 1979 a 1981. Eu não via problema nenhum em desferir meu baixo sobre a cabeça do primeiro idiota que levasse uma comigo enquanto eu estivesse no palco. Em 1982, aos dezenove anos, eu já era um verdadeiro veterano e estava satisfeito com os rumos que o punk tinha tomado; ele tinha se tornado um movimento, totalmente identificado e criado pelos garotos da periferia da cidade, construindo uma cena alternativa e completamente independente e, é claro, desafiando a ditadura militar. Não era só música, a gente tinha um posicionamento político bem claro. O ano de 1982 foi rápido e intenso. No começo do ano, Inocentes contava comigo no baixo, Antônio Carlos Callegari na guitarra, Marcelino Villar na bateria e o Maurício Tamarozzi no vocal. Fizemos um show legal atrás do outro, o Maurício era um frontman de primeira linha, espirituoso e agressivo, mas não segurou a onda. Gravamos juntos a coletânea Grito suburbano e, *depois que o disco foi lançado, ele mudou, não queria mais ensaiar, decorar letras novas. Simplesmente o mandamos embora. Seguramos em trio por um tempo, eu assumindo o baixo e os vocais, mas eu não gostava daquilo, era muita responsa, eu ficava rouco fácil, queria encher a cara e não podia... Então chamamos o Ariel Uliana, meu parceiro de copo e de Restos de Nada, para assumir os vocais. Além disso, ele era um bom letrista, como nós, e tinha uma ótima performance ao vivo. Tudo isso aconteceu em 1982. Tivemos três vocalistas em menos de seis meses, as coisas mudavam muito rápido e nada era planejado. Demos nossas primeiras entrevistas para todo tipo de mídia, jornal, revista, rádio e TV, nunca havíamos falado tanto. Eu escrevi na casa do Bivar o tal do "Manifesto punk" — ninguém se lembra dele inteiro, só do final, "Estamos aqui para revolucionar a música popular brasileira, pintar de negro a asa-branca..." e coisa e tal. O Bivar fez uma foto minha, sentado em sua máquina de escrever portátil escrevendo esse manifesto, e atrás de mim tinha um belo vestido brilhante que o Patrício Bisso usava em suas performances. Eram dias muito loucos, regados a vinho e drogas baratas.*

Tocamos no Teatro Luso Brasileiro, no Bom Retiro, com o Maurício no vocal; fizemos o show de lançamento do Grito suburbano *no salão da Zimbabwe, uma equipe de bailes black da Zona Norte, eu no vocal, foi o primeiro show punk registrado em vídeo pela Olhar Eletrônico. Criamos o fanzine* SP Punk; *fizemos os primeiros shows em outras cidades, como Campinas — o barato foi chegar lá de trem, lotado de punks — e Santos, onde estávamos tão loucos que não conseguimos tocar. O Sé, o Tikão, o Zorro, o Vitão e o Cássio, todos Punks da Morte, e eu, Nenê, Paulão e Ariel, da Carolina Punk, invadimos o Lira Paulistana e acabamos com um show do Kid Vinil e sua banda Magazine, e passamos algumas noites na cadeia para averiguação. É claro que eu passava mais noites atrás das grades, um garoto negro da periferia até hoje é um alvo preferencial. Eu já estava habituado. Se existem poucas oportunidades para todos, para um garoto negro existe um pouco menos, ele é um perdedor até entre os perdedores, a luta é sempre um pouco mais árdua.*

Depois disso tudo mudou, o ano se foi e levou com ele todo aquele clima de mudanças. As tretas entre as gangues voltaram mais belicosas que nunca, o clima de união se desmanchou no ar e ninguém sabia que rumo tomar. A ditadura deu sua resposta em forma de repressão brutal e violenta, os shows foram ficando cada vez mais raros, várias bandas acabaram ou simplesmente pararam de tocar. O punk nunca mais foi o mesmo. Eu nunca mais fui o mesmo. Alguma coisa se quebrou em mim e eu nunca mais consegui colar os pedaços. Meu espírito ainda vaga no limbo daquele ano bendito, meu coração se perdeu em 1982.

Apenas conto o que eu vi

Ligado ao rock, ou como consequência da sua explosão, surgiu em 1982 o primeiro espaço daqueles que fariam história: o Carbono 14. No eixo central da cidade, na rua Treze de Maio, 363, coração do Bixiga, velho bairro boêmio, era um centro cultural multimídia, com sessões de vídeo e clipes no térreo. Uma ex-marcenaria de três andares, solário e elevador. O espaço não era exclusivo para shows; tinha lojas, bares, exposições. Era para passar o dia e a noite. A noite toda. Todas as noites. Dançar, beber, ver shows, interagir.

Em cada andar, um evento, uma exposição, uma banda. No teto, o bar. Nesse bar, trabalhava a jovem garçonete Fernanda, de dezessete anos, linda ex-hippie que viveu uma temporada de seis meses em Visconde de Mauá (aos catorze anos) e era irmã mais nova da Patrícia, minha colega e melhor amiga da ECA.

Fernanda também era fã do Asdrúbal. Eco-friendly, pegava carona de caminhão na Dutra para ver o namorado que fazia agronomia na Universidade Federal Rural no Rio. Aos quinze anos, sua vida se dividia entre estudar mal e porcamente em São Paulo e pegar o primeiro ônibus pro Rio de Janeiro, na sexta-feira ao meio-dia. Lá fazia cursos livres de teatro no Tablado e no Parque Lage. Seus amigos eram do teatro carioca. Teve aulas com Daniel Dantas e Louise Cardoso. Assistiu à peça do Asdrúbal umas vinte vezes. Tietava o Evandro Mesquita com fé e persistência. Entendia de música e literatura como poucos. E tinha um humor como ninguém.

Me apaixonei. E não?

Bandas nasceram e morreram no Carbono, deram um show ou muitos. O punk era uma inspiração. Foi o primeiro espaço fora do circuito punk-periferia em que elas conseguiram expor suas ideias, angariar fãs e respeito da classe média universitária. Carbono não se restringiu aos punks. Evoluiu para um underground de muita qualidade, de grandes músicos: o new wave paulistano.

A família Castilho tocava o lugar: pai, mãe e três filhos, ex-exilados franceses. Víamos clipes em vhs, filmes e documentários inéditos, trazidos de fora, numa época em que eles não passavam em lugar nenhum. Deitávamos no chão em almofadões ou numa arquibancada improvisada. Tinha matinês de heavy metal e fliperama. Molecada adolescente ficava por lá sem ser incomodada. Cruzava-se com todos, Inocentes, Agentss, Ira, Júlio Barroso. Certa vez, eu estava sozinho no elevador, entraram Júlio e May East, modelo e sua deliciosa backing vocal. Saíram na porrada, e eu no canto observando, temendo sobrar pra mim. Me ignoraram. Tiveram uma dr como se eu não estivesse ali: aos gritos, nitidamente bêbados. Ciúme. Acusações. Dedo na cara. O elevador chegou no destino, e eles continuaram. Gritavam, se xingavam, se beijavam e se estapeavam. Nosso louco amor... Tive de pedir licença educadamente. Eles abriram espaço, saí, e continuaram lá dentro a brigar, a se estapear. Saí para pedir a Fernanda em namoro. Ela me esperava sentadinha num pufe. Dura missão.

Não sei de onde juntei tanta coragem, mas pedi. Pedi a irmã mais nova da Patrícia em namoro. Irmãs com quem eu tive uma tremenda afinidade no dia em que conheci: líamos os mesmos livros, ouvíamos as mesmas músicas, víamos os mesmos filmes e tínhamos amigos em comum.

Rolava um show. Salão escuro, devia ser no segundo andar. Ela no pufe. Papeamos bastante. Contei que, desde que sofri o acidente, me sentia muito inseguro com as garotas. Que ela mexia comigo. Que eu adorava papear com ela. Que ela era linda. Que eu queria passar as noites com ela. Ela fez carinhos em mim. Nos beijamos carinhosamente. Nos pegamos. Não lembro qual banda pesada tocava lá no fundo. Não tinha ninguém ao redor. Ela se sentou no meu colo. Eu não sabia o que fazer com uma garota no meu colo e uma cadeira de rodas sob mim, muito menos ela sabia o que fazer com um cara numa cadeira de rodas. Eu aprendia ali com ela, e ela comigo, num canto escuro. Lembro que nos empolgamos demais. Ela abriu as pernas, encaixou de frente pra mim. Beijos. Nos grudamos no escuro. Agarrei forte. Louco amor. O encosto da minha cadeira quebrou e quase caí para trás. Ela me segurou. Eu fiquei sem apoio nas costas. Ela ficou me segurando, me abraçando. Me beijando.

Ela tinha que voltar pro solário, pro balcão do bar. Reclamou que tinha que trabalhar e ainda ir cedo para o cursinho. Ficava do lado da minha casa. Sugeri: dorme lá em casa. Ela respondeu: deixa a porta aberta. Rimos. Fui embora de carona. Ela ficou trabalhando no bar. "Em casa" era o apartamento da minha mãe, para onde me mudei quando fiquei tetraplégico, em 1980. A quatro quadras do cursinho dela. Deixava as portas destrancadas. Feliz. Beijara a menina mais gata daquele circuito. Gata e legal. Gata e culta. Gata e muito disputada. O que me atormentaria com meu rebanho de insegurança. Namorá-la sem sentir ciúmes seria como domar uma zebra.

Numa outra noite, ela chegou de madrugada, abriu a porta devagar, sem me acordar. Mas, sentindo a sua presença, abri os olhos. Vi ela esvaziar os bolsos dos bilhetinhos e xavecos que recebia dos rockers bebuns e solitários. Eu disse:

— Vida dura, essa...

Ela riu, folheou umas páginas datilografadas que eu escrevia. Tinha umas cem.

— O que é isso?

— Estou escrevendo um livro. Meu editor me deu um prazo. Preciso terminar até outubro, para publicar em dezembro.

— Você quer ajuda?

— Você pode ler e revisar.

Ela me olhou sorrindo. Feliz. Apagou a luz. Tirou a roupa e se deitou comigo. Ela sabia: era com ela que eu estava reaprendendo a transar, agora na nova condição de cadeirante. Ela, com dezessete anos, não estava nem aí. Ia aprender comigo, ia ensinar, ia conviver e amar.

Fernanda me presenteou com livros do Salinger. Todos. Dei para ela uma cópia xerocada de *On The Road*, traduzido pelo Eduardo Peninha Bueno, que ninguém tinha, que nem tinha sido publicado no Brasil ainda (seria pela Brasiliense, a mesma que queria publicar meu livro). Éramos fãs do disco triplo *Sandinista*, do The Clash. Ouvíamos faixa por faixa, traduzíamos. Éramos fãs de black music. Fumávamos juntos um baseado e ouvíamos música. E trepávamos. Muito. Eu com meus 22 anos, ela com dezessete. Fui reaprendendo a viver, a me relacionar, a ter alguém, a gostar, sentir saudades, controlar ciúmes, presentear, querer fazer rir, agradar, gozar. Ela começou a cuidar de mim, a me vestir, a hidratar minha pele, a me pentear. E a ler e revisar o que eu escrevia.

Comecei a dormir na casa dela. Eram três quartos, num casebre simples mas incrivelmente espaçoso das Perdizes. A mãe dela, uma jovem divorciada, bibliotecária da USP, nos recebia bem demais. Passou também a ler meus originais e a palpitar. Me disse que eu descrevia cenas de sexo com muita precisão. E que era curioso para a geração dela ler um casal de jovens "fazendo amor".

Pra quê? Passei a escrever muitas cenas de sexo. Transformava o livro político num livro pornô soft de esquerda, *Feliz ano velho*. Aquela casa me fazia bem. Uma bibliotecária da USP, ex-hippie de uma geração posterior à da minha mãe, que lia meus originais e dava conselhos, Fernanda que lia e cuidava de mim, e Patrícia, minha colega e melhor amiga, que morava no quarto em frente, estagiava na Rádio Eldorado e trazia novidades da cena musical, discos novos, revistas importadas.

Lembro de eu escrever no fundo da casa, de a folha passar pela mão de Fernanda, ir até o quarto do meio e voltar. Liam enquanto eu escrevia. Toda a família lia meus relatos sobre a maconha. Liam sobre a minha dor, meu passado. Liam sobre minhas dúvidas existenciais, sobre minha vontade de me matar, meus projetos suicidas assim que descobri que nunca mais iria andar. O corredor era coberto por folhas datilografadas que elas liam e trocavam e rabiscavam e corrigiam. Ninguém me dava lição de moral. Respirávamos literatura como work in progress. Ao final da noite, exaustos. Era um baita inverno. Fernanda ligava um aquecedor com resistência acima de nós, nus, suando. Eu fumava um baseado com ela, ouvíamos um disco todo e trepávamos por horas seguidas. A imagem mais marcante daquele período era um corpo nu de dezessete anos sobre mim, sentado, encaixado, leve, minhas mãos na cintura dela, peitos perfeitos, corpo perfeito, à frente de um aquecedor antigo, redondo, uma resistência em brasa como um pequeno sol, que a deixava dourada.

Ela subia e descia com leveza, com tesão, compenetrada, apaixonada. Trepar apaixonado é o momento a ser lembrado minutos antes da morte. Eu era um palmito, um cara comprido, branco, magro. Ela era quente, radiante, com curvas. Ela gozava rápido, uma, duas, três vezes, sem parar, tremia e suspirava, me puxava e mordia meus lábios, me chupava o pescoço. Eu, eclipsado, gozando sem parar. Sem parar... Chupão no pescoço era minha tatuagem naqueles anos. Como fui feliz naqueles anos...

O Carbono era tão... "astral" (uma gíria hippie se encaixa com precisão) que as tretas dentro dele eram raridade. Quando rolavam eram em frente, na calçada.

— Era o único lugar onde podia tudo, sem ninguém perturbar. Não tinha um segurança e não me lembro de brigas ou encrencas — conta Miguel Barella, meu colega da ECA, guitarrista do Agentss e, depois, dos Voluntários da Pátria, banda legendária da fase pós-punk.

A jornalista Bia Abramo, também da USP, escreveu na *TPM* que eram tempos ainda de confronto, apesar da abertura política; que comportamentos mais transgressores, cabelos espetados e roupas escuras eram olhados com desconfiança. Mas não no Carbono, em que valia tudo. Toda a família, os pais Andres e Maria Helena, e os filhos, Andrezinho, Renata e Theo, todos trabalhavam na casa. Cada evento do Carbono repercutia agora nos jornais, que deixavam rolar as polêmicas alimentadas por seus críticos impopulares entre os roqueiros, mas bem informados e lidos, que escreviam bem, eram provocadores e, no final das contas, ajudavam a difundir a cena.

Renata, a filha do meio, cuidava da programação visual, folhetos, cartazes, do fanzine mensal e da lojinha de acessórios no térreo. A grande sacada foi o vídeo. Naquela época, no Brasil, quem não tinha viajado para fora do país não tinha visto quase nada. Assistíamos de shows a filmes, de videoclipes do pós-punk — Siouxsie, Bauhaus, Cure — a Bob Marley. Rolavam alguns clipes de bandas do mainstream.

Se tinha um lugar que eu realmente amava, esse lugar era o Carbono 14. Eu gostava do Napalm, do Madame Satã e do Rose Bom Bom, cada um por um bom motivo, mas o Carbono eu realmente adorava. Gostava do espaço, do conceito, do que rolava e do povo maluco que eu encontrava por lá, descendo e subindo as escadarias entre um andar e outro.

Aquele predinho de três andares na Treze de Maio tinha alma. Várias salas de cinema, de vídeo, pista de dança, exposições de arte, shows, e no terraço um bar com uma vista maravilhosa. Você ia para uma sala de cinema e assistia a um filme alemão bem cabeça até ficar entediado, aí corria para a pista e melhorava o astral, quando cansava de dançar ia para uma sala de vídeo e via o documentário americano Urgh! A Music War, *que tinha de Dead Kennedys a Pere Ubu, de 999 a Devo, de Gang Of Four a Steel Pulse, ficava com a boca seca e corria para o bar no terraço tomar uma com aquele puta visual de brinde... Nenhuma casa se igualou ao Carbono, e quase ninguém fala dela.*

Foi lá que "salvei" a vida do Marcelo Nova, que se envolveu numa treta com os punks da Vila Amália. Coloquei um pano para ele na hora que vi o Nenê da Amália com uma faca gigante na cintura. Eu nem conhecia o Marcelo, nunca o tinha visto, só me envolvi porque ele ia se dar muito mal; foi a única quase treta que vi lá. Nesse dia acabei conhecendo os caras do Camisa de Vênus, a banda toda. Fiquei horas trocando ideia com o Robério Santana, Carl, o Gustavo e o PT, que na época era empresário deles. Ele chegou a ligar para a casa do Tonhão anos depois para fazermos um show juntos no Ibirapuera. Esse show nunca rolou, depois eles vieram morar em São Paulo e as duas bandas foram parar na WEA.

Foi lá que eu vi um dos shows mais legais: o Agentss com a formação original de Miguel Barella na guitarra, Kodiak no vocal, Edu Amarante na outra guitarra. Eles começaram o show com um plástico na frente do palco, a imagem deles ficava toda distorcida, eles com aqueles macacões estilo Devo e movimentos robóticos. Depois eles cortavam o plástico e o show pegava fogo. Fomos eu, o João Gordo e o Mingau, os três chapados como de costume. Olhamos para o público e todo mundo tinha aquela cara de hippie da USP, todo mundo sentado no chão com suas bolsas e sandálias de couro. Nós não aguentamos ver aquilo, pedimos para todo mundo levantar e dançar. Era assim que se curtia um show de rock. Todo mundo foi na nossa onda e se divertiu horrores. Uma semana depois aquele povo todo já tinha cortado o cabelo e mudado de visual.

Eu gostava do clima do Carbono, lá se respiravam arte e cultura. Sem falar no Castilhão, o dono do lugar, que administrava tudo com seus filhos, dois figuras, o Theo e o Andres, e a outra filha, a Renata, que quase nunca aparecia. A minha filha Mariana, anos depois, estudou com a filha dela; brincavam juntas uma na casa da outra. Todos eram muito gente fina, até os punks se "comportavam" lá em respeito ao Castilhão, que sempre tratou todo mundo igual, com muita cordialidade e respeito. Ele era um de nós, nem parecia pai de dois caras mais velhos que eu.

O Olho Seco e o Cólera tocaram lá, num minifestival punk, e o Alemão da Mack apresentou um vídeo conceitual que havia feito, com uma cena de estupro tão tosca que virou piada por vários anos. Inocentes só tocou lá em 1985, quando já tinha enveredado para o pós-punk.

Eu sempre perdia horas no terraço conversando com a Fernanda, que trabalhava no bar. Ela era uma gata e ficávamos horas conversando. Eu tinha uns vinte anos e ela uns dezessete, e ela já tinha lido todos os livros que eu havia lido e sempre me dava um toque de alguma coisa diferente para ler. Eu ficava impressionado. Era louco para namorar ela, mas ela tinha um namorado que eu não sabia quem era. Eu só ficava imaginando, entre um trago e outro, "que cara sortudo".

Em 1982, Clemente ficou cantando a minha namorada e integrando o Inocentes, por um tempo, mas sabia das suas limitações: ainda não conseguia tocar e cantar. Lembraram-se de Ariel, casado, lendo livros de Trótski, da primeira banda. Fazia um tempo que ele não ia a lugar nenhum, envolvido com a militância política. Foi só chamarem para cantar de novo, ele pirou. Se separou, acabou o casamento e retomou a carreira de vocalista punk do Inocentes.

— A gente mudou a vida do cara. Ele se separou da Neli, casou com a Tina e está com ela até hoje. O discurso político dele ainda era muito presente.

Clemente lembra que Inocentes era, no começo, a banda mais purista de todas. Ele e Callegari eram os mais pragmáticos do movimento. Jamais apareceriam no programa do Chacrinha, por exemplo, da Rede Globo, que divulgava as bandas do rock nacional, com o compromisso de elas tocarem de graça ao som de fita em festas que promovia no subúrbio carioca. Enquanto as bandas de rock nacional rodavam o Brasil, eles se recusavam a tocar no Hong Kong, boate mais sofisticada do que os antros sujos do underground. E o pessoal do Hong Kong, que era amigo do Bivar, insistia: "Pô, vocês não querem tocar aqui? Vocês têm que tocar aqui. Vocês começaram com tudo o que está acontecendo". Clemente foi amolecendo. Foi lá na boate ver Kid Vinil. De novo os donos insistiram. Ofereciam um cachê e tanto... E Inocentes iam gravar um disco. Chegou na reunião da banda, falou da proposta, do cachê, que essa grana do cachê pagaria uma parte dos custos do compacto. Ariel respondeu: "Não, nós não tocamos pra burgueses".

Em 1983, bolaram gravar um LP independente com a grana que receberam de rescisão de contrato das empresas em que trabalhavam: Clemente pegou 40 mil cruzeiros de indenização da empresa que o demitiu; Callegari, que tinha sido mandado embora também, deu 45 mil. Marcelino, o baterista, pegou 60 mil cruzeiros emprestados dos irmãos, e Ariel, 10 mil. Como de praxe, mandaram as letras para a censura. Era assim que se fazia: discos, filmes e livros precisavam do selo da censura. Se rejeitados, não tinha apelação, não eram exibidos. Inocentes mandaram treze músicas. A Polícia Federal censurou TODAS!

Clemente reescreveu algumas letras. Censuraram. Mudou a letra de novo. Na frase final de "Miséria e fome", que fala de reforma agrária, tema tabu na ditadura, ele adoçicou: *Não estou culpando ninguém, não estou acusando ninguém, apenas conto o que eu vi, apenas conto o que eu vivi...*

Enfim, só três músicas foram liberadas. O que era para ser o primeiro LP do Inocentes virou um compacto de sete polegadas que só tocava em 45 rotações: *Miséria e fome*.

Censura? Ora... Nos jornais não existia mais. Nos teatros, raramente. Na música ainda pulsava, como um verme em coma que resistia a todos os inseticidas e antibióticos. Raul Seixas até fez uma música para ela, "Anos 1980": *Hey, anos 1980, charrete que perdeu o condutor. Hey, anos 1980, melancolia e promessas de amor. É o juiz das doze varas de caniço e samburá dando atestado que o compositor errou, gente afirmando não querendo afirmar nada, que o cantor cantou errado e que a censura concordou. Hey, abram alas, aí viem los anios oitenta. La mamacita, ui! Hey, anos 1980, charrete que perdeu o condutor...*

A censura instituída com o AI-5 em 13 de dezembro de 1968, que criou a Divisão de Censura de Diversões Públicas (DCDP), por onde deveriam passar previamente todas as obras artísticas — filmes, peças de teatro, músicas, discos — antes de serem executadas nos meios públicos, que censurou até balé, deveria ter sido abolida em 1979, com a revogação do AI-5, já que o projeto da abertura política estava em andamento. Mas não. Foi criado o Conselho Superior de Censura. Nos primeiros dez anos (1969-79), a DCDP mirava sua tesoura nos conteúdos de contestação ao regime e canções políticas. Depois de 1979, a censura não era política, mas moral, em defesa dos valores cristãos. Palavrões eram proibidos. Também era proibido falar da situação do povo brasileiro, da miséria e da fome. Se no passado Chico Buarque foi o maior alvo, com as "músicas de protesto", em 1980 miraram no rock que surgia.

Já em 1980 censuraram "Veraneio vascaína", de Renato Russo, ainda na fase Aborto Elétrico. Só depois ela virou um clássico interpretada pelo Capital Inicial. *Toda pintada de preto, branco, cinza e vermelho, com números do lado, e dentro dois ou três tarados assassinos armados uniformizados.* A música falava de uma Veraneio, carro preferido pela polícia. Não pode. "Conexão Amazônia" já tinha sido censurada no mesmo ano.

Nem a Blitz furou o bloqueio. Em 1982, "Cruel cruel esquizofrenético blues" e "Ela quer morar comigo na Lua" foram censuradas, ambas do álbum *As aventuras da Blitz*, de "Você não soube me amar", pejorativamente chamada em São Paulo de "rock de bermudas", por ser mais praiano, relaxadão, "alienado". Como o LP já estava prensado e dezenas de milhares de cópias guardadas no depósito da gravadora, a saída foi esdrúxula: inutilizaram as duas faixas vetadas riscando com um prego à mão. A agulha passava reto pelas músicas. Os brasileiros assim ficaram livres de ouvir a frase *Ela diz que eu ando bundando*, de "Ela quer morar comigo na Lua", e o duplo sentido da palavra "peru" em "Cruel, cruel esquizofrenético blues". Ufa. Podemos dormir em paz.

Em 1983, "Sônia", do Leo Jaime, foi censurada. Sônia era Sunny, clássico dançante dos anos 1960 de Bobby Hebb, que ganhou a versão brasileira bem sacana: *Sônia, vamos nessa festa fazer um trenzinho, você na frente e eu atrás, e atrás de mim um outro rapaz...* A censura exigiu que o disco viesse com o selo "proibido para menores de dezoito anos" e fosse vendido lacrado. Leo Jaime voltaria a ser censurado. A música "Cobra venenosa" foi vetada: *Eu sou uma cobra venenosa, que pica, que pica...* Em desforra, o compositor gozador fez "Solange" (sobre as bases da música do Police, "So Lonely"). Em homenagem a Solange Maria Teixeira Hernandes, chefe da censura brasileira (do DCDP, entre 1981 e 1984), a patética figura conhecida como dona Solange, dessas tipos fundamentais que só existem numa ditadura.

Eu tinha tanto pra dizer
Metade eu tive que esquecer
E quando eu tento escrever
Seu nome vem me interromper
Eu tento me esparramar
E você quer me esconder
Eu já não posso nem cantar
Meus dentes rangem por você
Solange, Solange
É o fim, Solange
Eu penso que vai tudo bem
E você vem me reprovar
E eu já não posso nem pensar
Que um dia ainda eu vou me vingar
Você é bem capaz de achar
Que o que eu mais gosto de fazer
Talvez só dê pra liberar
Com cortes pra depois do altar
Solange, Solange, Solange
É o fim, Solange
Solange, ah! Ah! Solange

Em 1984, foi a vez de Lobão, em "Teoria da relatividade", do segundo disco, quando ainda era acompanhado pela banda Os Ronaldos. Disco do mega-hit "Me chama". "Teoria da relatividade" falava de um triângulo amoroso: *Livros na minha cabeceira, ela na cama com outro rapaz*. Perigosíssimo para a sociedade brasileira. Em 1985, foi a vez de Roger, do Ultraje, com as divertidas "Marylou" e "Prisioneiro", do disco que trazia a sensacional "Nós vamos invadir sua praia", uma alusão de suburbanos cafonas e farofeiros tomando as praias dos ricos. A galinha Marylou bota "ovo pelo sul" e foi barrada pela censura. "Prisioneiro" contava a história de um ladrão de colarinho branco, que vive "bem com o tráfico e com a corrupção". Não pode!

Em 1986, Titãs. *Cabeça dinossauro* teve censurada a faixa "Bichos escrotos". Numa eleição de 1997 da *Revista Bizz*, o álbum foi considerado o principal disco da história do pop rock nacional. Produção do Liminha. Se as rádios, por conta do refrão *Vão se foder*, tocassem "Bichos escrotos", seriam multadas. Em 1986, foi a vez de "Música urbana", do Capital Inicial, receber o veto da censura. Detalhe: a ditadura acabou em 1985. Mas a censura seguia forte, dessa vez sob o comando da Polícia Federal e de seu diretor-geral, Romeu Tuma, que virou senador por São Paulo.

O governo Sarney vivia refogado em contradições e numa sopa ideológica sem gosto. A censura era apenas uma delas.

Sarney não tinha sido eleito pelo voto direto. O aroma da democracia não soprava em Brasília. Militares ainda faziam pressões, limpavam as mesas e destruíam documentos comprometedores, depois de 21 anos no poder. A redemocratização não veio para consertar injustiças praticadas anos antes. Quis apenas olhar para a frente. Em torno de sessenta entidades empresariais estiveram envolvidas no Golpe de 1964. Não se falou mais no assunto. Na redemocratização, o cenário não se alterou. Para muitos, a democracia não chegava. Para esses, a decepção, a desesperança e o pessimismo continuavam. Tais incongruências viraram alvo do rock nacional, que cada vez mais se engajou na luta e no desabafo político.

Muitas das empresas que apoiaram a ditadura, como Vibasa, Ericsson, Ultragaz, Engesa, Confab, Ford, Embrape e Volkswagen, forneciam para o regime listas de funcionários "subversivos", ajudavam na caixinha da repressão política. A cultura punk que nascia do movimento proletário, especialmente no ABC, sede da maioria das indústrias, sabia bem quem era o inimigo, não desvinculava as empresas da tortura e da repressão do regime militar. Lembrando: só em 2015 a Volkswagen admitiu, por pressão do Ministério Público, que contribuiu para as atrocidades da ditadura brasileira.

O Brasil se democratizava aos trancos e barrancos. Políticos do passado continuavam no comando. Colaboradores dos militares em postos-chave. Casos de corrupção do passado voltavam à tona. Como o Escândalo Lutfalla, do início do governo Geisel, que envolveu empréstimo de dinheiro público para uma empresa em situação de falência do sogro do controvertido político paulista Paulo Maluf. O Banco Nacional de Desenvolvimento Econômico (BNDE) foi contrário ao empréstimo para o grupo, vendo risco na operação; mesmo assim foi obrigado a fazê-lo. Ordens superiores. Maluf foi eleito, indiretamente, governador de São Paulo em 1979, e ainda foi candidato à Presidência da República em 1985 contra Tancredo Neves. Elegeu-se prefeito de São Paulo e diversas vezes deputado federal, com ampla votação.

O Caso Delfin foi o caso de corrupção exemplar do governo Figueiredo. Em 1983, a quebra do grupo Coroa-Brastel levou o ministro do Planejamento, Delfim Netto, e o da Fazenda, Ernane Galvêas, a favorecerem empréstimos da Caixa Econômica Federal ao grupo, que, quando faliu, deixou 34 mil investidores sem receber um tostão. Eu tinha uma poupança e aplicação no Grupo Delfin. O ministro do Interior, Mário Andreazza, foi envolvido. O BNH comprava terrenos da Delfin para quitar sua dívida por seis vezes o preço do mercado. Grana envolvida no escândalo: 200 milhões de dólares, em valores da época. O caso foi denunciado por funcionários do BNH à *Folha*.

Com o fim da ditadura, achou-se que o paraíso estava próximo, que os casos de corrupção terminariam. Ilusão azeda. *No future. Hey, anos 1980, charrete que perdeu o condutor.* O ideal punk tinha motivos para sobreviver. A luta continua. Derrubar para reconstruir. Morte ao sistema!

A censura só foi abolida em 1988, com a promulgação da nova Constituição.

Depois de administrar a grana dos próprios integrantes, Inocentes apostaram suas indenizações trabalhistas no projeto do disco independente *Miséria e fome*. Decepção: os punks não compraram o disco da principal banda punk brasileira. Gastavam dez vezes mais num disco importado na mesma loja que vendia *Miséria e fome*. O projeto se viu ameaçado. Sentiram-se traídos por um movimento para o qual eles davam literalmente o sangue e alguns, a vida.

Não havia tantos shows no meio. Inocentes faziam em média um por mês. Eram das poucas bandas punks que recebiam (um mísero) cachê. Dez shows no ano… Não dá para viver disso, é mesmo uma missão. Não se pagavam os custos na maioria dos shows. Nessa primeira metade da década de 1980, tinha poucas casas de shows em São Paulo e no Rio, e não tinha espaços no interior. Tocaram uma vez em Campinas e outra em Santos. Não tinha espaços em Porto Alegre, em Brasília. O Cólera foi tocar em Salvador com algumas bandas paulistas. Ficaram três dias na estrada num busão. Pouca gente apareceu. Mais três dias no busão para voltar. Era tudo muito tosco. Não existia "consciência" do movimento, tudo estava na nossa cabeça, ele desconfiava:

— Não tinha comprometimento. Era uma fantasia nossa. Por outro lado, a teimosia de ser punk minava a carreira da banda. Ariel continuava contra a loja Punk Rock fazer camisetas. Dizia: a massa trabalhadora vai nos ajudar…

A massa trabalhadora não comprou o disco. A primeira geração de punk inglês tinha acabado. O punk virava new wave. E Ariel começou a dar trabalho. No show de Santos, a banda subiu no palco e não conseguiu tocar. A mistura de bebida com Artane chapou demais.

Outra vez, ainda com o Maurício no vocal, num outro show da Zona Sul, Clemente cheirava lança no camarim quando chamaram a banda: "Com vocês… Inocentes-es-es-es-es…". Aquele eco. Ele subiu e não conseguia afinar o baixo. A plateia ajudava: "Aí, aí, tá certo agora". Não adiantava. Tiraram eles do palco e colocaram outra banda, até melhorarem, sabiam que não dava certo.

Fizeram o pacto de não beber antes dos shows. Combinado? Combinado. Dias depois, no Circo Voador, no Rio... Era a primeira vez que Clemente se sentia um músico profissional: ficaram num hotel barato do centro, ele tinha um quarto só pra ele, quarto com cama e armário. Emocionado com tamanho luxo, o menino negro e pobre da Vila Carolina resolveu pendurar a única coisa que levara no cabide do armário vazio: o casaco de couro. Não levavam porra nenhuma aos shows e nas viagens, que eram quase nenhuma. Naquela época, o lance era dar show com a roupa do corpo. Renato Russo era assim. Ele estava conosco bebendo, chapando... Opa, hora do show. Ia do jeito que estava. Figurino era coisa de rock ultrapassado, falso, hipócrita: a mensagem é que interessava! Figurino é mentira. Queríamos a transparência, a verdade.

Sábado, 25 de março de 1983. Acordei com o barulho das garrafas batendo umas contra as outras cada vez que o ônibus subia, descia ou fazia uma curva na serra das Araras. Um saco. A farra da noite anterior tinha sido grande, fazíamos uma zona gigantesca e não fomos expulsos por um verdadeiro milagre, se bem que o ônibus era praticamente nosso e o motorista nem se deu ao trabalho. Tinha uma porrada de bandas juntas, Inocentes, Cólera, Ratos de Porão, Lixomania, Skizitas, Olho Seco, mais amigos e namoradas, era muita gente. Alguns foram depois, como Marcelino, que trampava de sábado, o que é um porre, mas é melhor do que estar desempregado que nem eu. Estávamos de volta, depois de termos tocado no Meyer com o Coquetel Molotov, num lugar muito tosco e com um som muito ruim. Mas agora era diferente, íamos tocar no Circo Voador, e o rolê já valia por si só. Além do que, eu achava divertido viajar com os casais, Callegari e Meire, Ariel e Tina, eles me ajudavam a lembrar por que eu ainda preferia ficar sozinho.

Beber muito deixa a memória rarefeita, não lembro quem fechou esse show. Tenho uma vaga lembrança do Callegari combinando algo com o Mirão do Lixomania, acho que foi isso. Lembro que falaram da Jussá, do Perfeito Fortuna. Na verdade, não quis prestar muita atenção nas questões de produção. Bêbado é foda.

Entramos na cidade do Rio de Janeiro e tivemos aquela recepção glamorosa de sempre: perto da rodoviária, as ruas sujas, mendigos va-

gando sem direção e aquele cheiro insuportável de urina, nada que não tivesse em São Paulo.

Bebíamos e praguejávamos quando alguém da produção chegou e nos levou para uns hotéis baratos na Lapa. Entrei no quarto minúsculo, velho e mofado, pendurei minha jaqueta num guarda-roupa caindo aos pedaços, encostei o baixo na parede, deitei naquela cama pequena e dura e pensei comigo, "Agora sim eu sou um músico de verdade". Fui encontrar o Callegari no supermercado, estávamos morrendo de fome e precisávamos comer alguma coisa. Entrei no super e o choque térmico foi terrível, quarenta graus do lado de fora e menos doze do lado de dentro. Fiquei mal na hora, mas aguentei firme, tinha um show pra fazer.

Na hora do almoço foi aquela debandada geral, fomos todos para uma ladeira perto dos Arcos da Lapa, do lado do Circo Voador. Até então, eu não tinha a mínima ideia de como era o lugar em que iríamos tocar, estava mais preocupado em me controlar e não beber mais. Eu estava pegando leve, a banda tinha feito um acordo de não beber muito, porque fizemos uns shows horrorosos. Na verdade, acho que nem conseguimos tocar de tão loucos que ficamos. Tínhamos mudado de postura, aquele discurso niilista da primeira geração punk tinha sido substituído por uma cena mundial que se correspondia via correio, era organizada, montava seus próprios selos, e o hardcore era a tônica sonora. O hardcore exigia energia para ser tocado, e eu acreditava naquilo; se o anarquismo era um tanto utópico, a possibilidade de construir uma cena independente autossustentável era bem real, e podermos mandar a cultura de massa se foder, tipo, "Não precisamos de vocês". A gente se correspondia com punks pelo mundo afora, norte-americanos, alemães, finlandeses, britânicos, italianos, paraguaios, argentinos, poloneses e por aí vai, todo mundo empenhado em construir sua cena local e a mundial. Para isso precisávamos de um movimento forte e unido, e nós estávamos à frente de tudo aquilo, tínhamos que ter uma postura forte. Ninguém daria crédito para um bando de bêbados falando merda no palco, no máximo nos seguiriam até o bar mais próximo. E por isso decidimos segurar a onda da bebida, tentar não chapar muito, e todos estavam seguindo, mais ou menos à risca. Quando cheguei, o Ariel estava detonando uma garrafa de pinga Coquinho, o que não era bom. Juro que, entre uma pinga Coquinho e um copo de veneno, eu beberia o veneno, de boa.

O discurso anarquista era bonito pra caraca e a gente era um bando de trastes, mas esse negócio de destruir o sistema me deixava com um pé atrás. Um jornalista falando comigo, com o Zorro e o Ariel, lá no Rio, mesmo, numa escadaria que dava em Santa Teresa, fez uma pergunta interessante: "Se vocês lograrem êxito e conseguirem fazer a revolução, como o mundo vai ser?". Pensei comigo: "Vai ser horroroso, não consigo cuidar nem das minhas contas, quem que cuidaria da economia? Eu, o Zorro e o Ariel poderíamos cuidar do Ministério da Diversão e distribuir cachaça de graça pra todo mundo". Sinceramente, eu não queria segurar uma bucha daquelas, queríamos mais justiça social e poderíamos ser mais efetivos nisso se nossa postura servisse como algum tipo de exemplo pra uma garotada. Mas é claro que não falei nada disso pro jornalista, demos aquela resposta clássica punk e pronto.

Entrei no Circo meio que conferindo tudo, lona, palco, arquibancada. Umas garotas maravilhosas estavam aprendendo trapézio, pensei comigo, "Porra! Isso é um circo mesmo". Demorei pra sair dali, cheguei ao restaurante e a rapaziada já estava toda comendo, o Redson entretido com um prato de comida, o Pierre e o Mingau correndo atrás de alguém na porta, o Jabá de boa enrolando um... E uns punks do Rio. Vi o Tatu, vocalista do Coquetel, e fui dar um oi. Ele nem apertou minha mão e já começou a esbravejar com um sotaque carioca carregado, "É, Clemente, me falaram que quando eu colasse em São Paulo você iria quebrar minha cara, qualé a sua, rapá?". Como o cara me recebia assim? O sangue subiu rapidinho e respondi, "Mano, você não precisa subir pra São Paulo pra eu te quebrar a cara, não. Eu quebro aqui mesmo". E já fui partindo pra cima. Fui contido pela turma do deixa disso, minha vontade era de quebrar todos os ossos do corpo do cara. Vá se foder! A comida me acalmou, rango bom. Adoro feijão preto, e em São Paulo só tem na feijoada, que desperdício.

Entrei no Circo Voador para passar o som e foi chegando a galera do Rio, Lúcio Flávio, batera do Coquetel, o Cavalo, Betinho, Satanézio, Garapa e seu irmão, o Milton, que hoje é mais conhecido por Tom Leão. Ficamos um tempão esperando, não podíamos passar o som sem o Marcelino, que chegou quase à noitinha. Durante a passagem, uns punks mais exaltados quase viraram um carro da Globo enquanto o Ariel fazia seu discurso clássico, "Pau no cu de Deus, pau no cu da Globo, pau no cu do ABC". Foi o único incidente mais grave. No show foi muito tranquilo, fiquei ali observando o público, tinha de tudo, new wavers, punks, surfistas, metaleiros, gente sem definição alguma e as cariocas, várias gatinhas desfilando. Show punk em São Paulo era o maior "baile da cueca" e no Rio, essa maravilha. Agora entendi essa calmaria.

 O Paralamas abriu a noite, ainda em trio, tocando uns covers do The Clash e The Police, e estava todo mundo dançando e curtindo na boa. Até que o Herbert convidou a Paula Toller para cantar com eles. Cara, os punks acharam ela muito desafinada e sem graça e começaram a hostilizá-la. A banda ficou puta e caiu fora levando todos os pratos da bateria, que aliás eram deles. A primeira banda punk a abrir a noite, é claro, não tinha pratos, e ficou xingando o Paralamas. Em São Paulo era comum as bandas punks emprestarem instrumentos umas para as outras, mas tudo se resolveu logo. Os shows foram se sucedendo, tranquilamente, só o Jão, que na época era vocalista do Ratos de Porão, que quase não sobe ao palco por conta de uma disenteria que rolou um pouco antes. E eu e o Callegari com aquela febre que ia e voltava. Subimos no palco com as jaquetas fechadas naquele calor infernal, olhei pro lado e tinha um tiozinho muito louco me oferecendo cerveja. Agradeci, mas não tinha condições de beber. Olhei pro Callegari e falei, "Tô achando que esse cara é o Ezequiel Neves", ele riu e disse, "Não ache, Fritz, é o cara mesmo, aproveita e pega uma breja pra mim também". Pensei comigo, "Ah, foda-se, vou beber a cerveja do Ezequiel Neves", e fomos pro palco, cada um com uma latinha. O show começou e entramos naquele puta gás, mas o Marcelino estava meio bêbado e demorou um pouco pra pegar o ritmo, quando pegou não parou mais. E o Ariel, mesmo chapado de pinga Coquinho e comprimidos, estava mandando bem pra caralho. Estávamos fazendo um bom show, e eu e o Callegari ainda estávamos com febre enquanto Zeca Neves nos entupia de cerveja e gritava como louco que a gente era demais. Pensei comigo, "Acho que eu estou delirando, tá muito surreal isso". Até que o Ariel foi andando pra frente do palco e... Sumiu, caiu no meio do público, ele não se jogou, só foi andando pra frente e plaft. Só que continuou cantando como um louco, como se nada tivesse acontecido. Mas o microfone dele desligou com a queda e lá fui eu assumir os vocais no meu microfone de backing. Ele nem percebeu. Acho que fizemos umas duas músicas assim até que alguma boa alma *arrumasse o microfone dele. E assim foi nossa estreia no Circo Voador, divertido pra caraca.*

Eu, o Ariel, a Tina, o Jabá, o Mingau resolvemos ficar pelo Rio, pois no sábado seguinte ia rolar outro show com bandas punks paulistas no Morro da Urca. Aceitamos o convite do Garapa e nos hospedamos no apartamento de um quarto em que ele morava com a mãe ali perto do Circo, o irmão dele, o Miltinho, tratou de cair fora, pra não ficar com aquele bando de malucos espalhados pela sua casa, dormindo no chão. A mãe deles era bem nova, gente boa pra caraca, e chapava com a gente. Eu também teria caído fora. Foi uma semana doida e longa, a gente enchia a cara todo dia, lá pelas quatro da tarde alguém ia no mercado e comprava uma garrafa de cachaça que virava uma maravilhosa caipirinha. Não lembro de ter ido à praia, mas saiu uma foto do Ariel, na revista Pipoca Moderna, *de sunga, coberto por uma onda. Quando ele foi à praia?*

Passamos a semana com os punks cariocas. Todo dia tinha alguma coisa pra fazer, uma festa, um show, ou a gente se encontrava em algum bar pra beber e jogar conversa fora. Quando chegou o sábado, o Jabá tinha caído fora e a Tina acho que tinha descolado ingresso pro show no Morro da Urca. Estávamos eu, o Ariel, o Mingau e o Garapa sem convites para ir ao show do Fogo Cruzado, a Mack e não lembro mais quem, minha grana estava acabando e ninguém estava a fim de pagar entrada. Foi quando o Garapa teve uma ideia sensacional: vamos escalar o morro da Urca. "É aquele lugar que as pessoas vão de bondinho e nós vamos escalar, acho que essa ideia não é muito sensata", eu pensei. Ele falou que tinha um lado que não era muito íngreme e todo mundo se animou. Só fiquei preocupado com o Mingau, ele tinha quinze anos e eu me sentia responsável por ele do alto dos meus dezenove anos, faria vinte apenas em maio. Se acontecesse alguma coisa com aquele moleque, o que eu falaria pra mãe dele, a dona Zica? Pegamos um busão, que andou, andou e andou, descemos num lugar ermo e escuro. O Garapa disse: "É aqui, galera". E nos metemos no mato no meio daquela escuridão. No começo, subida fácil, até que o chão de terra foi virando pedra e, quando vi, estávamos subindo num paredão de pedra. O Garapa engripou, "Não vou subir, não consigo". Porra! O único carioca, o cara que conhecia o terreno não podia dar pra trás. O Mingau ficava correndo em volta dele, gritando *"Vamo, Garapa!! Deixa de ser cuzão!"*, e eu gritando com o Mingau, *"Seu moleque do caralho, para de correr em volta dele, se você cair daqui vou entregar um pudim pra sua mãe, e não um Mingau".*

Conseguimos subir e nos escondemos no mato para esperar a casa abrir. Tínhamos levado umas garrafinhas cheias de cachaça ou vodca e ficamos por ali, o Ariel tinha trazido uns Artanes e distribuiu pra gente. Tomamos e os seguranças acharam a gente. O Ariel tratou de negociar com os caras, demos uma grana e eles fizeram vista grossa. Finalmente entramos quando os Artanes começaram a bater, o que fudeu minha memória sobre aquela noite. Tenho só uns flashes, a gente numa exposição de fotos punks, eu xavecando uma mina, a Valéria Puchalski, que eu tinha acabado de conhecer, a gente dando mosh do palco e se esborrachando no chão, eu sozinho no bondinho, eu sozinho no hall do hotel das bandas assistindo uma TV chuviscada... Eram umas seis da manhã quando ouvi uns gritos e umas buzinas, olhei pela janela e era o Ariel dirigindo uma caminhonete lotada de punks que ele foi recolhendo pelo caminho. Saí pela janela mesmo e subi na caminhonete. *"Porra, Ariel, onde você descolou essa caminhonete?"* Era do Ronald Biggs. Como assim, a caminhonete do Ronald Biggs? O cara que fez o famoso assalto ao trem pagador e que gravou uma música com os Sex Pistols? Exato, ele mesmo. Eu, louco de Artane, me perdi de todo mundo no Morro da Urca; eles conheceram o Ronald, que os convidou para uma festa no bar de que ele era sócio, O Cockraine, junto com um irlandês doidão, puseram todo mundo pra dentro, fecharam as portas e distribuíram bebida de graça. Agora estava todo mundo largado no apartamento do Biggs e caímos pra lá. Cheguei, e a sala estava lotada de punks dormindo pelo chão, alguns brincavam com o autorama do Mike, filho dele, que cantava no Balão Mágico. O Tikinho, guitarrista do Lixomania, estava xavecando umas francesas, não sei em que língua, já que ele não falava nem português direito.

O Rio nos recebeu de braços abertos, fizemos laços de amizade que duram até hoje. Na época descolei uma mina, a Valéria Puchalski, voltei algumas vezes pra ver ela e a irmã, Anabela, duas figuras carimbadas. Ampliamos a cena punk com novas conexões, eu me sentia no centro de uma verdadeira revolução. Mas a euforia passou e fui me afastando do Rio aos poucos. Voltei em 1985 para abrir o famoso show da Legião Ur-

bana no Circo Voador, mas já eram outros tempos, nem sombra daquele espírito punk de 1983.

O show no Circo Voador foi o comentário do mês. Acharam tudo combinado. O cara caindo no chão e cantando no meio do público. E todas as bandas que estavam começando passaram a tocar como os Inocentes, a se vestir como os Inocentes, a beber como os Inocentes, a xingar, pular, provocar como os Inocentes. A subir em mesas de bares e restaurantes, bêbados, e provocar a burguesia. A burguesia fede! Mostra a sua cara! Até Gil, o velho aliado da rebeldia, gravou naquele ano de 1983: *Sou um punk da periferia. Sou da Freguesia do Ó, Ó, Ó, Ó, aqui pra vocês! Sou da Freguesia.*

Que os punks odiaram, lógico.

No show seguinte, em São Paulo, Ariel chapou de novo, quase não conseguiu cantar, também caiu do palco e xingou: "Pau no cu da Globo, pau no cu de Deus, pau no cu do ABC". Foi o fim.

Pau no cu da Globo tudo bem, agora, pau no cu do ABC?! Aí não, a banda não apoiava as tretas. Ariel falava por si. Foi expulso da banda. E ficou revoltado. Tinha começado com eles na Restos de Nada, saiu, estava na sua, de boa, casado, lendo Trótski, quando o chamaram para cantar no Inocentes em 1982, depois que o Maurício saiu. Ele conta:

— O ano de 1982 foi mais importante, os Inocentes estavam no ápice. Eles eram "a" banda do movimento punk e ditavam as regras e tendências. Levavam as outras bandas para tocar com eles, organizavam shows e eventos. O auge foi o festival que organizaram com o Bivar no Sesc, foi o auge do Inocentes e do movimento punk no Brasil. Eram o grupo mais atuante. Em janeiro de 1983 fomos para o Rio de Janeiro tocar num clube, o Dancing Meyer. Eram várias bandas de São Paulo e algumas do Rio. Em março de 1983, aconteceu o famoso show no Circo Voador, que ficou conhecido como "a invasão punk no Rio". Eram muitas bandas de São Paulo, todas punks, e algumas bandas punks do Rio.

Ariel lembra que existia uma divisão dentro do Inocentes: Clemente e Callegari de um lado, Marcelino e ele, que eram mais "radicais", de outro. Segundo ele, Clemente e Callegari queriam fazer parte do novo rock, e a outra dupla queria fazer hardcore.

— Eu e Marcelino escrevíamos muitas músicas de base política e antirreligiosas, mas aos poucos o Inocentes foi se perdendo. Eles queriam "adoçar" mais as músicas, torná-las palatáveis, ir mais pro lado do new wave. Eu e Marcelino não admitíamos isso. Éramos conhecidos exatamente por essa radicalidade e queríamos continuar sendo radicais dentro do movimento. Clemente e Callegari foram se aproximando do Ultraje, dos Titãs, não queriam mais camisetas ofensivas, estavam se adoçando.

Ariel lembra que muitos punks não gostaram dessa mudança de rumo do Inocentes. Num show, pintaram o Clemente de branco com o pó do extintor de incêndio.

Marcelino também saiu da banda. Não guarda rancores. Conheceu Clemente em 1977, participava da mesma turma dos punks da Carolina. Naquela época começou um relacionamento de amizade e cumplicidade, eram melhores amigos e andavam sempre juntos. Marcelino entrou no finalzinho da Condutores de Cadáver, quando a banda rachava, e foi montar o Inocentes com Clemente e Callegari. Explica por que saiu:

— Por causa de uma paixão louca. Uma namorada de outro meio, que fez o rumo da minha vida mudar. A paixão falou mais alto que a banda.

Tinha com Clemente um "relacionamento muito próximo". Clemente dormia na sua casa quase todo fim de semana. Brigavam juntos contra os outros e brigavam entre si, mas sempre faziam as pazes. Compôs suas melhores músicas com Clemente, "alterado, pra variar", pois gostavam muito de beber. Diz que não curtia tanto fumar maconha. "Nosso negócio era mais o álcool."

Como escreveu Lobão sobre Cazuza versus Barão (Brian Jones versus Stones): ser expulso de uma banda de rock por mau comportamento é muito pior do que ser expulso de uma suruba por mau comportamento. Clemente justifica:

— Pau no cu do ABC? Ariel não falava em nome da banda. Não queríamos mais tretas com o ABC. Tiramos ele da banda.

Viraram provisoriamente um trio. Para Ariel, tudo bem. O racha na banda veio em boa hora:

— Eu queria evoluir, ir pra outro lado um pouco, fazer outras coisas, outros sons, navegar em outros mares.

O começo do fim

Pátria amada, é pra você esta canção. Desesperada, canção de desilusão. Não há mais nada entre eu e você. Eu fui traído e não fiz por merecer. Pátria amada, cantei hinos em seu louvor. Mas tudo o que fiz de nada adiantou. Na boca amarga ainda resta esse refrão, que diz pra morrer por ti e não importa a razão. ("Pátria amada")

No Brasil, a grande ironia é que a música do Gil, "Punk da periferia", foi um tremendo sucesso nas rádios e na TV, enquanto as músicas das bandas dos punks, gravadas em selos independentes, não tocavam. O punk inglês murchou, mas o punk rock virou um fenômeno global. Tinha até no Líbano, país em guerra civil. O *Estadão* publicou, em outubro de 1982:

> Durante oito anos de guerra, os libaneses viveram ou sobreviveram aos diversos flagelos que se abateram sobre eles, como bombardeios, sequestros, execuções sumárias e atentados terroristas. Ninguém, entretanto, poderia imaginar que um dia boa parte da população ficaria ameaçada por uma grave neurose, provocada por um fenômeno tão insólito como a moda punk.

Punks do bairro de Beirute Leste, o bairro cristão, tocavam o terror, segundo a correspondente. Milícias cristãs como a Força Libanesa se uniram para combater a moda intrusa. A caça aos punks começou de surpresa: milicianos invadiram um espaço cultural em que rolava um festival de rock, os punks foram espancados, milicianos dispararam para o alto para dispersar. Segundo milicianos, os punks são propensos à violência, e os milicianos "pretendem eliminar o tédio e a rotina de suas vidas cotidianas". Cerca de setecentos punks foram presos. Lá, como em qualquer lugar, o punk não era entendido.

Inocentes começou a receber cartas de fãs de outros países. Correspondiam-se com punks da Inglaterra, Itália, Polônia, Uruguai, Paraguai, Argentina, Alemanha, Finlândia. Começou uma rede de distribuição de fitas de bandas brasileiras pro mundo inteiro. Certa vez, Clemente recebeu uma carta de um jovem punk americano que comprara uma fita do Condutores de Cadáver: "Eu vivo aqui numa cidade classe média no Meio-Oeste americano, e a única coisa que alenta minha vida é ouvir Condutores de Cadáver". Escreveu em inglês. Clemente deu pra sua chefe do trabalho traduzir, e ela, "Nossa, ele está falando isso e isso". Ele pensou, "Nossa, eu tenho um fã!".

O agente dessa interação com fãs estrangeiros tinha um nome, Antônio Bivar. As bandas brasileiras e seus personagens começaram a sair direto no *Maximum*, a revista independente (fanzine) de rock mais importante de todas, editada em San Francisco, que falava da cena mundial underground. Tinha uma página de cada país, logo uma dedicada ao Brasil. Quem era o correspondente brasileiro? Antônio Bivar.

— A gente estava lá no bar, de boa, papeando, tomando cerveja, de repente o Bivar tirava uma foto e, quando ia ver, abria a *Maximum* e era a gente lá no bar.

Clemente retraça a evolução do punk:

1. 1981: A preparação para abrir caminho para o movimento punk, a paz entre as gangues. Organizaram os primeiros festivais. Então começou a surgir a "consciência punk", fazer do movimento uma expressão da luta contra algo que os oprimia de norte a sul, por dentro e por fora: o sistema, o capitalismo, a ditadura. O país, com sua horda de desempregados e uma juventude descontente, precisava implodir. Um Estado militarizado, policial, que reprimia as manifestações artísticas que o criticavam, precisava ser abolido. As bandas passaram a sair das esferas das gangues e a unir gangues rivais. Era possível ser da Zona Norte e admirar uma banda do ABC e vice-versa. E curtir. E respeitar.

2. 1982: Foi o ano mais intenso do punk rock no Brasil. E do reconhecimento, coletâneas, shows. Lançam o *Grito suburbano*. Os punks brasileiros são conhecidos em outros países. Estoura a Blitz.

3. 1983: A volta das tretas. A chegada da cocaína colombiana no Brasil, mais barata, que inundou o mercado, as seringas, a decadência. As danceterias. E explosão do rock nas gravadoras, rádios e TV. O fim?

Com "fim", Clemente não se refere à absorção dos punks pelo mercado, mas à volta das tretas, que tinham dado uma trégua entre 1981 e 1982, cessar-fogo em que se pensou numa união para combater o inimigo comum, o sistema, e curtir as bandas que surgiam, das gangues ou não. Muitos punks eram irredutíveis. Para eles, existia o punk e o nada. Não era o caso dos que militavam pela causa do rock.

— Até 1982, movimento punk era legal, estávamos fazendo alguma coisa. Em 1983 já era o caos.

Em 1983, por quatro votos, a chapa anarquista Picaretas venceu a eleição para o Centro Acadêmico da ECA-USP, minha faculdade, reduto histórico da esquerda. Rui Mendes, fotógrafo e líder da chapa, lembra que a vitória foi na verdade um golpe. Liderava um grupo de uns 22 anarquistas, que descobriu pelo estatuto do Centro Acadêmico que cada chapa teria o direito de imprimir quinhentos panfletos. Então, duas semanas antes, eles registraram onze chapas, com duas pessoas cada, contra uma da Libelu, que dominava o CA. Os quinhentos panfletos a que tinham direito viraram 6 mil, que se transformaram em mil revistinhas, que transformamos num jornal satírico, em que escrevi um texto zoando com o movimento estudantil, cada vez mais longe da realidade dos estudantes, desinteressados pelas teses da antiga esquerda. Só tinha besteira, sátiras à esquerda. Meu texto foi um sucesso e não causou mal-estar em parte do movimento estudantil. A Libelu tinha humor. Dois dias antes das eleições, as onze chapas se fundiram numa só. O golpe. A chapa anarquista Bucetas Radicais, no ano anterior, liderada por Tadeu Jungle, já tinha tentado tomar o poder da Libelu. Não conseguiram. Rui conta:

— O movimento estudantil estava muito chato, a Libelu entrava na aula para passar um abaixo-assinado para tirar um estudante francês que estava preso na Polônia. E o Centro Acadêmico tinha ascendência sobre tudo o que acontecia na faculdade. Se você quisesse fazer um filminho, tinha que pedir permissão para a Libelu. Já tinha uma corrupçãozinha: ou você era da Libelu ou não rolava.

— Não era verdade. O CA não tinha nada a ver com isso, não era responsável por atividades da faculdade – defende Cadão Volpato, da Libelu. Ele lembra que o Movimento Estudantil (ME) teve importância mesmo em 1976, 1977, na porrada contra a ditadura, até 1982. Foram anos de lutas muito intensas, enquanto os estudantes nem tinham experiência de fazer assembleia, diz. As organizações e os partidos políticos de esquerda e os clandestinos se agrupavam no ME. A Libelu desalojou o Partidão (PCB) do Centro Acadêmico da ECA em meados dos anos 1970 e comemorou como uma grande vitória. Em 1982, perdeu para os anarquistas. Foi uma troca de guarda. Eles ganharam e jogaram o CA às traças. Eu nunca entendi os anarquistas. Fui um militante que tinha até um nome de guerra: Lombroso. Nas reuniões, me chamavam de Camarada Lombroso, e todos riam. O Alex Antunes, da banda Akira S, era Yamamoto. Achei tão legal — se o nome dele caísse, a repressão ia achar que se tratava de um oriental — que mudei meu nome. Virei Camarada Lumumba. A gente era no fundo piadista.

Os militantes trotskistas da ECA acreditavam na revolução permanente. Aos poucos, entraram no movimento operário. Tinham normas rígidas, iam a portas de fábricas, assim como Thomas Pappon (das bandas Fellini, Smack e Voluntários da Pátria). E como Ariel, ex-Inocentes:

— A classe operária assumia a dianteira. O movimento estudantil tinha que partir pra outra. Nós sabíamos que o movimento do Rui ia dar errado, mas no fundo achávamos engraçado. Antes, eu achava inconsequente, eu acreditava em política real. Mas hoje curto a ideia do anarquismo. No fundo, a gente da Libelu era anarquista.

Certa vez, a Libelu anunciou para a imprensa que o Godard ia fazer uma palestra na FAU-USP. Até a *Folha* anunciou. Era mentira. Cadão apareceu de Godard, o Godard era ele. A sátira estava em alta. A anarquia, idem. Um sentimento de "foda-se" dominava a juventude brasileira.

A ECA e o punk se encontraram e se enturmaram. Muitas bandas do pós-punk e da new wave saíram dessa junção, como Mercenárias,

Smack, Voluntários da Pátria, Akira S e Garotas Que Erraram, Fellini e até o RPM, do nosso colega da faculdade de jornalismo, crítico de música da *Som Três*, Paulo Ricardo. Cadão se lembra:

— Gosto do lado heroico dos punks, mas a música era tosca demais, eu queria fazer poesia. Os punks tinham pulso. Não sabiam tocar, mas tinham vigor.

Os anarquistas ganharam as eleições e fecharam o Centro Acadêmico por dez anos. Rui comprou um cadeado enorme com seu dinheiro. No Picaretas, o jornalista Claudio Júlio Tognolli, que escreveu com Lobão o livro *50 anos a mil* (cuja foto da capa é do Rui), calouro como eu, era um faz-tudo. Como Álvaro Pereira Júnior, editor do *Fantástico* que foi colunista da *Folha*, e William Bonner, apresentador do *Jornal Nacional*. Bonner era popular na escola pela beleza e pelo vozeirão. Eram sempre dele os áudios dos curtas, documentários, trabalhos de audiovisual que fazíamos. E nunca se negava a emprestar o seu talento nato. Além de, claro, namorar Kátia, a gata da faculdade.

Deram então a festa do Gato Morto (porque, na sua preparação, Paulo Ricardo atropelou um gato e fotografou, o que virou um símbolo).

Com o tempo, Rui acabou se transformando no fotógrafo oficial do rock brasileiro, e eu, o cara do release. De cada dez capas de discos da época, nove eram do Rui; alguns deles vinham com um release meu, pelos quais nunca fui pago. A editora da nova revista *Pipoca Moderna*, Ana Maria Bahiana, pediu fotos da "incipiente" cena rock paulistana. Rui fotografou Mercenárias, Ira e Ratos de Porão. E trocou com as bandas: dava os negativos das fotos em troca de um show grátis na ECA, onde acabara de ganhar as eleições do Centro Acadêmico. Incipiente...

Os punks enfim tocaram na USP em 24 de agosto de 1983: Mercenárias, Ratos de Porão e Ira. Terminou num quebra-quebra promovido por punks da perifa e punks uspianos. Destruíram os banheiros da ECA: arrancaram latrinas e pias. A treta se estendeu pela praça do Relógio, onde viraram um carro e o incendiaram. João Gordo conta que, louco de Artane, quebrou várias latrinas da faculdade:

— Eu adorava quebrar banheiro. Era só dar um chute com coturno que a louça quebrava que nem manteiga. Depois todos dormiram na grama ao redor de uma fogueira.

Carro virado no espelho d'água da escola, vigia de braço quebrado... Mais de vinte feridos foram atendidos no Hospital Universitário. Era o Rui, na sua caminhonete, quem levava os feridos para o HU. Foi chamado pela diretoria da escola. Punks nunca mais. O.k., punks nunca mais.

Alguém pichou nos muros da faculdade, ironizando: ABAIXO AS CORES DA NEW WAVE.

Não lembro quem me deu o toque da festa do Gato Morto do Rui Mendes, acho que foi a Viviane, que morava no Crusp, ou Zé Augusto Lemos, que tinha uma irmã maravilhosa e eu estava de olho nela. Nessa época eu estava andando sozinho. Inocentes tinha acabado no palco do Napalm e eu estava fazendo um som com o Tonhão, o Ronaldo e o André, na verdade virei vocalista da banda deles, Os Neuróticos. Mas nada de turma da Carolina, eu estava de saco cheio das tretas e de não ir a lugar nenhum, a não ser onde estivessem os punks "de verdade".

Fizemos um show ótimo com os Neuróticos, com a Plebe Rude, no Val Paraíso, no Bixiga. Eles estavam sempre por São Paulo e íamos dar um rolê juntos, quem sempre aparecia também era o pessoal do Beijo AA Força, de Curitiba. Todos grandes amigos, sempre tinha uma festa, um show ou uma noite no Rose Bom Bom, onde o Gigio sempre liberava meu cartão. Porra, eu adorava ir lá. Uma vez cometi a proeza de descolar duas minas no mesmo dia, agarrava uma no térreo e outra no andar de cima, fiquei num sobe e desce interminável lá dentro. "Você pode me esperar um pouquinho que vou pegar uma cerveja?", e sumia, ia no andar de cima agarrar uma menina, daqui a pouco estava de volta como se nada tivesse acontecido e agarrava a segunda menina, não é possível que elas não tenham desconfiado. Outra vez estávamos eu e o Ronaldo num lugar chamado Clash, na avenida Faria Lima. Ele encontrou um ticket de saída e não teve dúvida, pagou bebida para todo mundo, tinha a saída garantida. Mas, como ele é daltônico, não notou que o ticket mudava de cor a cada dia, e se o dele era verde, naquele dia o ticket era azul. Não deu outra, foi sair e o segurança barrou, dizendo que não era dia daquela cor. Ele tinha detonado o cartão dele e não tinha dinheiro pra pagar. Teve uma ideia fantástica, pular por uma pequena janela do banheiro. Caiu de cabeça do andar de cima do sobrado na calçada lá na rua, se arrebentou todo, ficou uma semana zoado.

Nessa fase, eu estava a fim de respirar, ver os shows que estavam rolando, ir ao cinema, teatro, mostras, conhecer gente diferente, escrever, tocar.

Quando me falaram da festa do Gato Morto, não tive dúvidas: vou lá com certeza. Aliás, até hoje não sei por que a festa tinha esse nome, mas o nome era tão bom que marcou, ninguém esquece. Como sempre, comprei um litro de vinho barato e caí pra USP. Iam tocar Ratos de Porão, Ira e Mercenárias. Fui sozinho, lá encontrei o Zé Augusto Lemos e a irmã dele, ficamos um tempão trocando ideia. Mal sabe o Zé que eu estava mesmo de olho é na irmã dele. A festa estava demais, todo mundo que eu conhecia estava lá.

Uma das minhas diversões era zoar o Nasi. Acho que eu tinha um pouco de inveja dele porque ele mandava bem, dominava o palco como poucos, e as meninas viviam falando nele. Eu pensava, "Esse cara tá se achando". Cheguei perto dele e falei baixinho no ouvido que tinha uns cinquenta punks querendo acabar com ele do lado de fora. E falei sério. Naquela época, as pessoas sabiam que corriam risco de verdade. Ele ficou assustado e eu, me matando de rir. E não é que chegam uns punks mesmo e começam a zoar a festa? O Nasi deu um jeito de cair fora pelos fundos, achando que os caras queriam matá-lo. Eu sei que é maldade, mas eu me divertia muito com isso. Fui embora antes de a festa acabar.

Em 1983, construiu-se o Napalm. Ali o rock nacional encontrou um caminho, e São Paulo se transformou de vez na vanguarda do rock brasileiro: num galpão garagem improvisado na rua Marquês de Itu, 392, a meia quadra do Minhocão.

Quem tocava era Ricardo Lobo, recém-chegado de Londres e Nova York, que costumava filmar shows punks e, coincidentemente, passou a morar no prédio do Bivar, onde conheceu os punks. Ricardo chamou os próprios músicos para construir e depois trabalhar na casa: pintaram, montaram, mão de obra de verdade. Deixaram instrumentos de lado, arregaçaram as mangas e viraram pedreiro, eletricista, encanador. E recebiam em cerveja e almoço. Isso é autogestão!

Depois, João Gordo ficou no balcão, Callegari cuidava dos instrumentos, que eram emprestados pelo Inocentes. Mingau, Meire, Urso, Tonhão ajudaram. Colocaram o balcão de bar e montaram o palco. Lá atrás, tinha um quintal, uma TV. Fizeram o tratamento acústico improvisado de papelão.

— Realmente isso aqui é o Napalm, porque se pegar fogo, bum… — Clemente dizia para a rapaziada.

Fernanda, outra Fernanda, amiga da minha Fernanda, que se casou com o Dado Villa-Lobos e virou Fernanda Villa-Lobos, faria a programação. Ao abrir a casa "pós-avant-ultra-new-club", como dizia o convite, numa quinta-feira, 28 de julho de 1983, às 22h30, com as Mercenárias (Edgard Scandurra ainda na bateria) e um show surpresa, todo mundo arrumou uma função. Até Clemente. Dias antes, num show dos Titãs no Sesc Pompeia, ele bateu em dois caras. Bateu no cara que ganhou o concurso de roupa new wave. Ridicularizou o cara, que cuspiu nele. Subiu no palco e já viu. Outro cara muito louco ficou encostando nele. Ele disse que não estava num dia bom, o cara ficou pegando, já viu: bateu nele. Ficou com a camisa suja de sangue. Desanimado com tudo. O Ricardo Lobo viu e falou "Pô, cara, você briga bem, podia fazer segurança do Napalm". Estava contratado.

Enquanto as Mercenárias tocavam, alguns punks ficavam de costas. Sandra conta:

— No começo, claro, torceram o nariz porque era uma banda só de mulheres. João Gordo de costas. Mas quando nossa vocalista começou a berrar no palco e a andar que nem uma louca de um lado pro outro, ele baixou a crista. Frequentávamos os mesmos lugares, as mesmas casas de shows, o Napalm e outros. No começo, a interação era dos punks com os punks, depois todo mundo começou a se misturar. A música, a atitude e a nossa postura eram tão fortes que eles passaram a nos respeitar.

João Gordo não se lembra de ignorar assim as Mercenárias.

— Eu adorava elas. Era amigo, até comprava pó de uma delas, que morava no Crusp. Elas tinham medo da gente, porque se achavam "menos" punks — diz, rindo.

Sandra reconhecia que elas e os meninos do movimento punk eram de origens muito diferentes. Eles eram do subúrbio, elas não, eram universitárias da USP, "era uma outra história". Mas tinha uma troca interessante de informação, de audiência: uns iam aos shows dos outros.

Depois das Mercenárias, a banda surpresa. Inocentes, a banda número 1 da cena punk rock brasileira. Rachada. Desiludida. *No future*. Sem Ariel. Nem os punks compraram seu único disco. Independente, já que as gravadoras não os contratavam, já que não tocavam nas rádios, muito menos nas TVs.

Antes de subirem no palco, putos com tudo, Callegari e Clemente se olharam no camarim. Se conheceram quando? Na oitava série, lá por 1977. Callegari olhava. Clemente é bom letrista, muito criativo. Ensaiavam na casa dos pais dele todos os fins de semana. Ele se lembra de um domingo de Páscoa:

— Seu Clementino chegou na janela do salão onde ensaiávamos, o Indião olhou para a careca negra do pai e disse: "Olha, trouxeram ovo de Páscoa pra gente". O pai dele deu risada. Todo mundo brincava com eles, os poucos negros que conhecíamos. Nós os respeitávamos muito.

Ficavam lá no fundo da casa tocando. Acabava o ensaio e iam embora. Não tinha muita conversa com os pais do Clemente, só encontros rápidos. Seu Clementino aparecia nos ensaios de vez em quando pra trocar ideia com os meninos. Ele era sempre muito simpático. Vira e mexe, Callegari passava com o Clemente pra ver o pai na lojinha no centro, vendendo guarda-chuva. Callegari se lembra das irmãs mais novas nos ensaios.

— Elas eram os xodós das bandas. Ficavam lá acompanhando. Todos tinham muito carinho por elas. Éramos uma família.

É, esse cara é como um irmão. Afinidade, amor, estava ali uma relação que era para sempre. Enquanto olhava, Clemente se aproximou dele e perguntou: "Vamos acabar com a banda?". Callegari não se surpreendeu. Concordou na hora. Naquela amizade, um já sabia o que o outro pensava. Chega! Concordo. Segue a vida. Partimos pra outra. Já deu. *No future!*

Inocentes entra. A banda surpresa resolveu fazer uma surpresa. Clemente no baixo e vocal, em instantes ia anunciar que aquele era o último show da banda. Os punks começam a xingar. Alguns reclamavam porque tinha que pagar ingresso. Clemente olha aquilo e toca. Estava de saco cheio dos punks, ninguém compra nosso disco, ninguém quer pagar pra ver o show, pra que ficar levantando bandeira? Começou a se lembrar. Toca e se lembra. Via Ariel, via amigos, via o pessoal da ECA, via a Sandra. De cima do palco, se lembra. Quando conheci você, Sandra, cheguei e falei "Meu, vamos lá no Templo do Rock e tal", você estava de óculos, uma sombrinha, toda-toda. De um lado, o salão punk, e na frente um salão de forró. Lembra os bares em volta? Era só porta de ferro, a gente em bando passando. O Templo do Rock existia desde 1979. Os punks tomaram o lugar, iam em bando, a pé, voltavam em bando. Passavam por outdoors, levantavam só a pontinha do papel, acendiam o isqueiro e, por causa da cola inflamável, buum, aquilo tudo pegava fogo. Os punks cruzavam aquele cenário de filme, meio *Blade Runner*, meio *Apocalypse Now*, chamas dos dois lados da rua, e vibravam. Então a gente ia passando, e os outdoors em chamas. Saíam sessenta, setenta, essa era a gangue da Carolina, porque lá a gente ia encontrar outras gangues. Desde o show do Sesc, eu não ando mais armado com meu canivete de mola. Passou aquela fase. Era uma coisa mais para intimidação, porque eu não ia esfaquear realmente. A primeira vez que a gente foi num salão na Vila Amália, do lado da favela, a gente desceu comendo bala. Vila Amália fica no sentido do Horto, passando a Cachoeirinha. Bairro barra-pesada. Fomos lá, chegamos lá, dominando o salão e tal, só tinha uns pivetes, uns punks pivetinhos, a gente achando que era os bonzão. Chegaram os caras da favela falando "Corre". A gente correu, saiu comendo bala. Não eram punks, eram os caras da favela, mesmo. Você não pode ser bunda-mole, você tem que atravessar a cidade todo trajadinho. Se você é um bunda-mole, vai apanhando daqui até lá. Por isso essa consciência de gangue e tal, porque é ônibus e trem, metrô. A gente começou a namorar umas minas do ABC. Eu aqui tocando, olha Ariel lá embaixo, na plateia, atiçando as gangues. Vou parar a música e anunciar o fim da banda. Encheu o saco. Por que o Ariel tinha que xingar a Globo, provocar os punks do ABC? Conheço os caras há um tempo. Comecei a andar com os caras do ABC há um tempo. Já conhecia alguns: o Nenê, namorei com a irmã dele. O Indião casou e teve um filho com outra irmã dela mais velha, a Rosângela. Eu sabia que tinha os punks no ABC, no SBroque tinha várias gangues. E aí comecei a frequentar o ABC e namorar a Rose, que conheci na Vila dos Remédios. Punkinha do ABC. Ela tinha quinze anos. Nada de sexo. Novinha. Só fui transar com a Nice, punk de Mogi, ela era virgem, foi legal, foi bonito, era 1981, ela tinha ataque epilético, punk mesmo, vi duas vezes ela ter ataque, uma vez no ônibus, a mina começou a ter um ataque, eu não sabia de nada, o cobrador me ajudou, aprendi, e um dia eu estava dormindo no colo dela, no Templo do Rock, quando acordei tomando porrada, caralho, treta!, me levantei, era ela. Nice, tendo um ataque ali e me batendo sem querer, galera me ajudou, fiquei com ela seis meses, gata. Não tinha treta ainda com os caras de outras cidades. Nem com o ABC. Aí teve um som em São Caetano. Santo André, São Caetano e São Bernardo… São todos unidos. Uma vez em São Caetano, começou uma treta com um cara da Carolina, os caras deram uma copada na cara dele. A gente conhecia os caras, mas o ambiente não estava legal. Aí chegamos perto da estação, tinha uns dez caras dos Metralhas, que era outra gangue da Zona Leste, os caras todos esfaqueados, polícia, um deles tinha tomado quinze facadas. Ali é barra-pesada, pra ir lá e sair vivo. Tem que pegar o trem de volta. São Caetano-Brás. A gente desce no Brás ou na Luz, pra daí ir embora. Aí busão pra Carolina. Treta quase todo final de semana. Vou anunciar que acabou a banda. Vou só acabar esta música. Banda sem vocalista não dá. Só nós três não seguramos a onda. Só mais esta música. As tretas tinham uma coisa meio romântica, no começo era legal. Lembro daquele salão lá na Zona Norte, Construção, onde rolou uma das tretas mais legais que eu já vi na vida. Foi do meu amigo Nenê, o fotógrafo, não o do ABC, contra o Cobra. Dois caras. Porque nessa época ainda era turma da Carolina, Vila Palmeira, todas as vilas, todo mundo junto. Não era só a turma da Carolina ainda. A gente descendo pela avenida Mazzei, para ir lá no Construção, e de repente começa a treta. Só os dois. Chovendo, aquela roda de jaqueta de couro. O Nenê era da Freguesia e depois virou Carolina. O Cobra era da Carolina, Carolina Punk mesmo. O Nenê estava bêbado, caído mesmo, e o Cobra socando ele. Daqui a pouco o Nenê começa a levantar e a socar o Cobra. Rodou com o Cobra, jogou o Cobra na parede, deu duas cabeçadas, o Cobra saiu rodando. O cara era muito forte, tinha apanhado pra caralho, e os dois apertaram a mão e pararam. Foi uma das coisas mais legais que eu vi. Olha lá o Ariel... O que que é, filho da puta! Tem cara me cuspindo. Olha um cara do ABC. Reconheço de longe. Fiquei um tempão andando pelo ABC. Todo mundo fala que as tretas acontecem porque os caras são operários e os outros, nós, trabalhamos em escritório, uns usam jaqueta de couro de verdade, os outros não, um choque cultural. É mentira, era por causa de mulher. Ele tá rindo pra mim, Ariel. A gente começou a catar todas as minas dos caras, os caras ficaram putos, e uma hora falaram chega. Só que a treta foi crescendo, começou a virar uma guerra campal. A treta com o ABC começou antes da época dos shows punks. Muito antes. Era por causa de mulher. Há dois anos, era 1981, rolou o muro invisível: os punks do ABC não podiam aparecer na capital e vice-versa. Shows rolavam aqui e lá. Eu achei ruim, ia ser legal se todo mundo pudesse curtir a mesma coisa, eles tinham coisas legais lá também. Tem bandas boas: Ulster, Passeatas. Em 1981 a gente apaziguou todas as gangues. Todo mundo começou a frequentar a Punk Rock. Eu mesmo falava, "Por que tretar, se a gente é um movimento, tem um objetivo?". Então aquelas gangues todas, Metralhas, Funeral, Maquiavélicos, Punk Terror, Meloso, tinha muita gangue, dezenas, tudo punk, começou a consciência de que todo mundo faz parte do mesmo movimento. Aí vieram os shows, e nos shows a gente falava "Não tem treta nos shows". O show era uma coisa legal, pra todo mundo curtir. Aí tinha seiscentos punks e não tinha treta, a não ser quando a polícia invadisse. Para o festival O Começo do Fim do Mundo, fui para um lado do ABC, Callegari para outro, para convidarmos as bandas. Fui lá, com a bandeirinha da paz. Cada lugar que eu fui... Eu achava que não ia sair vivo. Com uns punkzinhos moleques. Eu cheguei lá: "Vim em paz, trocar uma ideia, vai ter o festival, a gente queria que todo mundo estivesse lá". Agora as tretas estão voltando, esses caras não têm jeito. Pronto, anunciei o fim da banda. Acabou. O que o Ariel tá falando? Anunciei o fim. Pronto, as minas todas estão chorando. O Ariel falou umas merdas da plateia. Tô vendo o Callegari tirar a guitarra e jogar no chão. Não faz isso, cara. Tô vendo ele se jogar do palco. Ele desceu e agarrou o Ariel. Começaram a brigar. Tô vendo Callegari dar uns socos no amigo. Eu vou embora.

— Valeu! Pau no cu de vocês. Acabou!

Cala a boca

As brigas de gangue voltaram. As brigas viraram uma guerra, voltou a treta com o ABC, que eles tinham conseguido apaziguar a muito custo e com muita conversa. Dizem que foi o Debiloide, um cara do Tucuruvi que andava com os caras da Carolina e com os Punks da Morte, que em 1983 matou o Nenê do ABC, sim, cuja irmã Clemente namorou. Na rua São Bento, um tiro de calibre .22 na cabeça no meio da praça. Logo o Nenê, um apaziguador. Punks do ABC estavam indo viajar, resolveram passar na São Bento antes pra ver quem estava lá. Começou a briga. Rolou o tiro. Mataram um punk. Punk matou punk. Ali o punk começava a morrer. Uma guerra foi evitada graças à mãe do Nenê, que falou "Não quero vingança". Os punks esperaram uma avalanche do ABC, mas ninguém veio. Clemente decidiu: não quero mais fazer parte disso.

Os punks desviavam o rock nacional da rota, influenciavam até grandes barões da MPB, como Gil e Caetano. Mas eram temidos na mesma proporção que admirados. Alguém tinha que ceder. Ninguém cedeu. Clemente, sem banda, virou apenas o segurança do Napalm. Tirava gente que brigava pra fora, até quebrou um dedo numa briga generalizada entre punks e os heavy metal de Higienópolis — que achavam que a boate pertencia a eles, já que ficava na fronteira do bairro, enquanto os punks achavam que ela era espaço apenas para punks. Mais uma gangue entrava em jogo, a dos Cabeludos, heavy metal. Dessa vez, Clemente não atiçava, ele apartava, e tirava um heavy metal cercado que apanhava de punks. Napalm era uma garagem acinzentada e sombria, mas com um palco grande, logo na entrada. Lá, grupos de Brasília tocaram em São Paulo pela primeira vez, como Legião Urbana. E Ricardo filmava tudo isso.

A casa ganhou até um documentário, *Napalm: o som da cidade industrial*. Em que aparece Ricardo Lobo:

— As pessoas iam ao Napalm para conhecer coisas novas, não simplesmente para referendar o que já conheciam. Essa era a grande diferença.

Uma vez por semana ia ter punk e new wave. Não deu, os punks dominaram. Eles sabotavam. Uma minoria causava tumulto. Sem contar que os punks acusavam o Napalm de ser uma casa burguesa.

— Era uma casa radical. Um lugar perigoso, pra quem não era do meio, de entrar e sair. Uma música política — lembra Nasi, do Ira!, que, diz a lenda, deixou de anunciar que era uma banda punk, pois foi ameaçada pelos punks. Digo, por Clemente, que informou que, se continuassem a dizer que eram punks, ia acabar com eles. O Ira! virou pós-punk, ou mod. E ganhou uma exclamação.

Na verdade, o Ira! não se considerava uma banda punk. A viagem do genial e múltiplo Edgard Scandurra era outra, Led Zeppelin, Jimi Hendrix. O Ira! tinha músicas soladas, impensável no punk, tinha refrão, um longo solo de bateria, heresia punk, e, muito pior!, tinha música de amor! O mal-entendido veio de anos antes: num show no Sesc Pompeia, um cartaz bobo anunciava VENHA DANÇAR MÚSICA PUNK NO SHOW DO IRA! Os punks fizeram uma dura crítica no fanzine deles, o *SP Punk*, e a birra ficou. Bastava ter um show da banda que os punks provocavam, ficavam de costas. Por precaução, o Ira! começou a se anunciar como uma banda influenciada pelo The Who. Meteu um ponto de exclamação no nome, mas não encerrou a birra.

Já em 1986 o Ira! sacou que rock era mais do que punk. Meteu cordas em "Flores em você". Seu baterista, o pernambucano André Jung, meteu pandeiro numa música. Nasi flertou com hip-hop. O terceiro disco, *Psicoacústica*, trouxe reggae, rock psicodélico, mod e até embolada (a música "Advogado do diabo", que começa com um pandeiro, misturava rock, rap e embolada nordestina). Chico Science e a galera do manguebeat lá do Recife se apaixonaram pelo disco, trocavam cartas e telefonemas com André e Nasi. Em Recife, tocaram juntos, bem antes de Science, com a Nação Zumbi, encontrar o caminho do movimento manguebeat que, pode-se dizer, foi indicado pela ex-banda punk Ira! em "Advogado do diabo".

Tocava tudo no Napalm. Como o sensacional Miguel Barella tocando com Voluntários da Pátria, a melhor das bandas, tecnicamente muito acima das outras. Do pós-punk. Era a ruptura, mas não só punk. Era Joy Divison e The Cure nos monitores. Era a primeira vez que víamos esses caras numa tela de TV pré-MTV. Víamos como Ian dançava, uma dança que inspirou Arnaldo Antunes e outros. Foi a união definitiva e cartorial do proletariado conosco, da FAU e da ECA, os caras da USP. Finalmente os intelectuais da jovem esquerda-anarquista da USP encontraram a classe trabalhadora, ironizava Clemente.

— Todos iam ao Napalm abertos para uma experiência, a noite era uma aventura – lembra Lobo.

Alex Antunes, da ECA e da Libelu, ia todos os dias. E dizia que a casa era a cara de São Paulo, a primeira a representar todo o caldeirão da cidade. Tinha travestis punks que dublavam Patti Smith, tinha socialites em busca de aventuras, como namorar um punk e correr riscos. Tinha burguesas reclamando do serviço, dos copos sujos, da cerveja quente, do dry martini malfeito, de ser maltratada pelo cara do caixa, João Gordo. Vânia Toledo, a fotógrafa, não saía de lá. Nem Alex Atala, o punkezinho-mirim Alezinho, que era menor de idade, mas conseguia entrar. Nem Peninha Schmidt, produtor da Warner.

De lá saía o fanzine *SPALT*, tocado pela Fernanda, a do Dado, em que eu escrevia. Na época, eu assinava apenas Marcelo Paiva. Muitos colaboravam para o *São Paulo Alternativo*, *SPALT*, com textos e fotos. Os donos da Wop Bob que sugeriram a revista e pagavam a impressão. Hermano Vianna, Minhoca, Bivar, Cadão, Alex Antunes, Eduardo Logullo, Nasi, Mario Mendes escreviam comigo, e Flávio Colker, J. R. Duran, Luis Crispino, Ugo Romiti e, claro, Rui Mendes fotografavam.

Era São Paulo contra o mercado. A mesa de som era operada por quem não entendia disso. O caixa, operado por quem não era do mercado. Não tinha garçom sindicalizado. Punk vendendo ou cedendo bebida para punk. Os funcionários começaram a achar que eram explorados (ganhavam um salário mínimo) e passaram a roubar o Ricardo. João Gordo confessa que burlava a bilheteria e até drogas vendia lá dentro.

A casa ficou com a fama de "só os poucos e bons tocavam", lembra Dinho Ouro Preto. As bandas tinham que mandar demos. André Villar trouxe fitas das bandas de Brasília: Legião, Capital e Plebe. Era Fernanda, futura Villa-Lobos, quem escolhia. Convidou as bandas. No show da Legião, os punks ficaram de costas e gritavam de gozação: "Toca mais forte, filho de general!". Quando Titãs tocavam, os punks saíam para beber cerveja. Quando Capital tocava, de novo: "Toca mais forte!".

Mas não deu tempo de o Napalm fazer história. Durou poucos meses. Começou com Mercenárias e Inocentes em 28 de julho e terminou cinquenta noites depois. João Gordo detalha:

— Não tinha como dar certo. Nós construímos aquilo, como peão, e o Ricardo foi meio pilantra com a gente, ele não nos pagou. Quando reclamamos, ele disse que deu uns jantares, que era o pagamento. Começamos a roubar mesmo, num esquema com os seguranças. Não destacávamos os canhotos. Tinha noite que lotava, ficávamos ricos. Fechou porque não dava dinheiro, nós roubando, e muitas brigas.

Quando anunciaram que ia fechar, a notícia se espalhou pela cidade e pegou todos de surpresa. Uma multidão de fãs foi testemunhar. Fiquei na calçada com Rui Mendes. Achamos melhor não entrar. O clima estava tenso. Rolou um boato de que teria um quebra--quebra, e teve. Caras se esfaqueando, um tumulto. Na pista, tocava o clipe do *Apocalypse Now* com The Doors, "The End", enquanto destruíam a casa que eles mesmos tinham construído. Teve até acerto de contas e tiroteio.

Hoje, o lugar é um estacionamento.

Mais casas foram abrindo. O Anny 44, na Bela Cintra, 1551 (onde hoje é o familiar restaurante dos Jardins, Lellis Trattoria), era um lugar místico. Vi muito show do Ira!, na época em que o Nasi se banhava em sangue no palco. Se não me engano, sangue de pintinhos que ele comprava na rua Pamplona e sacrificava no palco. O cenário era sempre a bandeira do estado de São Paulo. Lá vi Legião com Renato Russo no baixo, antes de cortar os pulsos e chamar o Negrete para substituí-lo. Legião com Renato no baixo era outra Legião, mais pegada, mais punk. Mas com Negrete, liberou Renato para suas danças doidas e sua interação única com a plateia. Acho que foi o último show em que Renato tocou baixo.

Abriu o Cais, na praça Roosevelt, 134, porão escuro, que servia sopa na madrugada. Anos depois, o Aeroanta, na rua Miguel Isasa, 404, largo da Batata: dois galpões de 350 metros quadrados unidos por um portão, comida boa, teatro e shows.

O dinheiro começou a rodar entre os empresários da noite. Alguns projetos ficaram mais ambiciosos. Agora, sim, o rock no Brasil estourava, tornava-se mainstream, abertura de novela, bandas eram até a atração no show da vida, o *Fantástico*, em clipes ainda amadores, sempre com muito gelo-seco. A juventude dourada enfim aprendeu a dançar como os punks, chutando e socando um inimigo invisível com cara de mau.

Com a explosão da Blitz, do Paralamas e Barão Vermelho, teve um corre-corre promovido pelas grandes gravadoras à caça de bandas que já estavam na estrada, mas eram desconhecidas do mercado e tocavam em espaços alternativos, boates undergrounds ou poucas rádios. EMI, Sony, Warner, CBS, as grandes... O rock brasileiro entrava pro topo das paradas.

Explodiu com a Blitz, mas não começou com ela, e sim com "Menina veneno", de Ritchie, composta por Bernardo Vilhena, produzida por Liminha na WEA. Então abriu-se a catraca: Eduardo Dusek com João Penca e Seus Miquinhos Amestrados — que depois tocaram com Leo Jaime —, Paralamas, Titãs, Ira!, Legião Urbana, Sempre Livre, Gang 90, Biquíni Cavadão, Hanói-Hanói, Hojerizah, Lobão e os Ronaldos, só Lobão, Marina, Kiko Zambianchi, Metrô, Magazine, do Kid Vinil, Kid Abelha, Cólera, Ratos de Porão, Ultraje a Rigor, que começou com Scandurra na guitarra, RPM, Zero, Metrô, Fellini, Smack, Voluntários da Pátria, Akira S e As Garotas Que Erraram, Mercenárias, Capital Inicial, Plebe Rude, Engenheiros do Hawaii, Nenhum de Nós, Camisa de Vênus, Mulheres de Vida Fácil, Roupa Nova... Todos com uma minuta de contrato na mão, gravando demos, compactos, nas TVs.

Inocentes vão parar logo agora?

Sou Boy, da banda Magazine, do amigo Kid Vinil, vendeu 80 mil cópias pela Warner. O Ultraje lançou os mega-hits "Inútil" e

"Mim quer tocar". Ira! trocou de batera com os Titãs: Charles Gavin foi para lá e ganhou André Jung. *Mudança de comportamento*, do Ira!, é gravado pela Warner. Titãs começam a aparecer no Raul Gil, Hebe, Chacrinha, Bolinha, Barros de Alencar, em qualquer programa popular da tv, numa performance maluca, ironizando o fato de fingir que estavam tocando, com seu hit "Sonífera ilha". rpm começa a dar seus primeiros passos. Abriu para o Ira! num palco no meio da feira de artesanato da Vila Madalena, organizada pelo pai da minha namorada, a minha Fernanda. Tinha umas dez pessoas na plateia, na rua Fradique Coutinho. Em 1984, levei o Paulo pro Rio pra conhecer o Tomás Muñoz, presidente da cbs, um ex-comunista gente fina que lutara na Guerra Civil Espanhola. Assinaram um contrato e lançaram o compacto com "Loiras geladas" de um lado, "Revoluções por minuto" de outro. O rock saiu do underground. rpm começou a lotar ginásios. O furacão Legião veio em seguida. Começou a lotar estádios.

Inocentes vão parar logo agora.

Latitude 3001 foi inaugurada em 7 de novembro de 1984: uma réplica de uma caravela no antigo restaurante Caravela, na avenida Vinte e Três de Maio, 3001. Cenário inacreditável, um galeão no meio do asfalto. Via-se da avenida um galeão de madeira do século xvii, numa área de 4500 metros quadrados, com lago artificial, bosque de pinheiros, restaurante para duzentas pessoas, sushi e pizzaria. No primeiro e segundo andares, pistas de dança. Num palco suspenso, a parafernália de som. Eventualmente, atores fantasiados de pirata invadiam o lugar e duelavam.

Pool Music Hall foi inaugurada no mesmo dia do Latitude 3001, em 7 de novembro, com um show do Lulu Santos. Tinha muito neon, para um público mais clean (elitizado). Ficava na rua dos Pinheiros, 1275. Eventualmente, uma banda punk tocava lá.

O Projeto sp era um circo na rua Caio Prado, 232, esquina com a Augusta. Era só para shows, e dos já grandiosos: Blitz, Paralamas do Sucesso e Capital Inicial. Radar Tantã foi inaugurado em 11 de maio de 1984, na Barra Funda, numa fábrica abandonada com tijolos aparentes da rua Sólon, 1069, e um bom restaurante. Eram 1500 metros quadrados de área para shows e dança. Leo Jaime tocou lá com Miquinhos Amestrados, todos vestidos de marinheiro. Até os baianos Armandinho, Dodô e Osmar, os inventores do trio elétrico, tocaram lá. Tinha o Rádio Clube, Lira Paulistana (que começou na Vanguarda Paulistana nos anos 1970 e abraçou o rock). Em cada um deles, a história foi escrita e reescrita. Onde tinha espaço, um palco e microfones, o som ao vivo rolava. Até o Victoria's Pub, na alameda Lorena, 1604, um pub autêntico com a decoração trazida de Londres, abrigou shows de punks e pós-punks.

Enfim, o Madame Satã, na rua Conselheiro Ramalho, 873, na Bela Vista. Esta, sim, definitivamente, fez história. Espaço libertário, especialmente em termos sexuais. Quando se estava carente e queria dormir acompanhado, bastava ir ao Madame. Mente aberta, coração tranquilo... Tocava de tudo. Menos Inocentes, proibidos, pois podiam atrair punks. Tinha teatro, lançamento de livros e revistas (*Planeta Diário*, tabloide satírico que deu no *Casseta & Planeta*, foi lançado lá). A pista ficava no porão.

Esqueci alguma? Várias.

Era o programa dos jovens nos anos 1980. Não se ia a bar. Ia-se a danceterias comer, beber e dançar. E o Rose Bom Bom, a preferida de quase todos, cenário do primeiro clipe da Legião. Na Oscar Freire, 720, numa galeria de lojas, num prédio residencial, tocado pelo Ângelo Leuzzi, casado com a musa Claudia Liz. Iam muitas modelos, que moravam com outras modelos ali naquele prédio (foi a primeira residência de Luciana Vendramini em São Paulo). Do Rose, Clemente gostava também. Era pequenino, era gostoso, todo mundo se conhecia. Ele lembra:

— Catei várias mulheres no Rose. Inclusive minha ex-esposa.

João Gordo e outros punks mais enturmados também não saíam de lá:

— A gente ia aonde deixavam a gente entrar de graça. Porque éramos "pitorescos".

Eram duas ou três entradas de meia hora por noite. Nos intervalos, Alex Atala discotecava. Ele ainda tinha dezessete anos, o Alezinho. Quando o sol surgia, café da manhã era servido. Depois do fim do Napalm, Fernanda Villa-Lobos foi trabalhar lá. E levou minha namorada Fernanda para trabalhar com ela. De dia.

Minha vida começava a entrar num trilho ascendente e inesperado. Lancei o livro em dezembro de 1982 no Sesc Pompeia. Fernanda fez as honras da casa. Foi a ECA em peso. Missão cumprida. Ter um livro publicado pelas Cantadas Literárias, a melhor coleção de livros da melhor editora brasileira de então, a Brasiliense, já era um prêmio ao segundanista maconheiro anarco-punk da USP. Em meados de 1983, recebi a notícia de que a primeira edição do livro, de 3 mil exemplares, tinha se esgotado. Uma segunda edição seria reimpressa, o que era já a glória de qualquer escritor iniciante no mercado literário brasileiro. Lá por novembro de 1983, esgotou a segunda edição de 3 mil. Meu editor Caio Graco apostou que venderíamos 10 mil.

— E isso é bom?

— Isso é sensacional!

O Natal impulsionou as vendas. Rolou um boca a boca explosivo. Livrarias colocavam o livro na vitrine, fazendo um jogo de palavras com "Feliz ano novo". O grupo Pessoal do Victor me procurou para adaptar o texto para o teatro. A peça seria dirigida por Paulo Betti, professor de teatro da minha antiga turma da Unicamp e galã da novela que minha avó assistia, *Os Imigrantes*, da Band. O cineasta Roberto Gervitz me procurou para filmar a obra.

O ano de 1984 começou intenso. Só na virada do ano, meu livro já tinha vendido 50 mil cópias. Estava em primeiro na lista dos mais vendidos. A editora imprimia uma edição atrás da outra, 100 mil, 150 mil, 200 mil... O telefone não parava. Queriam entrevistas. Queriam minhas opiniões sobre tudo. Eu não sabia dar entrevistas, eu não queria dar entrevistas. Eu era existencialista seguidor da filosofia punk, combatia o sistema, queria derrubar o capitalismo, pôr abaixo as antenas de TV, montar rádios piratas, como a Sandino, da Nicarágua — fiz um trabalho na ECA sobre a rádio pirata sandinista, instrumento da revolução nicaraguense; escrevi para uma revista independente sobre como fazer uma rádio pirata; coloquei na reportagem até um mapa dos circuitos, com a ajuda de um técnico em eletrônica que entrevistei (os leitores depois reclamaram que ele não funcionava).

Meu desencanto não via sentido na farsa de sorrir para as câmeras. O maldito telefone da minha mãe não parava. Eu ia a shows de amigos, as pessoas vinham pedir autógrafos, me fotografar. Fernanda começou a se irritar. Vinham discutir meu livro, enquanto eu só queria beber com meus amigos. Aquilo não tinha sido planejado. O sucesso, a fama não estavam no meu projeto de vida. Eu queria ser lido apenas pelos amigos. Caetano Veloso era famoso; de repente, Caetano Veloso estava elogiando meu livro na revista. Lauro Corona era famoso; me disseram que Lauro Corona apareceu numa novela com meu livro dizendo "Este livro mudou a minha vida". Eu não queria mudar a vida de ninguém.

Dei uma entrevista para as Páginas Amarelas da *Veja*. O amigo de movimento estudantil, Paulo Moreira Leite, me entrevistou. Perguntou o que eu achava da Blitz. Eu disse que a banda não representava o discurso do jovem brasileiro. Pra quê? Descobri sozinho que não se criam polêmicas com colegas que estão batalhando o seu. Me arrependi. Soou arrogante, soou pretensioso. Eu era péssimo nas entrevistas. Não se fala toda a verdade em entrevistas. Não é preciso responder a todas as perguntas: seja vago, simpático, agregador, feliz. Comecei a ser seletivo.

Foi a vez da *IstoÉ*. Fernanda topou sair na foto comigo. Nos fotografaram no Carbono 14, para divulgarmos a casa dos amigos em que ela trabalhara. Ela detestou. Nunca mais quis sair na foto comigo. Nunca mais quis sair numa revista com a legenda "a namorada de". O Olhar Eletrônico começou um programa ao vivo na TV Gazeta, fui dar uma entrevista. Disse que ser famoso não estava com nada. Essa era a ideologia que seguíamos, fama não estava com nada. Pobre do país que precisa de heróis. Respondi com a sinceridade que não se deve ter. Deveria ter sorrido, ter dito que era a realização de um sonho, que eu era um exemplo de vida, que eu superara meus problemas, que eu era incrivelmente grato para com a minha editora, meus leitores. Me arrependi horrores daquela entrevista. Precisava criar uma persona, deixar de ser o Marcelo Paiva que todos conheciam como o cadeirante doidão e ser o escritor Marcelo Rubens Paiva, e representar, decorar respostas açucaradas sobre temas azedos, me mostrar grato com a fama, com a vida, treinar um sorriso, fazer fonoaudiologia, ter uma RP, uma assessora de imprensa. Tão simples. Eu já tinha feito teatro. Aquilo era uma representação.

Eu me tornava um personagem. Bastava fingir. Treinar diante do espelho. Minha roupa do dia a dia passava a ser figurino. Minhas ideias, falas filtradas.

Fui arrogante e prepotente porque fui honesto, e paguei um preço caro. Pedi um help para a editora, que escalou a jornalista Paula Cesarino Costa para me ajudar. Mas ela também não conseguia entender a relação dos leitores comigo. Eu me tornava um ídolo pop. Não se via isso na literatura. No lançamento do meu segundo livro, *Blecaute*, umas meninas gritaram "Lindo!" e invadiram em correria a Bienal do Livro no Ibirapuera, quebraram estantes, queriam me agarrar. Eu era magro e fraco, um esqueleto numa cadeira de rodas. Elas iam me trucidar. Foi apavorante. Não entendi nada, morri de medo, por que elas agiam assim?, que carência, que falta de ídolos... Não eu, por favor. Saí escoltado pela polícia num camburão. Nunca mais fui à Bienal do Livro.

Na verdade, a fama começou a minar tudo o que era importante na minha vida: fazer faculdade, ir a shows, beber e fumar com amigos, namorar sem ser interrompido, nadar no Crusp, dançar à noite até cair. Era um vidão. Fernanda e eu discutíamos muito o que fazer. Ela lia cartas de leitores e às vezes respondia. Eu nunca lia. O modelo Salinger, escritor que se refugiou da fama e se isolou, surgiu. Vou me isolar. Vou parar de dar entrevistas. Mas não quero me mudar pro meio do nada. Quero continuar a curtir São Paulo.

E o livro foi a 250 mil, 300, 400, 500... Lancei *Blecaute* em 1986. Vendeu 200 mil. Foi quando deixei de dar entrevistas. Chega. Ganhei mais fama de arrogante, de estrela, de trair os fãs. A imprensa começou a falar mal de mim. Fiquei atordoado. Eles pegavam pesado, me desqualificavam, me chamavam de subliteratura, semianalfabeto. Diziam até que não tinha sido eu quem tinha escrito aquilo tudo, mas uma equipe. Segundo aprendizado: ser difamado e não se desesperar.

A casa da mãe da Fernanda, nas Perdizes, era àquela altura ponto de encontro de várias turmas. Meus amigos da ECA passaram a frequentá-la, como alguns punks. Marcinha Punk, personagem da noite, produtora e tatuadora, se tornou a melhor amiga da Fernanda. A turma do rock de Brasília se hospedava lá: por coincidência, já que o pai dos Lemos, Fê e Flávio, do Capital Inicial, era também bibliotecário, amigo da mãe da Fernanda. Patrícia, minha colega, amava os colegas roqueiros. Palpitava, mostrava o que se produzia lá fora. A casa era um entra e sai. Dinho se hospedava lá. Renato Russo se hospedou lá muitas vezes. Pati cedia seu quarto, dormia com a mãe, e eu e Fernanda ficávamos no quarto do fundo do corredor. Usávamos todos o mesmo banheiro. A mesma bebida. Ouvíamos as mesmas músicas. Dividíamos os mesmos livros.

Saíamos em bando na Brasília da mãe da Fernanda, num corso de três, quatro carros. Nos apertávamos, um no colo do outro. Íamos todos ao show da noite da banda amiga: Ira!, Mercenárias, Legião. Estava tudo acontecendo. Que vidão... Nos encontrávamos todos nas pistas. No estúdio do Rui, no Bixiga. Ou na rua Japurá, de casas geminadas, no centro, onde moravam de um lado Patida e Michel Spitali e do outro Dinho Ouro Preto, já casado com a linda modelo bombada Mari Stockler. Podia-se encontrar Renato Russo com a Marcinha, ele doidão de heroína, e Nasi dançando no porão da casa da Patida. Ou todos na lanchonete da ECA.

Começaram a chegar os checões de direitos autorais. Fiquei rico, o mais rico da turma. Comprei um carro. Aparelhos de vídeos. Agora o ponto de encontro era a casa da minha mãe. Todos se apertavam no meu quarto para ver... vídeos!

Fui com a Fernanda para Nova York. Nos hospedamos no coração do Village, na Washington Square, onde se podia fumar maconha livremente. Na primeira noite, fomos a pé conhecer o CBGB. Já não tinha a mágica de anos antes. Prince era o artista em voga. Passamos a noite lá dentro, emocionados. Aqui, tudo começou. Bebíamos shots de Jack Daniel's. No hotel, tinha uma banheira, passávamos horas dentro dela. E andávamos pelo Village já decadente pela ruína da cocaína, da heroína, do crack. Era 1985, era Reagan.

Fui para Paris ver minha irmã Nalu, que morava lá. Fernanda teve que voltar. Peguei um trem para Londres. Como os ingleses são educados... À meia-noite, todos nas ruas, bêbados, já que sorviam o que podiam até as onze da noite, quando os pubs paravam de servir, tocando a sineta. Bebiam, saíam para as ruas e festejavam o verão. Uma atmosfera pós-punk nas calçadas. Todos de preto, de cabelos loucos, roupas loucas. Achei as mulheres lindas. Eram conversadoras, simpáticas, extrovertidas. Fui a boates punks. Os caras não me deixavam entrar. Eu não era punk, e era perigoso para mim, eles tinham normas rígidas de evacuação, minha cadeira de rodas era um problema... Não me deixavam entrar de jeito nenhum. Inconformado, eu dizia:

— Vocês estão malucos! Eu sou do Brasil, lá vou a shows punks, os punks são de boa, me adoram. Se eu encaro punks brasileiros, vocês acham que temo o que resta de punk inglês? Moleza! Vai comparar a treta no Brasil com a daqui? *Piece of cake!*

Fui a um barbeiro, tingi meu cabelo aloirado de preto, arrepiei as pontas, cortei toda a costeleta, parecia o Ian Curtis com a franja de Ringo Starr (na fase inicial dos Beatles). Comprei uma jaqueta da onda, com bottons. Não adiantou. Coloquei uma roupa militar que comprara em Nova York. Não adiantou. Mas dessa vez o dono do club me indicou um pub a duas quadras de que eu ia gostar. Fui. De fato foi uma boa dica para um brazuca ávido por novidades e querendo voltar ao Brasil sabendo de bandas que só ele conhecia! Só tocavam novidades. Essa era a principal motivação para ir a Londres. Lembro de entrar numa loja de discos e dizer:

— Cara, sou do Brasil, preciso voltar cheio de discos que ninguém tem, novidade da novidade, o futuro, para ser alguém e ter amigos! Você precisa me ajudar.

Voltei para o Brasil carregado de discos e singles que ninguém tinha, que é o que realmente me fez ser superior a muitos. Por semanas. De cabelo preto. Inventaram os singles para jovens esnobes inseguros consumidores otários como eu. Um paradoxo dos que lutam contra o sistema e a lavagem cerebral de uma sociedade de consumo. Um single do New Order que trouxe era tão inédito que a TV Cultura o solicitou para a abertura de um programa de literatura do qual eu era colaborador, *Leitura Livre*. O vinil deve estar na discoteca da emissora até hoje. Uma preciosidade. Tirando este, os outros discos que eu trouxe envelheceram rapidinho.

Não acordem a cidade

Inocentes acabou numa noite punk do Napalm em 1983. Clemente esperou, viu o rock brasileiro bombar e, no ano seguinte, montou outra banda. A proposta era continuar com aquilo que fazia desde os quinze anos, quando compôs a música "Restos de nada", mas de uma maneira mais profissionalizada, e se libertar da responsabilidade que tinha em carregar a bandeira punk — uma bandeira sem dono e pesada, de muito encargo. Quase um estandarte de guerra.

Todas as bandas de rock estavam tocando nas muitas casas de show que abriram, todas elas estavam gravando. E os punks, justamente os punks, cavaleiros templários da verdadeira essência rebelde e contestatória da ordem do rock, ficavam de fora.

Ele se juntou com a turma da banda Neuróticos. Encostou o baixo e assumiu a guitarra. Enquanto decidiam que nome colocar, um amigo deles interveio. O cara começou a ouvir as letras, a ouvir o som, e falou: "Ô, meu, vocês são os Inocentes! É que vocês estão mais Clash agora, vocês voltaram lá para o começo. Em vez de ir para a frente, para o hardcore, voltaram lá para o começo".

Ele tinha razão. A banda punk inglesa The Clash ampliou seu som, mudou de rumo, incorporou ska, reggae, e continuou The Clash. Inocentes fizeram o mesmo. Mudaram de rota, mas permaneceram com o mesmo nome. Clemente estava meio relutante no começo, mas a banda inteira: "É Inocentes, é Inocentes". Na hora de dar o nome, a própria banda sugeriu: Inocentes, seguir com a mesma "marca".

Na primeira fase, de 1981 a 1983, Inocentes teve dois vocalistas e passou por dois momentos diferentes. O primeiro, com o Maurício no vocal, era mais punk, e o segundo, quando o Ariel assumiu os vocais, quando Clemente, Marcelino e o Callegari resolveram acelerar o ritmo e viraram uma banda de hardcore.

Em 1984, a nova formação tinha Antônio "Tonhão" Parlato na bateria, André Parlato, seu irmão, no baixo, Ronaldo dos Passos na guitarra e Clemente nos vocais e guitarra. Voltar à guitarra não foi um desejo. Tanto André quanto Ronaldo eram baixistas, a banda ficaria louca demais com três baixos e nenhuma guitarra. O projeto visava ir além, abrir o leque de arranjos e possibilidades, largar as cartilhas fundamentalistas e endurecidas do movimento anarquista do punk rock. Isso tinha um nome: pós-punk. Onde todas as barcas aportavam, levadas pela nave mãe, The Clash.

O uniforme também mudou, detalhe que só os punks notaram: jaquetas de couro só com bottons, como os punks da primeira fase do movimento, e pinturas brancas, detalhes de tinta branca na costura das jaquetas de couro. Os muitos rebites com pontas da primeira fase (hoje chamados de *spike*) foram trocados por um preto básico, jaquetas de couro quase sem adereços, símbolo do universo mais amplo e indefinido do pós-punk.

— A gente até ouvia umas bandas que depois foram chamadas de new wave, como The Cure, Cramps, Devo, Stray Cats, Gang of Four, Stranglers, tudo fazia parte daquela cena punk alternativa, do som alternativo. Quando isso começou a se tornar mais popular e palatável, o punk radicalizou, né? Aí a gente falou: "Ah, não, nosso som tem que ser mais agressivo". Foi então que nasceu o hardcore. Só que era a mesma coisa: na verdade, só deu uma acelerada. E as letras ficaram mais pesadas e politizadas, e daí a gente resolveu voltar lá pro começo de novo, mais punk e pós-punk.

Nesse intervalo, Clemente nunca parou de compor. Fez "Expresso Oriente" e a maravilhosa e mega hit "Rotina". Tocavam as mesmas músicas de antes, "Pânico em SP", "Mundo melhor", "Miséria e fome", música um pouco mais lenta, mas respeitavam como ela tinha sido composta, e "Garotos do subúrbio", obrigatória em todos os shows.

Paralelamente, a coletânea *Grito suburbano* foi lançada na Alemanha com o nome *Volks Grito* (do selo Vinyl Boogie), e Inocentes faz parte da coletânea de bandas punk do mundo todo, *Life is a Joke* (do selo Weird System).

— "Polícia" é uma porrada só, né? Inocentes não nasceu hardcore. De 1981 a 1983, as músicas começaram a ficar cada vez mais rápidas. A banda começou a compor umas coisas bem paulada, mesmo porque, vamos dizer assim, era o nosso som contemporâneo. Apesar de a gente ter influência do Punk 77, a gente chegou no auge foi na pauleira, o hardcore era o nosso ritmo, como Dead Kennedys, Bad Brains, as bandas finlandesas também que tocavam rápido pra caralho. Chegou o Discharge, na Inglaterra. A gente era contemporâneo dessas bandas.

Em 1984 tudo mudou. A banda estava renascendo das próprias cinzas e das cinzas do movimento punk, que estava em chamas. Também não estava nos planos que Clemente entraria definitivamente para os vocais.

— Éramos em cinco no começo dessa nova fase. Eu assumi a guitarra, Marcelino a bateria, Ronaldo a outra guitarra, André no baixo e o Tonhão, que era baterista, mas foi para o vocal, porque não tinha o que ele fazer. A gente falou: "Ah, o Tonhão, vai pro vocal". Só que o Tonhão cantava mal pra caralho, ficou uns seis meses no vocal e não deu certo. Ficou um tempo fora e, quando Marcelino saiu definitivamente, ele voltou a assumir a bateria.

Dessa vez a programação foi outra. Ensaiaram durante um ano. Mandaram o Tonhão ficar na batera, sem cantar. Clemente foi cantar. Só quando se sentiram prontos agendaram o primeiro show, no Teatro Ruth Escobar. Que terminou numa treta generalizada pelo Bixiga.

— Já no começo, o João, o guitarrista do Ratos, tomou uma porrada na cabeça dos heavy metal.

Não estavam nos camarins. As bandas quase nunca ficavam em camarins, elas circulavam.

— Na hora que a gente foi tocar, os punks antigos de lá emitiram aquele ruído gutural, "Aaaarrrh". Foi o primeiro contato do Inocentes, da nova proposta da banda, com os punks antigos. Foi aquele choque: "Ah, não gostamos". Aquela coisa, né? Como eu era da gangue e ainda morava no Limão, ninguém veio levar uma. Mas davam as costas, aquela coisa: "Não queremos saber mais". A gente achou bom, porque não queríamos tocar mais para eles. Foi um período meio conturbado, de decisões, e então a gente começou a tocar em festas na faculdade de medicina. A gente começou a tocar para outro público: roqueiro, surfista, skatista, estudantes de faculdade, até punk. Para quem estivesse lá. O que eu acho que é mais legal.

Libertaram-se daquela marra. Uma sensação de profissionalismo, de caminho aberto. Tocaram muito no Rose nessa fase, mas eram proibidos de tocar no Madame Satã, justamente a casa em que iam todas as noites, em que todos tocavam, em que os amigos se encontravam. E de onde não saíam os olheiros das gravadoras, como Peninha (que não se considerava um olheiro):

— Eu ia aos lugares, era só um vagabundo que passeava. Meu mandato era de buscar gente nova para a gravadora.

Assim ele levou para a Warner as bandas new wave Azul 29, Agentss, e o que depois ficou conhecido como o trio de ouro: Titãs, Ira! e Ultraje. Assinar contrato com uma grande gravadora não era sucesso garantido, explica Peninha. Primeiro, gravava-se um compacto. Depois, esperava-se um ciclo de três anos. Titãs era o modelo: arrebentou com "Sonífera ilha", tocou em todos os programas de TV, mas só encontrou seu atalho e o sucesso no segundo LP.

— Eu não tinha uma estratégia de buscar um rock mais pesado. Eu era impulsivo, intuitivo, me encantava e corria atrás. Outro processo era vender os artistas para a companhia, eu sempre tinha que defender a causa, argumentar. Inocentes? Eu não tinha punk — conta Peninha.

Inocentes continuava à margem e boicotado pelo Madame Satã.

— Tudo o que eu queria era tocar lá. Era o lugar que eu frequentava. As bandas legais tocavam no Madame. Só que a gente não podia, então a gente ficava tocando nas casas em volta. Abriu uma chamada Via Berlim. Fomos tocar lá. Val Improviso, Ácido Plástico, tocamos em tudo quanto é lugar, menos no Satã — fala Clemente.

E, se falasse com os donos, que os viam todos os dias bebendo na calçada e no balcão, zoando na pista, xingando o RPM, dando as costas para os Titãs, ameaçando bater no Nasi, ouviam um não. Por quê?

— Porque eles achavam que ia sair treta.

A Simone Lima trabalhava no Rose e falou: "Vou contratar vocês para tocar numa quarta-feira".

— A gente foi lá, tocou numa quarta-feira, tinha três caras. A gente fez um puta show. A Simone falou: "Legal o show de vocês, vamos fazer numa quinta?". Então fizemos numa quinta. Tinha aqueles três caras, você, a sua namorada, que chamaram mais dez caras (risos). Na outra semana, umas trinta pessoas. Logo ganhamos a sexta e o sábado, e a casa lotava sempre.

E assim o Rose virou ponto de encontro. Todas as quintas, Inocentes no Rose, tocando para um público variado — especialmente para os caras de outras bandas. Foi no Rose que Clemente conheceu a mulher que mudaria a sua vida, Denise. Estudante de psicologia da puc, garota do Alto de Pinheiros, de família burguesa: um problemão. Ele bebia. Ela encarou. Ele sorriu. Ela perguntou:

— Como você faz para beber aqui, que é tão caro?

— Simples, divido uma caipirinha com uma amiga. Quer rachar comigo?

Falaram de filmes, Truffaut, teatro (ela fazia uma peça de personagens com projeções). Saíram. Se apaixonaram. Ela era uma mulher emancipada, mais emancipada do que a maioria das que ele conhecia. Morava num apê da Augusta. Ele colou nela. Ficou com ela. Ela o levou ao show do Paulinho Barnabé, no Lira Paulistana; ele e o "novo" Clemente viraram unha e carne.

Denise entrou na puc no curso de psicologia em 1980. Conheceu o Clemente em 1984. Até então não conhecia nenhum punk, era uma aluna riponga de classe média alta e tinha morado a vida toda no Alto de Pinheiros. Em 1984, tinha que fazer um trabalho para a faculdade sobre música, e um amigo a levou para conhecer o punk. Sugeriu que ela fosse ao Napalm e procurasse o Clemente. Ela foi, mas não o encontrou. Mesmo assim, adorou o Napalm e começou a frequentar o lugar.

Encontrou-o no Rose. Viu que tinha uns punks dançando, já conhecia Clemente por foto, começaram a conversar meio sem querer no momento em que ela foi pegar uma bebida. Numa boa, como amigos, segundo ela. E acabaram ficando. Ela, que vinha de escolas de freira e de uma família conservadora, diz que a experiência foi transformadora. Começou a frequentar a periferia e lembra que "pirou no som, na proposta, na atitude e na estética":

— Tudo era incrível e novo. Desde aquele dia do Rose, não nos desgrudamos mais.

Denise apresentou Clemente à pessoa responsável pelo teatro do Centro Cultural São Paulo (CCSP). Inocentes começaram a tocar lá. Saíram do circuito periferia e entraram com tudo no circuito cult da música paulistana. Clemente explica:

— Os punks foram ficando burros. "Vamos pegar a 'nife'", que vinha de *knife*, que virou "narfa". Falavam "Vou dar uma narfada". Falavam só de treta.

Paulista é amigável. Paulista é carente. Paulista precisa de amigos, preza a amizade. Precisa andar em turma, em grupo. Precisa ter um bando à sua volta. O mundo é inóspito demais, não se encara tudo isso sozinho. Todo mundo do meio se conhecia. Todo mundo tinha uma história boa para contar. Numa dessas, o Branco Mello descobriu o inacreditável: Inocentes não tinha gravadora. Inocentes não tinha gravadora? É, isso que você ouviu, a banda que todos amávamos, que influenciou o rock paulista, depois o brasileiro, não tinha gravadora. Elas conheciam a banda, mas a temiam. Era punk. Ninguém queria se meter com esses caras. Mas não era mais punk, eles mudaram. Será?

A banda já tinha feito uma fita de qualidade de profissional para a gravadora EMI, que tinha contratado a Plebe e a Legião, mas a gravadora mandou de volta com uma cartinha: "Sinto muito, mas...". Mandaram para a CBS, a maior de todas, a gravadora do rei Roberto Carlos, que entrou por último na caça das bandas de rock que surgiam na década e contratou o RPM. Nada. Dessa vez, nem cartinha de resposta.

— A gente já estava desistindo. Porque a gente estava gravando uma demo que ia virar o nosso primeiro disco. E a banda estava ficando mais conhecida, ganhando fama de novo. A mesma fama que a gente tinha entre os punks, a gente começou a ganhar de novo na noite, porque os nossos shows começaram a ficar bons. Começaram a lotar. Uma das maiores lotações do Rose era toda nossa. A gente começou a lotar até ficar insuportável. Então, quando a gente entrou nessa nova cena, a gente começou a ganhar destaque, quer dizer, as pessoas meio que sabiam o que a gente estava fazendo. Mas não queriam investir, não achavam a banda viável, não era pop.

Nos shows iam os punks e os outros tipos de punk, os novos punks, que dançavam como punks, se vestiam e curtiam a música e a moda punk, mas nasceram no berço esplêndido dos bairros da classe média alta paulistana, moravam entre os rios Pinheiros e Tietê, conheciam a Europa, faziam universidades boas, estudaram em boas escolas, compravam todos os discos, curtiam Gil, Caetano, Luiz Melodia, Clube da Esquina, passavam o Carnaval na praia e eram descrentes do Brasil, que se recusava a ter eleições diretas, que tinha uma sociedade conservadora que criminalizava a maconha e o aborto, que era intolerante com os gays. Eles se identificavam com o pessimismo punk, já que a Guerra Fria recrudescia e o Brasil não saía do atoleiro econômico da inflação descontrolada. Pessoas como eu.

A cena punk foi diminuindo na periferia, na proporção inversa do aumento das gangues. A luta contra o sistema acabou aos poucos, virou treta só pela treta. Numa noite de 1985, saindo do Madame Satã bêbado, Clemente foi cercado por dez punks na calçada. Foi na fase em que se entregou à bebida. Era sempre o mais bêbado do bar, sempre doido, delirando. Viu entre eles o Vampirinho, que andava com ele. Tudo estava fora de foco e num ritmo diferente da lucidez. Tudo estava dominado pela própria embriaguez. Saudou e abraçou o amigo. Os punks. Quando, sem mais, Vampirinho e os dez punks começaram a bater nele. No começo achou que era brincadeira. Ria e apanhava. A cada soco, gargalhava. Até espirrar sangue da cara. Não cair, não cair jamais! Agarrou um dos punks e começou a dar cotoveladas nele. A tática tão conhecida e usual de briga. Se está apanhando de muitos, se atraque a um só e acabe com ele. Mas os dez punks estavam trucidando o Clemente. Sem mais, treta pela treta.

Não fiz nada dessa vez. Estou sangrando. Estou desabando. Era a gangue dos Punks da Morte. A gente andava tudo junto, voltaram a combater um punk da Carolina, mas eu nem era mais da gangue, e nem punk era mais, todos sabiam, todos me chamavam de "traidor do movimento", clichê que já usei tanto no passado... Quando você vai apanhar de dez, o que você faz? Pega um, agarra um, massacra esse um enquanto os outros te batem. Peguei o cara e segurei, e os caras me batendo, me batendo. Acordei no hospital, todo zoado.

Semanas depois, Clemente está saindo de casa e passa um carro. Quem era? O Vampirinho: "Oi, Clemente, tudo bom? Quer uma carona até o Hamiltão?". "Ah, quero, me leva aí." "Pô, vamos lá."

Clemente só soube depois que o Paulão da Carolina intimou o Vampirinho: "Ninguém bate no negão!", e ele ficou todo simpático.

— A gente estava fazendo um show do Inocentes no Projeto SP, Inocentes e Cólera, e chegou um bando de carecas. Quem estava lá? O Vampirinho. Daqui a pouco só vejo o Vampirinho entrando no camarim. "Tem um monte de carecas aí fora querendo me pegar, vocês têm que me salvar." Nós só olhando: "Ah é, né?". Demos risada. Então o Mário, nosso empresário da época, o colocou no porta-malas do carro e saiu com ele. O bando de carecas: "Cadê o Vampirinho, que sumiu?". Todo mundo querendo matar ele. Então ele ficou com a segunda dívida e parou. Nunca mais me pegaram.

Inocentes estavam estourando no Rose e na Rádio Rock, a 89 FM, com a música "Rotina"; na época, as rádios tocavam músicas independentes e não estava oficializada a prática do jabá, que veio a se tornar um negócio rentável e com nota fiscal só no final na década, o que fodeu com o mercado da música no Brasil até hoje.

— Eu me lembro de quando cheguei com uma fita de rolo e a entreguei para o Éverson Cândido, que era locutor da primeira geração da 89. Ele colocou a música na hora e estourou. Demos shows em todo lugar, sem termos gravadora por trás.

Branco Mello estava fazendo lobby na WEA, a Warner. Peninha Schmidt sabia como as coisas funcionavam. Era 1985. No lançamento do disco novo da Legião, lá no Circo Voador, eles foram chamados para abrir. Na verdade, o show se inverteu: sabendo que Inocentes estava na cidade, os fãs da banda paulista invadiram o Circo, que já estava lotado; a Legião estava começando a arrastar multidões e não queria dar a oportunidade para eles roubarem a cena.

A banda estava gravando uma demo e pretendia lançar um LP pelo selo independente do Redson, do Cólera. André, o baixista, acabou alistado e foi servir no Exército. Paulinho Barnabé segurou a onda durante o ano em que André serviu. Não sabiam se a demo viraria um disco; sabiam que a dívida da demo teria que ser paga. E ninguém tinha grana, estavam desempregados. O projeto daquele ano — "A gente vai viver de música, não vamos descolar trampo, vamos só tocar" — não passava de um projeto, em que a conta não fechava. Mandaram a demo para todas as gravadoras. Nada. Um dia o Tonhão encontrou o Branco Mello numa pizzaria e falou do material. "Me manda", Branco falou. Ouviu, curtiu e levou para a Warner. Peninha Schmidt enfim falou: "Vou pegar essa banda, produzir essa porra". André Midani, o presidente da gravadora, falou: "Eu quero esses moleques comigo aqui". Assinaram com a Warner em 1985.

Clemente chegou na Warner. Tudo podia acontecer: fama meteórica, rios de dinheiro. Ou nada. João Gordo diz que Clemente fez o certo. O antigo Inocentes eram três caras falando sozinhos: ele, Ariel e Callegari. Na nova formação, ele se encontrou, virou o líder que tinha que ser:

— Engatou numa onda mais pop, mas era o que ele queria. Nem gosto muito, me lembra Barão Vermelho, mas é isso aí, cada um faz o que quer — resume João Gordo, outro sempre acusado de "trair o movimento" e que sempre cagou para isso e para o fundamentalismo punk.

Gravaram *Pânico em SP* com Peninha e Branco Mello, que até hoje considera o disco um dos maiores clássicos do rock brasileiro. Ele sabia da importância do movimento punk para o cenário do rock nacional. Gostava muito da música. Gostava principalmente da atitude: eles faziam o que queriam fazer. Gostava da crueza. Aquele som e a maneira como eles se expressavam. Branco vai direto ao assunto:

— Fiz esse disco com eles porque gostava do som, achava as letras boas, a banda muito legal. Gostava muito do som, da formação na época, por isso me interessei.

Conta que foi bacana conviver com os caras no dia a dia, produzir o disco aqui em São Paulo, ir pro estúdio com eles, dividir a rotina. No primeiro dia, Liminha, o produtor que deu um tapa na música brasileira, foi ao estúdio ajudar na timbragem, na pré-produção das baterias, microfoná-la, tirar o melhor dela. Começaram cuidando da bateria, porque ele mesmo, Branco, não tinha ideia de como tirar um som legal dela. Depois, com Peninha, continuaram com a produção, basicamente gravando tudo o que eles já tinham escrito e arranjado. Branco estava satisfeito e convicto. Era um repertório brilhante, era necessário registrá-lo, era importante que gravassem.

Liminha é o paulista Arnolpho Lima Filho, o maestro do rock brasileiro. Foi baixista dos Mutantes, produziu e tocou nos melhores discos dos anos 1980. Foi quem encorpou a base do Ultraje e deu a liga que faltava aos Titãs. Era o Midas do novo rock. Gênio. Compôs "Vamos fugir" com Gil. Está em "Fullgás", de Marina. Tem sua mão e ouvido em Arnaldo Antunes, Barão Vermelho, Blitz, Caetano, Chico Science & Nação Zumbi, Ed Motta, Erasmo Carlos, Fernanda Abreu, Fausto Fawcett, Gabriel o Pensador, Ira!, com quem brigou feio, Jorge Mautner, Jorge Ben Jor, Kid Abelha, Lobão, Lulu Santos, Paralamas, Rappa, Ritchie, Skank. Produziu todo mundo. Menos o Inocentes.

Gravaram o disco em 1986 no estúdio Mosh, em São Paulo. Gastaram "incríveis" setenta horas. Na verdade, eram setenta *irrisórias* horas, para os padrões da época. Eles gravaram um mini LP, como a Plebe Rude tinha acabado de fazer: um EP em formato de LP com apenas seis músicas, que deveria ser vendido mais barato do que um LP, que vinha com doze ou mais músicas. Mas os lojistas não estavam nem aí e, apesar da indicação na capa, EP, vendiam ao preço de LP.

— Era uma canalhice total vender EP como LP. Desistimos do formato logo, não dava para confiar no mercado — lembra Peninha.

O disco do Inocentes veio com seis músicas, três de cada lado. Estavam tocando em trio, com o Ronaldo segurando no baixo enquanto o André servia no Exército. Ele deu baixa uma semana antes da gravação, não deu tempo de ensaiar com as duas guitarras, nesse disco cada um dos dois tocou baixo em três músicas, problema resolvido, as guitarras ficaram todas por conta do Clemente. Peninha deu muito palpite no estúdio. Os técnicos curtiam e conheciam o som da banda. Ninguém questionou o repertório. Discutiam os rumos da banda no escritório da presidência. O presidente da gravadora, André Midani, empolgadíssimo, cem por cento elétrico, como um personagem da série *Vinyl*, da HBO, quis falar com eles. Mandou essa:

— Vocês são demais. O Ultraje é um ultraje, mas vocês são um insulto!

Foi a primeira banda punk brasileira a gravar numa major (gravadora internacional). O plano do Midani foi traçado na primeira reunião:

— Vocês não vão tocar na rádio, vocês não sei o quê, vocês não são pop. Mas o negócio de vocês vai ser uma coisa nova que está surgindo agora: MTV.

MTV, que porra é essa? Ninguém tinha ainda ouvido falar da emissora independente de música que chegava ao Brasil pelo Grupo Abril e que ocuparia o prédio da antiga TV Tupi, no Sumaré, Zona Oeste de São Paulo, prédio tombado em que começou a TV brasileira.

— A gente vai fazer uns vídeos legais, porque a banda tem uma postura, essas letras são boas, e tudo isso vai ser o diferencial!

Bia Aydar, amiga do Midani, foi chamada para ser empresária da banda. Midani a apresentou ao Clemente. Bia não tinha uma banda de rock. Ela adorava o Inocentes, mas não era a praia dela; ela lidava com uma música mais popular.

Bia Aydar começou na música em meados de 1970 por causa do marido, Mário Manga, guitarrista ícone da banda paulistana Premeditando o Breque, ou Premê, que fazia chorinho, rock, pop, tudo. Ela agenciou o Premê levando-os numa Kombi velha. Fazia luz, palco, som. Era uma banda que relutava em fazer sucesso, relutava em fazer programas de televisão populares. Foi contratada pela EMI para ser a Blitz paulistana. Do LP *Quase lindo*, a música "São Paulo, São Paulo" foi incluída na trilha da novela *Vereda Tropical* e se tornou sucesso nas rádios. A EMI lançou em 1985 e 1986 dois discos do Premê produzidos por Lulu Santos. Não rolou. Mas rolou para a Bia, que passou a trabalhar com Lulu, se associou à AÇÃO, empresa que tinha Gonzaguinha, Gonzagão e a nata do forró (Dominguinhos e Oswaldinho).

Na gravadora, todos sabiam que Inocentes não seria um fenômeno de massas, e respeitavam muito eles. Para Midani, Bia tinha a capacidade de não ferir os brios dos caras "supertalentosos". Ela repaginou o figurino e deu a eles uma assessora de imprensa do ramo, Marildinha.

— Eles eram superlegais. Clemente era muito inteligente, sabia o que queria. O estigma punk atrapalhou. O rock bombava, o punk era desconhecido do grande público.

Chamaram os velhos conhecidos da produtora Olhar Eletrônico para fazer o primeiro clipe, o ska "Não acordem a cidade". "Não acordem a cidade"? Mas não era "Rotina" que estava estourada nas rádios? Clemente me olha com aquela cara de... Inocente. Estava na sala de uma das maiores gravadoras do mundo, que produzia algumas das maiores bandas de rock da sua geração. Pensa, hoje:

— Foi nossa primeira burrada. Eu queria a "Rotina". Os caras da Olhar Eletrônico chegaram lá e falaram: "Vamos fazer o clipe de 'Rotina', vocês com uns macacões laranja, tocando em um espaço assim, aí passa uma mina assim...". Muito new wave... Tudo bem, eu gostava de Devo, o.k. Porra, macacão laranja do caralho, os caras usavam macacão amarelo, né? Aí o resto da banda: "Não gostamos, melhor é fazer um clipe diferente e a música 'Não acordem a cidade'". A banda disse isso. Eu insisti: "Vamos fazer 'Rotina'. Pode mudar o clipe, mas a música é 'Rotina'". Ficou uma discussão...

Clemente não era o dono da banda; Clemente fundou a banda. Mas vivíamos tempos de redemocratização no Brasil. Até o Corinthians vivera a experiência do voto na Democracia Corintiana (jogadores decidiam no voto a escalação e se teria concentração). E Clemente era um democrático. Todo mundo escolheu "Não acordem a cidade", menos ele.

Foram de "Não acordem a cidade". O primeiro single foi gravado com o diretor Davílson Brasileiro.

Em 1986, quando assinamos contrato com a poderosa gravadora WEA, nos sentíamos como intrusos de uma festa para a qual não havíamos sido convidados. Mas, como todas as bandas que tocaram no Napalm estavam assinando e lançando discos — Legião, Ira!, Plebe Rude, Mercenárias, Ultraje, Azul 29, a lista era gigante —, pensamos "E por que não a gente?". Mandamos nossa demo para todas as gravadoras de que conseguimos contato e a resposta era sempre um estrondoso "não". Eu já estava desistindo e negociando com o Redson e o Renato Martins para prensarmos nossa demo pelo selo deles, o Ataque Frontal. Até que o Branco Mello, dos Titãs, levou nossa demo para a WEA e produziu nosso primeiro mini-LP, o Pânico em sp. *Aliás, uma versão ao vivo de "Rotina" já rolava na recém-inaugurada 89 FM, e os shows estavam a cada dia melhores e mais lotados. Isso pesou bastante.*

Assinamos e fomos convocados para uma reunião com o presidente da gravadora, o lendário André Midani. A gente ainda nem sabia de quem se tratava. Ele falou das letras e que nossa música não ia tocar na rádio, mas que a MTV ia estrear no Brasil e que a gente era uma banda para esse universo. Cara, a gente não entendia nada de estratégia de divulgação. O André Parlato tinha dezenove anos, eu, 22, o Tonhão tinha 23 e o Ronaldo, 24 anos; quatro caras rudes da periferia. A gente só pensava em uma coisa: pegar uma grana para farrear, chapar e catar umas minas fazendo uma coisa que a gente gostava muito, que era tocar, e pronto. Ninguém estava interessado e nem manjava de estratégia de marketing, a gente dava um monte de bola fora e os caras da gravadora ainda ouviam a gente. Já começou pela música de trabalho, que era para ser "Rotina", mas a banda exigiu que fosse "Não acordem a cidade", uma música difícil pra rádio na época. O Liminha apareceu na gravação do Pânico em sp *e deu uma força na timbragem dos instrumentos; a gente também não sabia quem era ele e nem queria saber. Quem produziu o disco foram Branco Mello e Pena Schmidt.*

O período era de efervescência, vários lançamentos, as bandas de rock tomando conta das paradas, e a gente não estava nem aí para isso, queríamos é fazer nosso som.

Uma vez fomos tocar num festival em Ipatinga, Minas Gerais, com RPM, Camisa de Vênus, Titãs, Gilberto Gil, Lobão e mais uma galera. Chegamos ao aeroporto às oito da manhã e encontramos o pessoal do Camisa, o Robério, o Gustavo, o Karl e o Marcelo, e ficamos lá de boa, trocando ideia, até que me aparece o Fernando Deluqui com uma garrafa de Jack Daniel's. Não deu outra, começamos a chapar às oito da manhã. O Paulo Ricardo passa com cinco seguranças e vai direto pro banheiro. O Marcelo Nova já grita: "No banheiro com cinco seguranças? Um deve ser para abrir o zíper, outro para balançar, outro para...". Fudeu! Começou a farra. No avião sentamos entre o RPM e o Camisa, uma banda não falava com a outra e a gente não estava nem aí, assim a garrafa tinha sempre que passar pela gente.

Chegamos em Confins completamente chapados. Lá o RPM pegou um avião menor até Ipatinga, o famoso teco-teco, com hélice, muito usado no interior; o Camisa tinha um ônibus leito gigante esperando eles; e nós, dois opalas pretos. Quem chegou primeiro? Na serra deixamos o ônibus do Camisa para trás, e estávamos há horas na piscina quando apareceu o P.A. com uma cara de assustado, dizendo que o aviãozinho tinha quase caído. Nós rimos na cara dele. Já o Camisa nem vimos chegar.

No hotel encontramos a Cida Ayres, produtora, a Rosa Calabrez, produtora do Camisa, o André Christovam, Kid Vinil e mais uma galera, só gente conhecida pra todo lado. A gente ia tocar na sexta-feira, mas ficaríamos até domingo por conta de um show numa cidade próxima.

Chegamos ao local do show e era um estádio de futebol imenso, com umas 50 mil pessoas. Vimos o show do RPM com aqueles lasers e a coisa toda, e depois o Camisa de Vênus, que fez um show sensacional. Quando chegou a nossa vez, fomos obrigados a tocar por último, pois as duas bandas locais que iam tocar tinham que passar na nossa frente, eles tinham pais influentes. Subimos no palco com o dia amanhecendo e, quando o dia clareou, não tinha absolutamente ninguém no estádio, só a Polícia Militar em formação, pronta para cair fora. Não tive dúvida, descontei minha raiva nos policiais, atirando copos d'água cheios neles. O palco era alto e comecei a empurrar os monitores de retorno pra fora do palco, eles ficavam pendurados pelos cabos. Eu fiquei tão puto que os caras prometeram deixar a gente tocar cinco músicas durante a apresentação dos Titãs. Era um prêmio de consolação, e os Titãs foram muito gentis com a gente; no sábado deixaram a gente tocar com o equipamento deles as tais cinco músicas. É claro que não foi a mesma coisa, mas pelo menos o estádio estava cheio.

Depois da nossa apresentação, ficamos, os Titãs e os Inocentes, atrás do palco assistindo ao show do Lobão e agarrando a mulher dele. Chovia e eu só via as faíscas azuis dos choques que o Lobão estava tomando no microfone, ele estava anestesiado. Até que o Branco Mello, que falava muito com as mãos, foi falando e se afastando e encostou num poste de ferro. Ele começou a tremer sem parar, a gente estava tão louco que achamos que estivesse brincando. Ainda bem que um bombeiro saiu correndo e desligou a chave geral do estádio: apagou tudo, som e luz, e o Lobão nem percebeu, continuou cantando. O Branco caiu duro no chão, tinha tomado um choque gigantesco, quase morreu. Se não fosse o bombeiro...

Depois eu e o Ronaldo fomos assistir a um trecho do show do Gilberto Gil. Estávamos lá de boa, até que ele falou a frase "Eu sou Gil, eu sou frágil". Não sei por que cargas-d'água nós achamos a frase ridícula e começamos a rir sem parar. Nós estávamos muito chapados. O Gil não se conteve, parou o show e falou: "Tô ouvindo dois gatos miando aqui no palco", com aquele sotaque baiano carregado. Aí um holofote iluminou a gente e o estádio inteiro começou a rir da nossa cara, e nós xingando o Gil de tudo quanto é nome.

No final da noite eu estava vagando sozinho pelo hotel com uma garrafa de uísque na mão e uma produtora que eu adorava literalmente me arrastou pro quarto dela.

Hoje eu sei por que nunca fizemos aquele sucesso estrondoso na WEA. Éramos uma banda completamente inviável, ninguém enquadrava a gente.

A crítica adorou o disco do Inocentes. A banda começou a excursionar pelo Brasil. O lançamento em São Paulo? Claro, fizeram questão: no Madame Satã! A primeira (e última) vez que tocariam na casa preferida de todas as bandas. Agora foram aceitos. Agora não eram tão temidos. Tinham sido apadrinhados por uma das multinacionais que mandavam no mercado. Foram acusados de traírem o movimento? Ô, se foram. O movimento não comprou o primeiro disco deles. O movimento não estava nem aí para nada, nem para o próprio movimento. Fodam-se! E quer saber mais? Programas de auditório? Nós somos agora pop. Globo, *Bolinha*? Cara, a gente faz tudo.

Fizeram *Bolinha*, uma imitação tosca, na Band, do *Chacrinha*, com boletes que não chegavam aos pés das carismáticas chacretes. Não tinha MTV. Qual música? "Não acordem a cidade".

— Era horrível ver as "boletes" (risos) tentando dançar a música "tun tá tun tá". Ninguém conseguia dançar aquilo.

Não fizeram *Chacrinha*. Fizeram um tal *Clip Clip* da Globo. Por que vocês não fizeram o *Chacrinha*?

— Tinha umas coisas que a gente recusava. O *Chacrinha*, acho que a gente recusou. A gente recusou algumas coisas, a gente falava: "Ah, não". Mas às vezes a gente ia de sacanagem fazer, tipo, o *Raul Gil*. A gente se divertia, fazia tudo errado, trocava de instrumento, fazia de sacanagem.

— Mas postura punk, zero? Era banda de rock.
— Banda de rock.
— Banda pop.
— Não era pop, porque o som não era pop e a gente também não. A gente se comportava como a gente sempre se comportou, e por isso não éramos chamados de volta. A gente só ia uma vez (risos). Fomos no *Bolinha* uma vez, duas... No *Raul Gil*, uma vez... *Mara Maravilha*, uma vez (risos). Era ir e não voltar... (risos).
— Nunca mais...
— A gente ia bastante no *Clip Trip* lá da Gazeta, que tinha o Capivara, aquele boneco maluco que a gente zoava direto. Outro em que a gente voltava era o *Perdidos na Noite*...
— O *Faustão* na Band?
— É, na Record, na Band.
— Vocês fizeram o *Fábrica do Som* da TV Cultura?
— Não, o Tadeu Jungle [apresentador] nunca convidou, porque me odiava (risos). Nem o *Misto Quente*, da TV Globo, a gente fez.
— Por que o Tadeu Jungle odiava você?
— Tô brincando. É que ele uma vez quis sacanear a gente. E eu peguei a sacanagem dele.
— O que ele fez de sacanagem?
— Foi entrevistar a gente e ia tirar uma, saca? E eu, mais rato, né, aí... Magoou. Ficou aquela coisa... É, eu também falei umas merdas pra ele depois: "Você tá querendo tirar a gente, né?".
Primeiro o Meirelles, depois o Tadeu. Difícil trabalhar assim. Tadeu se lembra:
— O cara era difícil, impossível, sarcástico. A gente não se deu bem.
Mas a Warner apostava todas as fichas. Bia circulava em pelo meio musical. Frequentava Lira, Madame, Carbono, Rose, Radar Tantã, Aeroanta. Levava seus contratados no *Chacrinha* no Rio, e havia um esquema para participar do programa: era preciso se apresentar em shows, fazendo os infames playbacks no subúrbio carioca, em bocas quentes, locais já dominados pelo tráfico, barra-pesada, onde se via muita arma. Não era comando, falava-se "gangues". Baixada Fluminense. Além do sucesso de massa, para tocar no *Chacri-*

nha precisava fazer o humilhante rolê pelo subúrbio, tocar de graça. Só o Velho Guerreiro faturava, e a emissora fazia vista grossa.

Uma banda não vivia só de shows. Bia conta que alguns ganhavam um bom cachê, como Roupa Nova, banda que mais hits emplacou em novelas, outro requisito para fazer sucesso. Gravadoras eram muitos fortes, agendavam tv e rádio. Empresários cuidavam dos shows e eram o elo entre gravadoras e artistas. Os Titãs já tinham uma história, não eram parecidos com Inocentes. O Ira! era mais próximo. Bia aprenderia com Inocentes. Ela os empresariou só nos dois primeiros discos. Nunca deu palpite.

— Naquela época, o empresário trabalhava com o que tinha, vendia o produto pronto. Era fácil vender shows do Inocentes, porque eles tocavam na 89 fm e em rádios de rock — diz ela.

Era outra época, lembra Bia. Ela parava o carro numa vaga, comprava ficha de telefone numa banca de jornal e ligava do orelhão para a produtora, para saber se tinham depositado os 50% de adiantamento do show, o que era praxe. Se sim, continuava o caminho, levando a banda. No interior não tinha danceterias, mas ginásios, e um público variado, já que não existiam tantos punks espalhados pelo Brasil. Uma marca dos shows, ela se lembra, era a rodinha de pogo, no meio da pista, uma pancadaria fake.

— Ninguém se assustava mais, estavam todos acostumados. Parecia que os fãs faziam o pogo como parte do show. Fazia parte brigar, abrir um clarão. A banda parava, fazia um discurso, era sempre o mesmo texto, parecia tudo combinado.

Bia reconhece que a banda fazia sucesso com um público restrito. A gravadora sabia que o nicho era o mesmo da Legião, mas que Inocentes não faria o mesmo sucesso. Gravadoras apostavam sempre em algo diferente. Se lá fora estava dando muito certo, especialmente nos Estados Unidos, aqui poderia dar também.

— Clemente era muito talentoso e educado. Eu conhecia a mãe dele, ela aparecia no escritório na avenida Rebouças. Tinha muito pouco dinheiro, era muito educada também, queria saber quem eu era, saber do filho. Foi algumas vezes, bonitinha, ela...

Inocentes sob a tutela de uma grande gravadora mudou pouco. Continuavam com o mesmo figurino, priorizando o preto, que depois virou dark gótico. Ganharam um adiantamento. Não investiram em roupa, mas em coisas básicas para a família. A primeira coisa que Clemente fez foi comprar um fogão de seis bocas para a mãe. E, lógico, uma guitarra nova.

— Como a gente tinha fama de punk, as pessoas da gravadora mais ouviam a gente do que a gente ouvia elas. Talvez por isso que a gente tenha feito um monte de besteiras. Às vezes eles vinham até com umas ideias boas, mas a gente não aceitava. Então, a gente era uma banda meio inviável. Eu lembro que a Bia chegou, falou pra gente: "Olha, o Miguel Arraes está se candidatando, vai ter um puta show legal lá em Pernambuco e a gente queria que vocês tocassem". E a banda: "Show partidário? Não estamos a fim". Não fomos (risos). "Show da rádio não sei o quê…" "Vai se foder, não vamos tocar para esses caras, não." A gente não ia. A gravadora nos apadrinhou, mas… Cara, se você pensar bem: na maioria das bandas, os caras eram mais velhos do que a gente. No Titãs, o mais novo era o Branco, que é um ano mais velho do que eu; no Ultraje, o Roger é muito mais velho do que eu; no Camisa de Vênus, o Marcelo Nova é dez anos mais velho do que eu. Quando eu entrei na Warner, tinha 22 para 23 anos. Não sabia porra nenhuma. De mercado, a gente não entendia nada. A gente ainda tinha aquela pureza do punk rock, da música… Não entendia de jabá de rádio, esquema de não sei o quê, estratégia de marketing. Era nulo. Para o bem e para o mal. E a gente se expunha mesmo.

No mercado, só poucas rádios especializadas em rock, firmes e com audiência, repercutiam: a Fluminense, do Rio, a 89 FM, em São Paulo, e a 97, do ABC — a primeira delas, cujo dono, Zé Antônio, era um maluco que tinha uma antena e uma concessão no ABC. O cara começou a bombar o rock no esquema da Fluminense. Deu certo. Ganhou um público cativo e aficionado. Eventualmente, Inocentes tocavam também nas rádios Ipanema, do Rio Grande do Sul, e em algumas grandes, como a Transamérica da Bahia, que era rock 'n' roll, mas não tocava na Transamérica de São Paulo, mais comercial. E tinha a Estação Primeira, rádio de Curitiba.

Lançaram o disco em São Paulo no Madame Satã e, no Rio, no Circo Voador. A vendagem, como previu o presidente da gravadora, não foi muita. Quanto? Deve ter vendido 25, 30 mil cópias na época. Na época era pouco? Era ruim para a gravadora. As faixas eram as seguintes:

Lado A
1. Rotina
2. Ele disse não
3. Não acordem a cidade

Lado B
1. Salvem El Salvador
2. Expresso Oriente
3. Pânico em SP

A formação: Clemente (vocal, guitarra), Tonhão (bateria, vocal), Ronaldo (baixo, vocal) e André (baixo, vocal).

— Queriam que a gente tivesse feito 100 mil. A Plebe, por exemplo, fez um EP também com seis músicas, que nem a gente, e ganhou disco de ouro, que correspondia a 100 mil discos vendidos, com *Até quando esperar*. E era uma banda, vamos dizer assim, equivalente à nossa. Que era punk... Depois, Titãs ficou mais parecido com a gente, mais pesadão. Estourou. Começamos juntos a turnê do *Cabeça dinossauro*. A gente tocava "Polícia" com eles. A gente andava tudo junto.

Não sei quem sou

A cena estava favorecendo o rock mais pesado. A frustração da subida de Sarney ao poder, um aliado da ditadura, vice de Tancredo Neves, o presidente morto antes de assumir o cargo, a quebra do Brasil com moratória, inflação alta, cambau na dívida, os planos econômicos fracassados, como Plano Cruzado, Plano Bresser, Plano Cruzado 2, o congelamento artificial de preços que minava a economia, a falsa democracia que ainda censurava o filme *Je Vous Salue, Marie* por pressão da ala conservadora da Igreja católica, o acordo para não incomodar os militares envolvidos em tortura e crimes contra a humanidade: tudo isso criava um clima de desânimo, desencanto, desespero, que não se restringia apenas ao punk rock. O sentimento de revolta se generalizou. A ditadura caiu, mas para muitos nada mudou. Sem contar um detalhe que minou para sempre as relações sociais no Brasil e degradou de vez as instituições do poder, com a chegada de um componente então raro, a violência urbana: o preço da cocaína despencou.

O Cartel de Medellín descobriu uma rede de distribuição farta, impune e bem organizada no Brasil. As facções do crime organizado, como Comando Vermelho, aliadas a uma polícia e um Judiciário corruptos, se associaram aos colombianos. Aprenderam a batizar o pó. Inundaram o mercado. Para onde você ia, as pessoas cheiravam pó. Em festas da elite, amigos passavam com carreiras de pó esticadas em baixelas. Na festa de um bambambã da televisão, todos cheiravam livremente. Nas danceterias, idem. Nos banheiros das redações de jornal, de restaurante, da casa de amigos. O Brasil ficou esbranquiçado pela cocaína vagabunda que se vendia em tonéis. Todo mundo tinha uma presença. Muitos tinham um colar com um vidrinho cheio de pó. Encontrávamos os policiais nas boates e danceterias, com o nariz fungando coberto por um anel de cocaína, os olhos esbugalhados, falando sem pontuar as frases, comendo palavras e ideias, inquietos e paranoicos. A década começou bem, terminava um lixo. Do nariz, o pó foi para as seringas. Sífilis, hepatite C e aids repartidas. Na propaganda eleitoral era nítido qual político estava envolvido com o pó, qual era consumidor eventual, social ou voraz.

Enquanto isso, o rock pesado passava a ser o carro-chefe da MPB e a dar lucro. Clemente enumera:

— Camisa de Vênus era nosso grande parceiro. O Ira!, pelo contrário, estava ficando pop. Teve *Mudança de comportamento*, lembra? Começou a tocar a música "Vejo flores em você" na novela. O Ira! estava ficando limpinho. Legião? Já estava caindo naquela de "Quando o sol bater" (risos). As bandas mais pesadas eram a Plebe, Camisa, Titãs e a gente.

Por que é que o primeiro disco não vendeu tão bem? A culpa recaiu sobre a música de trabalho errada, diz Clemente.

— Se a gente tivesse entrado com "Rotina", e não com "Não acordem a cidade", talvez a história tivesse sido outra. Você tem uma oportunidade de entrar na rádio, já para arrebentar, e entra com a música errada... Estou falando isso com a visão de hoje, na época eu nem percebia.

Ainda assim a gravadora bancou o segundo disco, em 1986. E investiu mais: o projeto foi de um LP, não EP. Gastaram uma grana cinco vezes maior em estúdio: trezentas dignas horas de gravação em São Paulo. Dessa vez, gravaram as bases no Rack e fizeram a mixagem no Vice-Versa, em que chegou a primeira mesa automatizada que mixava sozinha em São Paulo. Liminha nem passou para afinar a bateria. A produção foi do Peninha e do Geraldo Darbilly, baterista que tinha trabalhado com David Byrne (Talking Heads) e David Bowie, morou na Inglaterra, tocou por lá e na volta produziu discos do Ira! (*Meninos da rua Paulo*), Gueto, Picassos Falsos, Necromancia e Inocentes. O disco veio com onze faixas:

1. Pátria amada
2. Eu
3. Morrer aos 18

4. Não sei quem sou
5. Tambores
6. Não é permitido
7. Em pedaços
8. Cidade chumbo
9. Na sarjeta
10. Pesadelo
11. Adeus carne

O disco se chamou *Adeus carne*. No final das contas, é o primeiro LP do Inocentes, de 1987. "Pátria amada" foi escolhida como música de trabalho. Acertadamente. Foi direto para o top 10 das rádios rock de todo país. É o primeiro disco conceitual da banda, cujo nome é uma corruptela da palavra "Carnaval". E traz uma versão do samba "Pesadelo", de Paulo César Pinheiro, música de protesto dos anos 1960.

Darbilly se especializou e abraçou o nicho. Se entendeu com o movimento punk do ABC. Se era um bom produtor?

— Porra! Ele foi para a Inglaterra, tocou com um monte de gente lá. Voltou para o Brasil conhecendo tudo de técnica. Foi a primeira vez em que ouvi falar de sampler: "Vamos gravar essa guitarra aqui, põe três microfones. Não é só um microfone na frente. É um atrás, um do lado, um em cima". Nós: "Ohhh". "Vamos samplear esse bumbo no corredor". Nós: "Ohhhh". Ele gravou aquele primeiro disco sensacional do Gueto. O Gueto gastou quinhentas horas, não saía do estúdio. A gente ia entrar logo depois, que eles também eram Warner. Só de ensaio, a gente gastou uma bica de grana, porque os caras esqueceram a gente no estúdio. Sei lá qual foi a viagem deles. A gente tinha ensaio em um puta estúdio, um dos mais caros, ensaiávamos todos os dias, tinha dia que deitávamos no meio do estúdio e ficávamos lá jogando conversa fora, não tínhamos o que fazer.

Enquanto preparava o segundo disco, a banda tocava em várias danceterias, shows agendados pela Bia Aydar, do Radar ao Aramaçan, uma casa gigante de Santo André. No Rio, Morro da Urca. E no Circo Voador, onde bombavam: dava uma boa grana, colocavam de

1500 a 2 mil pessoas por noite lá dentro, numa temporada de quinta a sábado. Estranhamente, às quintas-feiras é que lotavam mais. E iam de avião. Era a primeira vez que começaram a andar de avião. Circulavam já com autoridade pela exclusivíssima, rigorosa e requintada roda musical carioca, em que só poucos (e bons) recebem a bola preta. Mesmo vendendo pouco, a gravadora continuava apostando. Clemente tinha o conceito do disco fechado na cabeça.

— Qual é o conceito?
— Não lembro mais (risos).
— Carnaval e rock 'n' roll?
— Foi a primeira vez que eu fui teimoso e briguei com todo mundo. Tudo acaba em Carnaval. Tudo acaba em samba neste país. Era a época do Plano Cruzado. "Pátria amada" foi feita pelo Plano Cruzado — eu estava puto. As músicas tinham toda uma amarração. Para mim, é o meu disco preferido. Gravamos um poema do Maiakovski chamado "Eu", que musiquei.

Nas calçadas pisadas
 de minha alma
passadas de loucos estalam
calcâneo de frases ásperas
 Onde
  forcas
 esganam cidades
e em nós de nuvens coagulam
  pescoço de torres
 oblíquas
só
soluçando eu avanço por vias que se encruz-
    ilham
à vista
de cruci-
fixos
 polícias

— Por que Paulo César Pinheiro?

— Essa música eu ouvia num disco do movimento estudantil que a Neli, irmã do Douglas, me emprestou. Ela ficou em mim: *Quando um muro separa, uma ponte une...*
É um clássico, composto com Maurício Tapajós: *Quando um muro separa, uma ponte une. Se a vingança encara o remorso pune. Você vem, me agarra, alguém vem, me solta. Você vai na marra, ela um dia volta. E se a força é tua, ela um dia é nossa. Olha o muro, olha a ponte, olhe o dia de ontem chegando. Que medo você tem de nós, olha aí. Você corta um verso, eu escrevo outro. Você me prende vivo, eu escapo morto...*
— Essa música é boa, cara. Fiz uma versão punk, ficou do caralho. E o final: *Você me prende.* Ele não faz esse final, mas eu frisei essa frase. *Você me prende vivo, eu escapo morto, você me prende vivo, eu escapo morto!*
As provocações da banda não eram reprimidas pela associação com uma multinacional.
Era para a foto da capa ser na frente do altar da catedral da Sé. Clemente queria a cruz da igreja, porque o símbolo do Inocentes é uma cruz quebrada: um rompimento com as tradições. Mas não conseguiram autorização. Acabaram numa porta da catedral da Sé, aberta; até tem uma cruz, mas não com o mesmo peso que teria se a foto tivesse sido feita no altar.
O lançamento foi no shopping Center Norte, na beira da Marginal Tietê, um dos símbolos da ascensão econômica da classe média da Zona Norte. Era perto da estação Tietê do metrô. Uma multidão apareceu: avaliaram em 10 mil pessoas. Dez mil fãs. Era o subúrbio, era a perifa, punk, skatista. O evento foi promovido pela 89 FM, que trata até hoje a banda com uma consideração que poucas rádios têm.
— O nosso *roadie*, o Tubarão, nosso amigo de infância, afinou tudo. A gente subiu no palco, começou a tocar, e não tinha retorno, o equipamento de PA ficou pronto dez minutos antes do show. Estava aquele barulho estranho. A gente seguiu tocando, vambora. O público estava meio estranho, ninguém curtia direito (risos). Cara, quando ligou o retorno e eu ouvi as guitarras... Estava tudo afinado, mas não um com o outro (risos). O afinador deu pau. Aí "Para, para, para". Afinamos no ouvido. Anunciamos: "Agora que a gente vai começar. Antes era brincadeira. Agora vem o show de verdade".

No show gravaram o clipe, de novo com Olhar Eletrônico, de novo com Davílson Brasileiro. Foi o auge da banda. O disco vendeu quanto? Continuou na faixa dos 30 mil. Para a gravadora, era pouco. Titãs vendia 300 mil.

Num projeto paralelo, Clemente acabou produzindo seu primeiro disco, o da sensacional banda 365, que estourou com a música "São Paulo". Ele a levou para a gravadora Continental. Levou os caras pro estúdio. Rock brasileiro estourado, RPM estourado. Um cara da gravadora ficava na orelha deles falando da "nova geração punk": "Hoje são as três letras, amanhã serão os três números". Clemente procurava baixar a bola dos moleques, mas não teve jeito. A banda já era uma sensação antes de o disco estar nas lojas.

Mas Clemente via com os próprios olhos. Nada era fácil pra ninguém, uma derrapada pode empurrar todo o projeto para um abismo. A gravadora investiu. Saiu com o single "São Paulo", que não parava de tocar nas rádios, enquanto ainda finalizavam a gravação no estúdio Transamérica. Clemente ganharia 2% das vendas como produtor.

Show de lançamento na Latitude 2001, a caravela da Vinte e Três de Maio. Outdoors pela avenida. Surpresa: toda a crítica jornalista presente. Opa. O Finho não estava. Logo o Finho, o vocalista e letrista. Cadê o Finho? Era a figura polêmica, carismática. Os outros caras da banda tinham mandado ele embora antes do show. O presidente da Continental ficou pasmo, os caras já tinham brigado antes de a grana começar a entrar. Clemente ficou puto. A gravadora tirou o investimento, o jabá.

O 365 sempre foi assim, como o RPM: briga e volta, briga e volta... Os três números imitaram as três letras, como profetizou a gravadora.

Paralelamente e aos poucos, Clemente e Denise faziam planos. Ela conta:

— Os punks já tinham saído da periferia e ido para o centro. Clemente sofria muito assédio. As menininhas dos Jardins eram loucas pelos punks.

Ela estava com o Clemente desde que ele tinha 21 anos.

— Sempre fui cabeça aberta, mas criada em padrões mais rígidos. Isso melhorou quando fui estudar na PUC, que tinha um ambiente mais rebelde, contestador e revolucionário.

O punk estava entrando na moda e se apresentou para ela como uma nova referência. Lembra que tinha tudo a ver com ela naquele momento da vida. A família dela adorava Clemente:

— Ele sempre foi supereducado, carismático, gentil, todo mundo em casa o adorava. Trabalhava o dia todo e passava lá em casa à noite, depois do trabalho.

Até que uma amiga foi morar em Londres e ela ocupou seu apartamento, na rua Augusta, 371, um prédio baixinho no que hoje chamamos de Baixo Augusta. Foi cuidar dos gatos. Clemente foi morar com ela. A amiga ia ficar três meses fora, ficou três anos. O tempo voou: Denise se formaria em psicologia, ele se tornaria um artista profissional do rock brasileiro que lotava shows, tocava em rádios e estava numa grande gravadora, apesar de não ser o estouro esperado.

Fizeram de tudo para divulgar o disco novo do Inocentes. Rádio, televisão, entrevistas, tudo. O disco foi bem recebido. Clemente assumiu de vez o vocal e a guitarra. A relação de Denise e Clemente se solidificava. Ela engravidou.

Em 1987, no meio do ano, Denise, grávida de cinco meses, trancou a faculdade e foi trabalhar em um banco (só depois voltou para a faculdade, paga pelo marido). E um detalhe mudou o rumo dessa história de amor multirracial. Um detalhe inesperado e trágico: o pai dela contraiu câncer.

— Meu pai era muito careta e autoritário, mas ainda muito "coração". Ele estava doente, com câncer em fase terminal, e eu fiz questão de casar na igreja, entrando com ele.

Clemente e ela se casaram na igreja do lado da PUC. Ele não era católico, nem seus amigos, nem os punks, que se recusaram a entrar. Lá dentro ficaram senhoras ricas e bem vestidas e lá fora, na rua, um monte de gente de jaqueta preta. Paulinho era o padrinho, usava tênis e camiseta. Disse que foi uma confusão, já que a cena era superimprovável.

O combinado era seu Clementino pegar o filho na Zona Norte. Mas ele se esqueceu. Não aparecia, não aparecia. O noivo, desesperado, com a mãe e as irmãs descabeladas. Ninguém sabia dirigir. Uma das amigas da irmã disse que tinha acabado de tirar carta. Apertaram-se todos no carro dela. Toca pras Perdizes. Só que a menina não sabia dirigir. O carro foi em ziguezague, fechando ônibus e caminhão, com toda a família Nascimento aos berros.

Quase morreram no caminho.

Clemente e a família toda suada desceram correndo. Ainda tiveram tempo para dar uma ajeitada. Na calçada da Monte Alegre, uns punks ficaram zoando com o noivo. Ele mandou todos se foderem, respirou fundo e entrou na capela da PUC. Atrasado, como se ele fosse a noiva.

O ato religioso seguiu o roteiro de um ritual litúrgico. Na metade esquerda da igreja, a família da noiva estava elegantíssima, chique, de chapéu. Na metade direita, a periferia tinha comparecido em peso, trash, alguns punks, vestidos de qualquer jeito. O pai enfim chegou no meio da cerimônia com roupa de bicheiro: camisa estampada, calça branca, sapato branco e uma capanga debaixo do braço. Tinha mesmo se esquecido. Punks convidados como Callegari foram bonitinhos. Outros punks gritavam lá fora. Paulo Barnabé, padrinho, foi de kichute.

O sogro era adorado por Clemente. E vice-versa. Ele tinha um sítio, os dois saíam pelo mato de jipe. Estava feliz de ver uma filha casada, uma neta a caminho. Morreu em outubro, um mês antes de nascer, em 21 de novembro de 1987, a filha Mariana. Linda menina, até hoje a cara do pai. Denise se lembra:

— Ela nasceu e a gente não tinha se preocupado com onde morar, de onde tirar dinheiro etc. E minha amiga ia voltar de Londres.

Poucos meses depois, ela foi chamada para trabalhar na então Secretaria do Menor, num programa para crianças em situação de risco. Foi mandada para a Vila Penteado. Saía de casa às 6h30 da manhã e voltava às 18h30. Como Clemente tocava e ensaiava, era ele quem cuidava do bebê. Isso durou uns sete anos; ela ganhava bem, e foi a dinâmica que criaram. Clemente levava a filha na praça Roosevelt, na biblioteca Monteiro Lobato, e ficava num grupo com mães, babás e crianças. A grana nunca foi estável e tranquila, mas ele também sempre estava em atividade, fazendo alguma coisa ou procurando o que fazer.

O casal com o bebê se mudou para a rua Marquês de Paranaguá, ainda no Baixo Augusta. Denise cuidava de moleques que, na consulta seguinte, não apareciam, porque tinham sido mortos, ou se rebelaram, ou fugiram. Ela começou a se deprimir com o que via e convivia. Mariana foi para a escola Baratinha Azul. Seu pai, o punk dos punks, virou babá: era quem a vestia, trocava fraldas, limpava o totó, levava e buscava na escola, preparava o papá, colocava pra naná, enquanto aguardava uma definição na carreira da banda e a preparação e gravação do terceiro disco, ainda pela Warner. Sim, do terceiro disco...

A gravadora começou a desanimar, e a banda se perguntava: "Será que está certo isso aqui?". Não sabia mais que caminho seguir. Sem contar que muitos shows foram cancelados, porque o vocalista e fundador virou pai, não podia viajar. Para a gravadora, isso significava fracasso? Ninguém admitia em voz alta. Mas esperavam que uma hora o mercado se abrisse e reconhecesse o talento da banda. Frejat, do Barão Vermelho, apareceu num show deles no Circo Voador. Naquele papinho de camarim, soube que a gravadora estava descontente. Anunciou: vou produzir o próximo disco de vocês, estão a fim? Ainda pela mesma Warner. Agora sem Peninha, só o Frejat. Mas Frejat era bom produtor?

— Porra, bom pra caralho. Acho que foi a primeira produção que ele fez, mas foi muito legal — diz Clemente.

O Cazuza já tinha saído do Barão, que tinha lançado o disco *Carnaval*, o mesmo nome que Clemente queria para seu segundo LP. *Carnaval* foi o disco que estourou o Barão sem o Cazuza. A música de trabalho: "Pense e dance", com Frejat arrasando no vocal. Não se sentia tanta falta de Cazuza: *Penso como vai minha vida, alimento todos os desejos, exorcizo as minhas fantasias, todo mundo tem um pouco de medo da vida...* Bem dançante. *Pense e dance, de olho no laaanceee...*

A essa altura, São Paulo já tinha se rendido, largado o bairrismo e dado as boas-vindas ao Barão (e ao Cazuza, que lotava o Aeroanta num show memorável).

O lançamento do terceiro disco do Inocentes foi grande: na danceteria Dama Xoc, sem Bia Aydar como empresária, rompimento do qual Clemente se arrepende até hoje.

O cara era uma celebridade. Frequentava altas esferas, saía na coluna social e em revistas. Tinha shows, tinha direito autoral, mas pouco. Não era muita grana. Dava para sustentar um músico doidão que morava na casa da mãe, não uma família. Aos poucos, descobriu: estava falido.

— Já estava meio desenganado. Foi uma batalha do Frejat. A gente estava confuso, já não sabia mais o que fazer. A gente deu tudo no *Adeus carne*, o melhor disco. Aí falam: "O que você vai fazer agora?". Não sei, cara. O nosso novo empresário era megalomaníaco. A gente ia trabalhar com o Cacá Prates e acabamos ficando com o assistente dele, o Mário. A gente achou mais legal que o cara. Tinha umas ideias boas, mas chegava na gravadora e queimava o filme. Fui fazer uma reunião com ele, consegui uma reunião com a diretora artística, ele chega na reunião e começa a falar umas coisas como: "Estou a fim de fazer um megaevento, Fofão e seus amigos e o Inocentes". E eu: "Fofão e seus amigos?" (risos).

— Quem era o Fofão, aquele palhaço?

— É. Aquela roupa. "O que esse cara está falando de Fofão e seus amigos!?"

Fofão é um personagem ET, um boneco esquisito, com bochechas enormes, personagem do programa infantil *Balão Mágico*, da Globo. Fofão era o humorista Orival Pessini com uma máscara popular, apesar de monstruosamente feia, que depois chegou a ter seu próprio programa na Band, a *TV Fofão*, e produtos licenciados — apresentava desenhos da Hanna-Barbera, música e quadros. Foi protagonista do longa *Fofão e a nave sem rumo*, de 1989. Sem contar que lançou uma penca de discos entre 1985 e 1990: *Disco do Fofão, Disco do Fofão 2, Som e fantasia, Doce caramelo, Nave do futuro, Bilubidu aluaiê* e *Lambolê*. Com uma vendagem bem superior à maioria das bandas de rock. Clemente agradeceu a ideia "sensacional e original" do produtor, mas preferiu tentar o projeto Inocentes sem Fofão:

— A essa altura já tinha estourado o Legião, o Titãs, já tinha estourado todo o rock mais pesado, todo mundo. A gente conseguiu fazer umas coisas legais, mas não estourou.

— Por causa da fama de punk?

— Não, não era mais isso. Má administração nossa, até minha, não sei. Com filho, eu já não ia a um monte de coisas. Me telefonavam falando que tinha que entregar um prêmio para a Sandra de Sá não sei onde, não sei o quê. Chegava para a mulher: "Vou lá entregar um prêmio para a Sandra de Sá". Ela respondia: "Vou ficar com a criança aqui sozinha?" (risos). Não vou agora entregar o prêmio para a Sandra de Sá, entendeu? Só que você começa a recusar um, a recusar outro, você acha que vão te convidar depois de novo, mas as pessoas param de te chamar. "Tem uma turnê no Sul, consegui dez shows, a gente vai ficar um mês lá." "Uma turnê no Sul, um mês viajando. Vou deixar ela aqui sozinha com a criança? Puta merda, vamos fazer essa turnê no Sul depois?" (risos). A gente não estava nos festivais, como Rock in Rio. Não estava na cena mais rock. Não tinha nem nome para o terceiro disco, que virou Inocentes. Tinha músicas novas, só regravamos "Garotos do subúrbio". Acho este o nosso disco mais confuso, porque a gente estava numa fase confusa, a gente não sabia o que fazer. Esse terceiro da Warner foi um catado de músicas. E tem umas boas, tem uma das melhores letras que eu fiz, "A face de Deus".

Clemente conta que um dia estava assistindo a um especial do Cazuza — estava de saco cheio que só dava Cazuza —, e ele disse: "Você nunca viu a face de Deus, não sei o quê…". O quê? Eu já vi a face de Deus. Escreveu: *Eu vi a face de Deus, pichada no muro, lá longe na cidade, no seu beco mais escuro.* Uma baladona.

A banda não queria os quatro na capa, mas a Warner insistia. Ficaram debatendo. O Tonhão teve a ideia: vamos tirar uma foto de todo mundo pelado, vamos mandar para a gravadora e os caras não vão aceitar. Era uma provocação. Para complicar, André Midani viu e adorou: "Mas que maravilha!". A foto era uma representação da situação em que viviam quando iam em cana, no começo do punk: algemados, pelados, sendo revistados. Pelados de frente ou pelados de costas?

— Pelados de frente, mas com a mão cobrindo. Tinha uma tarja, a minha tarja é a maior — brinca Clemente. A modéstia também.

O disco *Inocentes* veio com as faixas:

1. Animal urbano
2. Mais um na multidão
3. A face de Deus
4. Promessas
5. A lei do cão
6. O homem que bebia demais
7. Nosso tempo
8. A marcha das máquinas
9. A voz do morro
10. Garotos do subúrbio

Para Clemente, este terceiro disco era confuso, mas tem a música "Promessas", em que misturaram rock e baião. Essa era a música de trabalho. Dessa vez, quem fez o clipe foi o Boninho, que fazia exclusivamente os clipes para a Globo, especialmente para o *Fantástico*. Gravaram em cima de um caminhão, circulando e tocando pelo Rio. Inocentes lançaram o terceiro no Dama Xoc, em São Paulo, e no Circo Voador, no Rio.

Em São Paulo, o Tonhão errou oito músicas. Caralho, caralho, caralho. Foi um show todo torto. Falei puto com o Tonhão no camarim. Ele responde: "Meu mapa astral não está legal". Eu queria voar no pescoço dele. Chegamos no Rio, o cara errou doze músicas. Teve uma música que ele fez uma virada que não terminava. Subi no praticável, falei: "Seu filho da puta, termina essa porra dessa virada, eu vou te matar!". A gente não tinha notado que o Tonhão já estava meio fora da casinha. Foi aí que começamos a brigar com ele. Até que a gente tirou o Tonhão e entrou o César Romaro — que tocava com o Callegari e com o Douglas, na banda new wave deles, pós-punk, Disciplina. O Tonhão, dali pra frente, foi pirando, pirando, pirando. Hoje ele toma remédio tarja preta. Não sei se é esquizofrênico, uma coisa assim, mas ele faz um tratamento fortíssimo. Coisa de falar sozinho na rua. Na época, a gente não imaginava que ele precisava de um tratamento, eu queria mesmo era matar ele. Não deu pra sacar. Um tempo depois, o André, irmão dele, acabou saindo. Aí que começaram as mudanças de formação.

O terceiro disco vendeu pouco. Clemente não faz ideia de quanto, nem procurou saber. Nem sempre fracasso de vendas é sintoma de falta de qualidade. Mas, com as pressões do mercado concorrido, acaba sendo. Para o amigo João Gordo, a capa com os integrantes pelados fodeu a divulgação do disco. Peninha tem a sua versão:

— Complicado saber por que uma banda não arrebentou. Era um processo longo, levava quase três anos pra dar certo. Dependia de ir num programa de TV no dia certo, na hora certa, de ter amigos na *Folha de S.Paulo* para ter uma foto maior...

Para ele, as rádios viviam um momento caótico, sem método. As bandas tocavam graças ao tráfico de influências, como mimos no Natal a DJs, diretores e donos de rádios, como panetones no Réveillon ou levar um executivo da emissora para assistir a um show de Julio Iglesias em Miami, com direito a acompanhante, e frigobar liberado do quarto de hotel.

Branco Mello não acha que o Inocentes "não deu certo". Não estourou tanto quanto outras bandas, não foi um sucesso gigantesco de vendas, mas foi um sucesso artístico e é uma banda importante na história do rock brasileiro. Os Titãs até gravaram uma música deles. Ele afirma que a maior constatação de uma banda admirar a outra é gravar uma música dela:

— Cada banda tem a sua história e faz a sua história. Os Titãs têm mais de trinta anos de carreira e têm uma história, mas cada banda tem a sua.

Branco afirma que o repertório do Inocentes é impecável, um dos clássicos do rock brasileiro, mas é uma pena que, como muitos discos legais, não tenha emplacado. Peninha se lembra que, para divulgar os punks e originários dele, era preciso estar sintonizado com alguns programadores de rádio, com os fãs, e esperar que os shows gerassem a repercussão que a música pop tinha nas rádios e TVs. Sem contar o ciclo de três anos, que foi interrompido por causa do Plano Collor:

— Os anos 1980 se desmancharam nos anos 1990.

O rock começou a não vender mais como antes, as rádios já tinham mudado toda a programação. Virada de década, sertanejo, axé, pagode: *É o amooorrrr*. Fernando Collor de Mello toma posse e anuncia seu plano econômico para barrar uma inflação galopante, bolado pela desconhecida ministra Zélia Cardoso de Mello. Ela apareceu em rede numa entrevista coletiva um dia depois da posse para anunciar que estava confiscado todo o dinheiro aplicado de todos os brasileiros em contas-correntes, do qual apenas 50 mil cruzados novos poderiam ser retirados. Era sexta-feira, 16 de março de 1990, às três da tarde. Entrou com uma hora de atraso no auditório do Ministério da Economia. Feriado bancário. Disse para um auditório lotado:

— Não há nenhuma penalização aos 60 milhões de brasileiros que ganham menos do que cinco salários mínimos, nem à classe trabalhadora, aos pequenos poupadores. Ganha a sociedade brasileira, pois teremos um país com mais justiça social. Perdem os que ganharam com a inflação, e ganham todos aqueles que perderam com a inflação nos últimos anos.

Isso era pesado. Isso era radical. Anarquizaram as leis básicas da economia. Mexeram com uma instituição brasileira, a poupança. Claro que os 60 milhões foram os mais atingidos. O Estado paralisou. Aboliram a lógica. O comércio paralisou. O dinheiro dos brasileiros ficaria retido no Banco Central por dezoito meses, com correção e juros de 6% ao ano. No caso dos fundos de curto prazo, refúgio de parte da classe média diante da inflação, o resgate era ainda mais limitado. O plano previa um congelamento brutal de recursos, equivalente a cerca de 30% do Produto Interno Bruto. Era o quarto plano econômico que os brasileiros enfrentavam em quatro anos. Os anteriores — Cruzado, em fevereiro de 1986; Bresser, em junho de 1987; e Verão, em janeiro de 1989 — tinham fracassado na tentativa de controlar os preços e estabilizar a economia.

Na véspera do anúncio do Plano Collor, supermercados remarcaram os preços dos produtos. O país mergulhou numa inflação de 82% no mês. O programa de Collor decretou controle de preços e de salários por 45 dias, aumento das tarifas de energia elétrica, telefone e transportes urbanos, e extinguia estatais, como Portobrás, Siderbrás, EBTU e Embrafilme. Resultado: o país mergulhou na maior recessão de sua história até então. Em 1990, a economia brasileira retraiu 4,3%. A inflação chegou a 1620% no acumulado dos doze meses; em 1991 recuou para 472%; em 1992 voltou a passar dos 1000%. Em 1993, a inflação foi de 2477%. E o cinema acabou.

O Brasil entrava num dos piores momentos culturais. Até Fofão se fodeu. Apenas filmes da Xuxa e dos Trapalhões conseguiam entrar em cartaz. Na literatura, a autoajuda, sob a influência de Paulo Coelho, dominava as prateleiras. Leitores precisavam de palavras reconfortantes e místicas para suportar o dia a dia. Fernando Meirelles, como Tadeu Jungle, os maiores expoentes da videoarte, foram para a propaganda. Luciano Huck começava a bombar na TV, inventando Tiazinha e Feiticeira.

O poder virara uma anarquia da direita. Um sujeito secundário na política, cujo pai matara um colega no Parlamento brasileiro, um alagoano milionário playboy que dizia que ia combater os marajás, dono de jornal e de uma retransmissora da Rede Globo, subiu ao poder, e o poder enlouqueceu. Até as danceterias começaram a fechar. O vazio cultural era desanimador.

O único alento foi a concretização do projeto MTV nos estúdios da antiga TV Tupi, no Sumaré.

Peninha também saiu da Warner, montou sua própria gravadora, lançou algumas bandas, como Virna Lisi, e quase fechou com Chico Science & Nação Zumbi. Peninha foi o primeiro a oferecer um contrato para a banda do Recife, que pensou sobre a oferta mas depois recebeu a proposta irrecusável da Sony, com quem fechou para lançar o movimento que, junto com o grunge, é das coisas que valem a pena nos anos 1990, o manguebeat. Anos depois, ele largou do negócio e foi trabalhar como montador de palcos de shows e administrar o Auditório Ibirapuera e o Centro Cultural São Paulo.

Em 1989, todas as bandas estavam na corda bamba. Axé, pagode e sertanejo começavam a bombar nas rádios e gravadoras. Veio o Plano Collor. Algumas bandas tinham vingado. As gravadoras dispensaram a maior parte:

— Ficou todo mundo desempregado. Cada gravadora ficou com os artistas que mais vendiam e dispensou o resto — lembra Rui Mendes.

Bia Aydar conta que estava na gravadora BMG, produzindo o Roupa Nova, quando todos pararam para ouvir o pronunciamento da ministra Zélia. Se entreolharam: fodeu. Ela também virou as costas e partiu pra outra. Largou as bandas, foi fazer eventos corporativos como Free Jazz e Rock in Rio. Para ela, outra pá de cal na cova do rock brasileiro foi a decadência das rádios:

— Para a massa, as rádios Cidade e Transamérica eram importantíssimas. Agora, todas as músicas estão à disposição dentro do bolso, num celular.

Quem sobrou? Scandurra, que tocou em todas as bandas (Mercenárias, Ultraje, Ira!, Voluntários, Smack, Gang 90), resume:

— Ficou quem tinha música que falasse de amor, música romântica. Essa é a dura verdade. Quem falou de amor conseguiu continuar nas gravadoras. As bandas que tinham um discurso mais militante, não. Infelizmente é assim. E o Ira! tinha música de amor.

Peninha diz que a balada tem o ingrediente comercial fundamental: ela arregimenta o público adolescente feminino, que representa metade do público consumidor. Inocentes e outras bandas eram agressivas, falavam da dura realidade brasileira. Não viam flores em ninguém. Não diziam que o importante era amar como se não houvesse amanhã. E o mercado brasileiro ainda era sustentado pelo público feminino romântico, pelas novelas, pelo radinho na orelha.

— Tinha uma piada interna nossa nos estúdios. Me lembro de brincar: "Clemente, tem que ter uma balada! Você vai rasgar tudo e fazer a primeira grande balada punk". Ele ria.

A vida era dura demais para se escutar sobre a dureza da vida. Mistérios da acomodação e latinidade brasileiras. Querer que uma banda punk faça canções de amor seria como esperar canções de duplas sertanejas que falam de conflitos de terras e reforma agrária, duplas que compram fazendas assim que ganham seu primeiro milhão.

Bivar acredita que a banda Inocentes da fase Warner deu certo a longo prazo. Diz que ainda hoje os discos deles estão em vitrines de lojas como clássicos de uma época. Acha que, naquele tempo, a banda não deu certo nas grandes gravadoras porque elas preferiram contratar as bandas de classe média alta, as de Brasília, do Rio, e o punk era pobre. Garante que tem clássicos no punk, que, se Elis Regina tivesse vivido uns anos a mais, sem dúvida gravaria "Subúrbio geral", do Cólera (do Redson).

— A música era a cara dela. Inocentes também têm pérolas, mas simplesmente não aconteceu.

Marcelino, que largou a banda que ajudou a fundar em 1983 por causa de uma mulher, lamenta que hoje não tem "nem uma coisa, nem outra". Nunca deixou de ser amigo dos caras da banda. Frequentava a casa de Clemente e a lojinha do pai dele no centro desde a adolescência. O pai dele era igualzinho ao Clemente hoje, diz: bem careca e mulherengo que só. Segundo ele, todas as letras boas eram do Clemente:

— Ele tem uma habilidade muito grande pra compor. A banda teve muitas oportunidades, mas, por causa do radicalismo e sobretudo por serem "anticomerciais", não vingaram.

Para Marcelino, eles viviam em outro mundo. Achavam que iam mudar a história, mas acabaram parados no tempo. Lembra que, no show do Rio de 1983, os Paralamas abriram pra eles.

— Paralamas taí até hoje.

Para ele, as letras do Clemente eram muito superiores. Diz que o amigo tinha o dom para escrever, mas que acredita que eles precisavam de alguém perto para dar mais força, para cuidar de um lado profissional que eles não tinham. Eram reconhecidos, mas não ganhavam dinheiro e nem se importavam com isso. Marcelino vê essa postura como imaturidade. "Não tem que tocar pra burguês", diziam a todo instante.

As letras são muito boas, as mensagens que tentavam passar, importantes e interessantes. Para ele, o trabalho do Clemente de compor vai muito além daquilo que ele fez. E declara seu amor pelo amigo: gostaria de ser como o Clemente e fazer letras como ele.

Fodeu tudo

Inocentes saiu da Warner. A filha do Clemente foi para o Colégio São Luís, escola religiosa da elite, localizada na avenida Paulista, mas que aceitava pessoas de outras classes sociais. Mesmo com bolsa de 40%, era pesado. Entramos na década de 1990, no buraco negro, onde o talento foi sugado e não escapou.
— Aí fodeu. Axé, pagode e sertanejo. Cena rock acabou. O Renato morreu. O Cazuza morreu.
A aids começou a matar. A hepatite C começou a ser detectada. Quem se picou, quem fez transfusão, quem cheirou uma cédula de cruzeiro ou dólar com gotas de sangue do anterior, se fodeu. Quem trepou sem camisinha, quem não fez um bom investimento, quem torrou tudo em birita e pó, se fodeu. Amigos roqueiros que viviam uma vida de glória anos antes passaram a ter dificuldades financeiras. Punks voltaram a trabalhar na perifa. Até os que se destacaram antes não conseguiam mais agendar shows.
Clemente ajudava com workshops e cuidava da filha, mas quem punha dinheiro em casa era Denise. Ela agitava, frequentava o pessoal do Movimento Negro. Fizeram o Estatuto do Menor. Ele ouviu um monte dela. Ela trabalhava no Circo Escola. Fascinada pela carreira, se decepcionava com o marido angustiado em casa. Mas a frustração também a atacou: seu trabalho parecia uma luta inglória, menores faziam dezoito anos e se mandavam, morriam. Uma ansiedade justificada dominou o casal. Os anos 1990, meu amigo, deprimiram o Brasil. Quem tinha passaporte em dia se mandou. Quem tinha ancestrais europeus tirou passaporte com dupla nacionalidade e se mandou. A aids matava amigos. Esta, sim, foi a década para ser esquecida.
O punk veterano recorreu ao seu Clementino. Pai, preciso de um emprego. Tomou muita coragem de dizer a frase que representa-

ria o fracasso do projeto da sua vida. Pai, preciso da sua ajuda, preciso de um emprego. Não é fácil dizer essa frase. Não é fácil admitir que o vagão tombou, que estava lotado demais de expectativa. Foi culpa do maquinista, da má preservação da estrada, do excesso de peso, de intempéries? Foi sabotagem? Não interessa. Tombou, e é preciso repensar em como seguir a viagem e carregar o peso de uma família numerosa. Fodeu. Foi vender guarda-chuvas na praça da Sé com o pai. Sem nenhum constrangimento, com uma família para sustentar e o contrato com a Warner rompido, a banda novamente rachada, um dos caras mais importantes do rock nacional passou a revezar em turno de seis horas na lojinha do pai na praça da Sé. Só os dois. E não deixou de cuidar da pequenina Mariana, de três aninhos.

Saímos da WEA como entramos, com uma mão na frente e outra atrás. Assim comecei a década de 1990, sem gravadora e com a banda sendo reformulada. Os shows passaram a rarear e tive que ir trabalhar com meu pai vendendo guarda-chuvas na praça da Sé. Foi uma época difícil, minha moral estava lá embaixo, e só a Regina Rocha, mãe da Natacha, amiga da Mariana, para me ajudar a manter a sanidade: íamos juntos levar as crianças na pracinha de manhã e trocar ideia sobre discos e livros, e à tarde, enquanto a Mari estava na escola, eu zarpava pra loja do meu pai.

Seu Clementino era uma figura. Não era raro encontrá-lo no final de um show do Inocentes, lá no fundo assistindo tudo quietinho. Muitas vezes rolava uma carona, e descobri que ele tinha umas fitas cassete oficiais do Inocentes para ouvir no carro, com capinha e tudo; antigamente, as gravadoras lançavam em fita também. Mas eu tinha perdido a proximidade com meu pai. Quando eu era pequeno ele não parava muito em casa, e quando cresci eu vivia na rua. Enfim, não convivemos muito. Trabalhar com ele aos 27 anos foi divertido, ficávamos horas papeando e fomos nos entendendo cada dia mais.

Na loja sempre apareciam aqueles amigos do meu pai que eu tinha conhecido quando era pequeno, além dos parentes que não via fazia tempo, como meu tio Vicente, minha meia-irmã Martinha, meus pri-

mos, filhos do meu tio Benedito, os filhos do meu padrinho, o Chicão. Sempre aparecia gente. Um belo dia estou lá sentado num banquinho e aparece um cara. Fiquei olhando pra ele e pensei: "Nossa, esse cara parece com meu pai. Para falar a verdade, ele é a minha cara!". Meu pai se aproximou e disse: "Clemente, esse é o seu irmão, André Luís". E sumiu, saiu fora. Eu fiquei ali olhando pra cara do André... Foi assim que conheci outro meio-irmão, de supetão. Ele era gente boa pra caramba, nos demos bem logo de cara.

Meu pai era uma pessoa muito querida, todo mundo conhecia ele ali na Sé. "Pô, você é filho do careca? Grande pessoa." Ouvia essa frase direto. Foram tempos felizes. Me divertia conhecendo mais meu pai e seu universo, fiquei uns dois ou três anos nessa. Mas meu pai tinha problema no coração, ele havia sido picado por barbeiro quando era pequeno, ainda em Cruz das Almas, na Bahia, e às vezes passava mal. Mas não foi disso que morreu.

Eu estava em casa, me telefonaram pra eu correr pra loja. Cheguei lá, ele tinha sido levado para o Hospital do Servidor Público Municipal, tinha tido um AVC. Corri pra lá e ele estava no corredor. Não havia leito disponível na UTI, foi uma briga para conseguir um. E eu com uma guitarra e tudo em punho, ainda tinha que correr para um compromisso com a banda, acho que no estúdio Transamérica, com o Barão Vermelho.

Ele passou mais alguns dias internado, mas não resistiu. No dia 12 de outubro de 1991 ele se foi, bem quando estávamos mais próximos e companheiros. Fiquei meio atordoado, mas nem tive tempo para pensar que, um dia antes, eu estava com ele; tive que correr pra resolver toda a burocracia no Serviço Funerário Municipal, no viaduto Dona Paulina, na Sé. Encomendei o caixão e, na hora de decidir pra qual cemitério ele seria encaminhado, tivemos problemas: não havia vagas em nenhum cemitério próximo, queriam manda-lo lá para a Vila Alpina. Até que, conversando com um atendente, nem sei como a conversa chegou nesse ponto, mas ele me perguntou, "Seu pai é o careca que vendia guarda-chuvas na praça da Sé, né? Ele era muito gente boa. Vou descolar um cemitério aqui perto".

E descolou mesmo. Meu pai foi enterrado no cemitério da Lapa, para o alento de toda a família, nunca me esqueci disso.

A filha, Mariana, conta que se sente completamente à vontade no Baixo Augusta, bairro de boates, puteiros, saunas e baladas. As casas de amigas da infância hoje é um conjunto comercial. Nunca se incomodou com barulho e bagunça. Lembra perfeitamente: até os cinco anos, o pai ficava com ela. Desde nenê, ele a levava num parquinho da praça Roosevelt e na praça Rotary na biblioteca Monteiro Lobato. Ou num canguru, ou no carrinho.

Clemente fazia comida saudável para a filha. Cozinhava bem, um honrado dono de casa. Ela cresceu dentro do universo punk e achava todos normais com aqueles visuais espetados. O estranho era a amiga que tinha um pai bancário ou executivo, o mundo normal que era estranho. Música? Colocavam Tom Waits para acalmá-la, e ela também pedia Green Day e Nirvana, bandas americanas declaradamente influenciadas pelo punk. Chegou a ir, aos dez anos, num show da dupla Sandy & Júnior — uma amiga fez aniversário e levou a turma. Não virou referência. Ouvia mais skas e Strokes com onze anos. O pai ganhava CDs, e ouviam sempre. Hepcat era a banda da infância.

A lojinha do pai de Clemente não era bem uma lojinha, apenas um canto, uma vitrine, uma janela, em que ele ficava vendendo guarda-chuvas — numa mesinha, esperando clientes, lendo, esperando a chuva — para uma multidão de pedestres, imigrantes e turistas que passavam pela praça da Sé, marco zero de São Paulo, e, desprevenidos, tivessem se esquecido de que nos trópicos, na terra da garoa, a chuva vem do nada e vai embora sem explicação. Muitos amigos de Clemente iam visitá-lo: João Gordo, Callegari, Marcelino, Mingau.

— Acabou tudo pra gente. Tudo, tudo. Na década de 1990, a gente era o lixo da década de 1980. Porra, apostei tudo para ir para uma grande gravadora… Tinha tudo para dar certo… E não deu. Nem existia mais cena punk, aquela cena acabou. Foi aí que o Ratos, a partir do segundo disco, começou a se destacar, porque o metal crescia. Vieram Sepultura, MX. Começou uma outra cena, a cena metal nos domingos no Teatro Mambembe. E a gente estava já tão de saco cheio daquela coisa que estava indo para um outro lado. Demoramos quatro anos para gravar, e gravamos um disco quase inteiro acústico, *Estilhaços*, por um selo do ABC, o mesmo onde a gente tinha gravado a demo que levou a gente para a Warner. E a gente não era nem muito a cara da MTV, a gente era velho, a gente não era moderno. A gente também não estava na onda. A gente começou a aparecer na MTV, mas, mesmo assim...

"Os amigos sumiram. Só ficou o Frejat. Nessa época, fizemos muitos shows com o Barão. O Frejat sempre foi nosso protetor, sempre ponta firme, ligava: 'Pô, tem show'. Pôs a gente para abrir uns shows. Ganhei uma grana, às vezes eu estava duraço. Vamos abrir um Barão Vermelho no Projeto SP, eu lembro até hoje, os caras deram 6% da bilheteria para a gente. A gente estava no camarim, todo mundo lá, e o Duda, empresário do Barão: 'A gente queria pedir desculpas que não podemos dar uma oportunidade melhor para vocês, vocês merecem. Mas, demais, olha aqui a grana de vocês. Não é muito, mas toma aí'. Fechava a porta e nós: 'Ééééé... Tamo rico!'. Ficou assim, ou era grande demais ou muito pequeno; os shows médios morriam. E a gente já não era mais punk, também não era metal. Ficamos num limbo. A gente começou a conseguir um outro público nessa fase. Eu fiz músicas como 'O homem negro', que é mais rock 'n' roll. Começamos a ser uma banda mais rock 'n' roll. Nessa formação, estava o Mingau no baixo, o César na bateria, o Ronaldo (como sempre) e eu. Fizemos dois discos com essa formação: *Subterrâneos* e *Estilhaços*. Aliás, foi você quem fez o release do *Estilhaços*."

— Vocês me pagaram?

— Eu não paguei porra nenhuma, ainda bem (risos). *Subterrâneos* saiu pela Eldorado. Já era um disco mais pesado. A gente tinha expurgado o carma do punk e começou a repensar o som.

Então, em 1994, surpresa. Apareceu o convite, de Vagner Garcia, da gravadora Eldorado, para abrir o show de quem? Deles, dos Ramones! Nos dias 10, 11 e 12 de maio de 1994, dias depois da morte de Ayrton Senna (que foi homenageado pela banda), no Olympia. O punk não morreu, apenas se escondeu nos bueiros. O punk não morre, nem tem por que morrer. É como dizer que não se deve mais negar, decidir fazer por contra própria, desejar destruir tudo para reconstruir uma utopia.

Olympia, casa gigante da Zona Oeste, Lapa, uma casa resistente, que abrigou desde shows da dupla Sandy & Júnior a Ramones, que cedeu espaço a Caetano, Capital Inicial, e muito sertanejo, pagode, axé. Inocentes teria meia hora antes de cada show dos três dias da turnê dos Ramones. Meia preciosa hora. E ficariam no camarim vizinho, separados por um corredor dos seus maiores heróis. Entravam no palco às oito e meia e saíam às nove. E foram à luta. Olympia abarrotado. A maioria os conhecia. A maioria conhecia suas músicas. Entraram, o povo estava gritando "Hey ho, let's go". Mandaram "Garotos do subúrbio", e o povo entrou em êxtase, cantou junto. O som afiadíssimo, sonzeira de primeira: o que tinha de melhor no mercado. Emendaram um clássico do Inocentes atrás do outro, sem intervalo. A plateia cantava, urrava, gritava. Foi a meia hora mais rápida na vida daqueles quatro moleques da periferia de São Paulo. No setlist, a última: "Pânico em SP".

Primeiro a bateria entrava, o baixo dava aquele solo, marca da época: quatro notas. A guitarra solava. A banda acelerava, aumentava o ritmo, a pulsação. Então, o refrão:

— *Pa-ni-cô*

E todos respondiam:

— *Em esse pê*

A banda:

— *Pa-ni-cô*

E respondiam:

— *Em esse pê*

A banda:

— *Pa-ni-cô*

Todos juntos:

— *Em esse pê!*

Fim da música. Mas não terminou. A galera continuava a cantar. Os instrumentos começam a ser desligados, a banda se preparava para sair. E da plateia vinha:

— *Pa-ni-cô. Em esse pê! Pa-ni-cô. Em esse pê! Pa-ni-cô. Em esse pê!*

A plateia não era só punk. Era tudo.

— No show dos Ramones tem tudo, metal, punk. Foi aí que a gente encarou, de novo, esse público. Falamos: "A gente ainda está em casa". Na verdade, a gente não se sentia mais em casa. Eu achava que tudo tinha mudado, estava meio desiludido com tudo, fazendo balada de violão. *Estilhaços* é um disco superbonito, de que eu gosto muito, mas é uma outra praia. Aí vem o *Subterrâneos*. O Callegari voltou para a banda no lugar do Mingau, tocou baixo, inverteu. Fizemos o show no Olympia com o Callegari no baixo. Esse show deu um estalo: a gente ainda existe, a banda é punk, esse é o nosso público. E o Callegari dizendo: "Não estou a fim de fazer punk, só sai treta". Isso era 1994.

Mingau entrou definitivamente pra banda em 1991. Era novinho de tudo, tinha uns treze ou catorze anos quando conheceu o Clemente. Era o xodozinho dele e do João Gordo, considera Clemente um "paizão". Tocava no 365, no Ratos de Porão, e saiu para o Inocentes. No show no Circo Voador de 1983, Mingau tocava no Ratos ainda e se lembra de que o Clemente ficava cuidando dele. Se enchia a cara, Clemente dava bronca. Era molecão, o Clemente não deixava ele fazer nada. Trabalhou com eles mais tarde no Napalm também.

— Curtia pra caralho andar com eles, um monte de caras mais velhos. Eu só tocava o básico, e foi o Clemente que me ensinou a tocar. A partir daí, comecei a pirar, não desgrudava mais do violão, tentando aprender coisas. Foi Clemente quem me deu a primeira luz — conta Mingau.

Havia um som nitidamente influenciado pelo punk, assumidamente punk, mas que agora se chamava grunge. Era a primeira vez que uma banda punk, Nirvana, dominava o mercado; a primeira vez que não punks passaram a curtir o som pesado e sem segredo do baixo, guitarra, bateria, a atitude punk. O que fez com que a cena rock começasse a voltar: Nirvana, Alice in Chains, Soundgarden, Pearl Jam, Stone Temple Pilots. Veio o Britpop, com Blur, Oasis, Suede; voltou o culto à depressão de Radiohead. Depois a guitarrada dos Strokes. O rock não era apenas a trilha de um comercial da Fanta; saía dos esgotos. Uma onda sem nome recomeçava. Tinha lugares para tocar? Poucos, mas tinha. Um ciclo se fechava. Terminamos pelo começo. Pelo começo do fim de tudo.

O fim

Clemente era pai em tempo integral. Por vezes, ele tinha de levar a filha bebê em programas de TV, como o *Programa Livre*. Levava também em shows abertos, em praças, de dia. Mas as coisas não caminharam como ele tinha planejado.

A morte do meu pai desestabilizou a família. Eu e meu irmão, o Luís Carlos, tentamos seguir em frente com a lojinha pra ajudar minha mãe, mas não teve jeito. Tivemos que passar o ponto e minha mãe teve que se mudar para uma casa menor, e as minhas irmãs, Marisa, Cibele e Valéria, tiveram que segurar onda, já que a Márcia tinha se casado. Que ironia, logo naquela hora em que eu estava bem próximo do meu pai, ele bate as botas. E pior, não viu a banda sair daquela fase e voltar a gravar, que era o sonho dele.

Depois da morte do meu pai, a Cibele casou e caiu fora, depois a Marisa, e finalmente a Valéria. Minha mãe foi morar sozinha. Todo mundo ajudava como podia, mas cada um tinha sua família para cuidar. Sempre que dava eu aparecia na casa da dona Alice, sempre fomos muito próximos, e ela felizmente conseguiu vencer o alcoolismo graças ao AA (Alcoólicos Anônimos), ficou totalmente curada.

Só na adolescência Mariana foi a shows do pai, como fã. Ser filha do Clemente era vantagem na escola: amiguinhas pediam autógrafo. O universo das brigas de gangue do subúrbio não chegava até lá, porque ele estava afastado, já tinha saído da cena, frequentava lugares diferentes. O visual punk permanecia. Mas nada agressivo, era o visual dele, era o normal dela. Era diferente dos pais do São Luís. Ela chegava a se perder em apês de colegas, em Higienópolis, onde ia fazer trabalho da escola. Num aniversário no pequeno apartamento deles, uma amiga foi de Mercedes. E tudo bem.

Na sétima série, quando se mudou para o Objetivo, escola da avenida Paulista, aí sim sentiu o preconceito por ser negra. O espaço era mais segregado. Talvez por causa da adolescência, em que se tem mais preconceito. Ela tinha cabelo liso, mas estava encrespando na frente. As meninas faziam comentários maldosos. Ela fala ironicamente:

— Eu não tinha o estereótipo da mulher negra, então me "elogiavam", porque eu era "parda". Essa atitude delas pra mim era pior, na minha opinião.

Criança, não via diferença entre o universo supersimples da avó paterna e o da família de Alto de Pinheiros. Nunca parava pra pensar. Adorava ir ao Limão ficar com dona Alice e a tia Valéria. Já as tias por parte da mãe tinham mais grana. Deixavam-na mais com a avó Alice, superpaciente. Elas jogavam cartas. Fora de casa, em nada lembrava o pai: nada de rebeldia, sempre foi muito certinha. Começou a beber só aos dezoito anos, porque assim dita a lei. Sempre foi boa aluna. Estudou paralelamente à escola para ser atriz.

Mais velha, ela mesma trabalhava para pagar a escola de teatro. Gostava da arte, não da profissão de ator. O pai se orgulhava. Viu todas as peças. Se emocionou em uma cena em que ela cantava em francês; foi na *Polaroid explícitas*, peça política de Mark Ravenhill, autor inglês que ficou conhecido nos anos 1990 com *Shopping and Fucking*. Mariana nunca tocou um instrumento. Pediu pro pai ensinar violão, mas ele não tinha a menor paciência; dizia "Violão, a gente toca". Aprendeu inglês sozinha porque lia muito.

Mariana cresceu na rua Herculano de Freitas, ainda na região da Augusta. Tinha catorze anos quando chegou a notícia bombástica: os pais estavam grávidos de gêmeos. Denise estava com 39 anos.

Clemente teve uma epifania. Onde dava para tocar? Em lugares na periferia, de volta às origens. Começou a agendar shows em casas de cultura pelos subúrbios e sacou que podia fazer mais. Podia ensinar. Ministrar cursos.

— Isso sustentou a gente por uma boa época. Virei professor. Prestava serviços para a Secretaria Estadual de Cultura e a Municipal: tocava e dava cursos na oficina cultural, que era do Estado, e na Casa de Cultura, que era da Prefeitura.

Passou por todas as administrações: Erundina, Maluf, Pitta, Marta Suplicy, Serra...

— Foi um cantor amigo meu, o Edvaldo Santana, quem me passou os contatos. "Não rola show, não tenho grana, estou lá tentando vender guarda-chuva." E ele: "Olha, viver de música não é só tocando. Você pode fazer outras coisas dentro da área. Pode fazer oficina, pode fazer workshop". Aquilo me deu um estalo. Eu tinha um amigo que trabalhava no Banespa, Alexandre Antônio Olímpio, poeta. Gravei várias músicas com ele, em parceria. A esposa dele, na época, trabalhava na Secretaria de Cultura. Ele: "Vai lá, fala com ela". Eu fui, ela falou: "Tem uns workshops para você ver de exemplo, ver o que você pode fazer". Mas, caralho, eu não tenho formação formal de música, em que porra eu posso dar aula? De produção musical. De banda: como montar banda, montar o material de trabalho, ensaiar com a banda. Aí criei um curso e comecei a levá-lo para a periferia. Mandei o projeto para ela, e o Luís Avelima, chefe dela, topou. Comecei a circular pela periferia inteira. Pelas casas de cultura. Às vezes, no Sesc. Aí que eu comecei a fazer uma coisa diferente.

— Que tipo de gente ia ver?

— De tudo, cara.

— Garotada?

— Garotada.

— Meninos e meninas?

— Sim. Às vezes eu cruzo com alguém que me fala: "Fiz a oficina com você, hoje sou músico... toco samba". Do caralho. "Eu toco rock... tenho banda de metal." O próprio baterista do Inocentes de hoje saiu de um curso nosso, no Butantã. Eu trabalhava por projeto, dois meses numa casa, três na outra, às vezes quatro. Eu andava a cidade inteira, não tinha carta de motorista ainda. Ia para São Miguel, Itaim Paulista, para uns lugares absurdos, de busão.

"E o Inocentes ia tocar. Começamos a fazer uns shows, shows antológicos. Praça do Forró em São Miguel, 3 mil neguinhos. A gente detonou. Comecei a sentir aquela vibe porque estava na periferia de novo, e tinha outro clima. E a banda era punk. Mas não era aquela coisa panfletária, o gueto punk; era uma molecada da periferia que tinha de tudo: skatista, headbanger, a porra toda. Tudo que era neguinho que gostava de rock 'n' roll estava indo ver a gente, porque a gente era a banda da periferia. Só que aí eu falei: 'A gente vai gravar nosso disco e vai ser mais punk de novo. A gente vai ter que voltar para isso'. O Callegari não queria, o César, baterista, também não. Aí que chegamos a essa formação que está até hoje. Encontrei o Anselmo, que é punk, amigo meu desde 1980, lá na Galeria do Rock: 'Você toca baixo?'. 'Toco baixo, toquei no Viúva Velvet'. 'Vem fazer um teste no Inocentes.' O Nonô, que tinha aula comigo, puta batera de metal, toca pra caralho... A gente precisava de um batera, e não fui nem eu que convidei, falei: 'Batera de metal, o cara não vai topar'. O Ronaldo convidou 'Você não quer tocar com a gente no Inocentes?'. Ele: 'É meu sonho'. Ele já era meio roadie da gente."

Passaram a fazer shows com o pessoal do rap também. Ele rodava a cidade procurando ganhar uns trocados em workshops. Em 1996, foi trabalhar com o amigo do Turco Loko, agitador e político paulistano, dono da confecção Cavalera e muito ligado a movimentos sociais dos jovens da cidade, num cargo comissionado da Prefeitura e depois do Estado. Virou funcionário público: trabalhou na Anhembi, um ramo da Secretaria Municipal da Cultura, ficou lotado na Câmara e na Assembleia, organizava shows na perifa. Produziu o show do Grito de Carnaval Reggae, de São Miguel, extremo leste, projeto do Alfredo Rasta, entre 1996 e 1998. Bandas no palco, nenhum segurança, nenhuma violência. Muita maconha, uma nuvem de maconha. Ideia genial de quem prefere reggae ao samba e curte passar Carnaval em São Paulo.

Na Secretaria do Estado, fez o projeto Caldeirão das Artes, uma parceria com faculdades: entrava com a infraestrutura e os alunos de faculdades traziam o conteúdo, manifestações artísticas, bandas, fotos, pinturas. Levava um artista consagrado. Clemente passou a ser empregador dos colegas em baixa. Contratou Lobão várias vezes, Tom Zé, Ira!, Walter Franco, Capital, Demônios da Garoa. Contratava, negociava cachê, produzia.

Surpresa: Brian Butler foi para a Abril Discos. Era o mago do Banguela, selo dos Titãs, que lançou Raimundos na nova gravadora. Tinha tudo para dar certo. Músicos saíram do ostracismo, as velhas bandas começaram a assinar contratos. O rock 'n' roll ainda resiste. O sucesso dos *unplugged* estava cristalizado com a associação com a MTV, também do Grupo Abril. Titãs, Capital Inicial, Legião, todos começaram a gravar seus discos *unpluggeds*. Inocentes assinou com a gravadora. Clemente ganhou um adiantamento e virou produtor musical do *Musikaos*, programa do Gastão da TV Cultura. O dinheiro voltou a entrar.

Entrei pela década de 1990 cuspindo fogo pelas ventas. A cena já não era mais a mesma, os punks da periferia voltaram para a periferia e ficaram demasiadamente politizados e muito mais preocupados em brigar entre si do que em montar bandas interessantes. Já o punk da classe média foi ficando cada dia mais chato, branco, tatuado e descolado. Aquela miscigenação racial, social, cultural e musical, que fazia tão bem aos dois lados, não existia mais. Aquela troca, de onde surgiram bandas como as Mercenárias, havia ficado para trás. As bandas só queriam cantar em inglês e soar como bandas de Nova York ou de Londres; perderam a identidade e a função social conquistadas ao longo dos anos, virou uma cena voltada para a própria cena. Tanto que o legado dessas bandas é ínfimo. Eu, que era um dos inventores do Brazilian Hardcore, termo usado pelos gringos para definir o som que fazíamos por aqui, já que não soávamos parecidos com ninguém, não ia dar um passo atrás e embarcar nessa. Já o pessoal do Ratos de Porão encontrou seu espaço misturando seu som ao thrash metal. Eu era punk da primeira geração, não conseguia me identificar com o metal apesar de respeitar o estilo. A gente não se encaixava em nenhuma dessas cenas, e ficamos tateando, tentando achar um lugar para nós. Lançamos o disco Estilhaços *em 1992, pelo selo Camerati, quase inteiro acústico.*

A chegada da democracia fez com que todo mundo desse uma relaxada. Estávamos cansados de guerra, todo mundo queria apenas enlouquecer um pouco sem compromisso. O hip-hop não baixou a guarda e foi conquistando corações e mentes pela periferia da cidade, e muitos punks debandaram para o rap. O Krânio até virou muçulmano. Eu quase fui nessa onda, estava em crise de identidade, escrevi canções como "O homem negro" para me autoafirmar. Eu era um garoto negro no lugar errado. A crise passou logo. Marcel Plasse me convidou para gravar uma versão de "Pânico em SP" com o Thaíde e o DJ Hum, que ganhou o título de "Testemunha ocular" e saiu em 1993 na coletânea No Major Babes Vol. 1, *que ele produziu para a Paradoxx. Gravar com os dois foi uma verdadeira terapia. Eu já estava flertando com o rap havia algum tempo, mas faltava a experiência com os caras do meio. Rolou e o resultado me orgulha. Eu vi que não precisava virar casaca, nós falávamos a mesma língua.*

Quando meu curso de produção musical foi aprovado pela Secretaria de Cultura, eu me preparei para o pior; não sabia o que encontraria nessa viagem de volta à periferia. Atravessei a cidade de ponta a ponta e de extremo a extremo, conhecendo bandas e gente nova, e fui surpreendido por aquele frescor do começo do punk que ainda estava vivo. Só não existia um movimento para unificar essa galera, cada um estava na sua fazendo o seu som à sua maneira. Eles nem sabiam da existência um do outro, eu que era a conexão entre bandas como Pacto, Identidade Falsa, Treme Terra, PB, Full Range, More Beer e Santo Daime, que gravaram um ou dois discos, nunca foram reconhecidas pela mídia, mas faziam um som de resposta.

Por onde eu ia, Inocentes me seguia: César Romaro na bateria, Mingau no baixo, Ronaldo e eu nas guitarras. Ainda estávamos em busca de uma nova sonoridade quando desembarcamos na periferia para shows em praças e casas de cultura. Tocamos nos lugares mais distantes do centro da cidade e começamos a entender que nossa música ainda era relevante para os garotos da periferia, fossem eles punks ou não. Em 1994, quando fomos convidados para abrir os shows dos Ramones, foram três dias seguidos com 5 mil pessoas por dia, chegamos ao Olympia à tarde para passar o som e fomos recepcionados por uns sessenta Carecas do Subúrbio, eles eram os seguranças. Os Carecas são a versão tupiniquim dos skinheads ingleses e, como eles, tem careca de esquerda, de centro e de extrema direita, esses mais conhecidos como Boneheads. Não faço ideia de qual seja o segmento ideológico dos Carecas do Subúrbio, só sei que eles nos trataram muito bem e com o maior respeito; nos ajudaram a carregar e a montar nossos equipamentos as três noites seguidas; durante o show, faziam algumas incursões pelo público para socar algum desafeto e só. Nós entrávamos no palco ouvindo o grito de guerra dos Ramones, "Hey Ho! Let's Go!", e saíamos do palco aos gritos de "Pânico em SP!". Naquele momento eu já sabia que a gente não precisaria mudar nada para ser diferente e que ainda éramos relevantes para a garotada nas ruas.

Em 1995, abri uma loja de discos na Galeria do Rock chamada Crash!, e foi lá que começaram a chegar os discos da nova cena punk americana, as bandas da terceira onda do ska, as novas bandas de hardcore e de rap metal. Foi na loja que vi a explosão do manguebeat para todo o Brasil; era como se minha famosa frase se materializasse na minha frente: "Estamos aqui para pintar de negro a asa-branca"... A cena estava fervilhando outra vez e nós fazíamos parte dela.

Entramos em estúdio e gravamos o Ruas, lançado pela gravadora Paradoxx em 1996. Um disco barato, produzido pelo Alex Kirino e com a arte da capa feita por Titi Freak, um garoto que frequentava minha loja e virou um dos maiores grafiteiros do país; X, do grupo de rap Câmbio Negro, cantou e rimou na música "Intolerância". Esse disco trouxe o Inocentes de volta à sonoridade punk. Ainda no ano de 1996 fomos convidados a participar do festival Close Up Planet, com Sex Pistols, Bad Religion, Cypress Hill e Marky Ramone; as bandas nacionais eram os Ostras, Little Quail, que acabou não tocando porque o baixista se atrasou para o show, e o Inocentes, que fez um baita show. Santa ironia, eu que tinha adentrado a década de 1990 cuspindo fogo pelas ventas, de saco cheio de tudo, sem saber que caminho seguir, cheguei a 1999 emplacando um hit nas rádios rock: "Cala a boca", do disco Embalado a vácuo, lançado pela Abril Music, e fazendo a produção musical do Musikaos, o programa do Gastão Moreira na TV Cultura, para onde levamos bandas dos mais variados estilos e gêneros, muitas aparecendo pela primeira vez na TV. Quando parece que tudo vai dar errado, dá certo.

A dinâmica na família mudou. Denise deixou de ir aos shows, "chegava uma hora que não acompanhava mais". Sempre foram muito independentes: ela saía sozinha, ele também, e se reencontravam em casa. Em 1997 rolou a crise no casamento, um "ou vai ou racha", e eles decidiram tentar continuar juntos. Em 2000, quando engravidou dos gêmeos, ela já queria ir "morar no mato" havia tempos, então mudou com todo mundo pra serra da Cantareira. Clemente não gostou da ideia, mas foi mesmo assim. Ele pensou "Bom, eu vou ter que ficar em casa cuidando de gêmeos, o tempo todo em casa, vou me enfiar no mato, mesmo".

Ele trabalhava na TV Cultura, a filha mais velha estudava no Objetivo da avenida Paulista e não quis mudar de escola, então aos poucos foi ficando difícil. Ele queria continuar fazendo as coisas dele, mas não era mais tão o.k. ter sua independência, diz ela.

A nova casa na Cantareira ficava num terreno de mil metros quadrados e veio com um jardineiro, que chamava o novo patrão ex-anarquista punk de seu Quelé. Seu Quelé pra cá, Seu Quelé pra lá. Chovia, caía a luz, queimava modem, TV, tudo. Caiu uma árvore dele no quintal do vizinho. Recebeu o telefonema:

— Ô, meu, sua árvore caiu no meio do meu quintal.

— A árvore não é minha, é de Deus...

Lá foi o jardineiro com seu Quelé no vizinho cortar a árvore em blocos.

Clemente demorava horas para vir da Cantareira. A filha estudava na Paulista, o médico dos gêmeos era na Paulista, por que nos mudamos pra cá?! Ele acordava às cinco da manhã, levava a filha pro metrô, voltava, dormia, ajudava com os gêmeos, voltava para a estrada para pegar as duas empregadas, duas! Ia dirigindo e quase dormindo na perigosa serrinha que liga a Cantareira a São Paulo, viagem de meia hora. A filha, a primeira carona do dia, cutucava o pai, puxava assunto, falava sem parar. Que vida dura, seu Quelé... Trabalho na repartição pública, programa de TV no fim de tarde, shows à noite e dois bebês em casa. Não dormia.

O sacrifício valia a pena. A família se deslumbrou com a casa e o espaço. Mariana diz que estar no meio do mato e ficar isolada mudou sua vida. Adorava fazer dos irmãos seus brinquedos, bonecos. Uma fase gostosa, lembra. Levava as amigas pra mansão no mato do seu Quelé. Passava as tardes em São Paulo: cinema ali da região da Paulista, passeios, shopping. Queria aproveitar... A filha adolescente sabia: aquilo tudo podia não durar. Por vezes os pais perdiam tudo, e de novo o padrão caía. Certa vez, foi Frejat que pagou uma consulta médica dela.

A vida sempre foi na corda bamba. Eles tinham bens e dívidas. No primeiro colegial do Objetivo, ela não pôde começar com todos os colegas; teve que esperar abril, porque os pais estavam sem dinheiro para a matrícula, apesar da bolsa entre 40% e 60%. Evitava o assunto com as amigas. Mas, quando tinha dinheiro, tudo bem: o pai até ajudava uma parte dos Nascimento. Na fase Cantareira, Clemente ganhava dinheiro com a música (shows, direitos autorais), mas a fonte principal sempre foi o trabalho na Secretaria, na TV Cultura.

Ser filha do Clemente intimidava os moleques, mas dava moral na escola. Certa vez, ele fez um show na Fnac da avenida Paulista, em frente ao colégio. As amigas atravessaram a rua e foram ver o pai roqueiro da colega.

Ela nunca viu o pai brigar. Aliás, ele nem brigava mais. Soube que, quando era bebê, ela e o pai foram perseguidos por um skinhead, o que o assustou muito. E, num show, ele foi defender o filho do Ariel. Ela tinha dezesseis anos. O pai a colocou de lado, mandou ela se afastar e saiu pra briga. Os filhos dos amigos punks, como de Douglas, Marcelino, Ariel, brincavam com ela.

Testemunhava, sem se meter, os conflitos dos pais, que sempre discutiam sobre a situação financeira da família. Denise não trabalhava e cobrava mais caixa. Mas ele era uma babá para a filha. Faltava maturidade por parte da mãe, admite Mariana. E Clemente não desistia: hibernava, mas teimava com seus projetos, sua luta, sua estética, sua obra. Não era o marido habitual da menina de família rica. Não era um cara qualquer, um cara comum. Era um roqueiro. Ela se casou com um, sabia disso, então que aguentasse... Por vezes, falta-lhe fôlego para explicar sua vida:

O tempo passou e em 2001 vieram os gêmeos, Pedro e Iago. Eu estava morando na serra da Cantareira numa casa gigante. Cuidar de gêmeos não é fácil e, morando tão longe, não dava pra ninguém aparecer para ajudar, no caso, minha mãe ou minhas irmãs, já que as irmãs da Denise não estavam nem aí pra gente e a mãe dela teve um aneurisma e não tinha como nos ajudar. Resultado: eu e a Denise ficamos malucos cuidando dos dois e deixamos a Mariana, então com catorze anos e meio, de lado, numa fase importante da vida dela.

Fiquei um bom tempo sem visitar ninguém, minha mãe inclusive. Demorou para a minha vida voltar ao normal. Só depois que me separei da Denise, que foi morar na praia com o Pedro e o Iago, e a Mariana foi morar com uma amiga, e de eu ter tido duas namoradas, depois de toda turbulência passar, que eu me dei conta de que precisava visitar minha mãe com mais frequência. Ela estava morando sozinha, já tinha mais de setenta anos e algumas dificuldades financeiras. Todos os irmãos ajudavam como podiam e eu também. Todo sábado que eu não tinha show, que eram muitos, eu passava à tarde na casa dela. Ia no mercado, fazia uma compra pra ela e ficava lá papeando. Depois de um tempo notei que ela começou a esquecer das coisas, que eu havia feito compras na semana anterior e deixava algum produto estragando na geladeira, e começou a esquecer de algumas coisas básicas. Minha irmã Marisa tentou cuidar e levou minha mãe pra casa dela, onde dona Alice teve uma crise e o Alzheimer foi detectado. Dali pra frente, minha mãe nunca mais foi a mesma, precisando de cuidados constantes. Até que tivemos de interná-la numa clínica de repouso, onde a minha irmã Cibele estava sempre por perto. Não teve jeito, ela teve complicações e ficou um bom tempo internada no Hospital da Cachoeirinha; se recuperou e voltou para a clínica. Não demorou muito e ela faleceu, no dia 24 de setembro de 2009, um dia antes do aniversário da minha irmã caçula, a Adriana Valéria. Dessa vez eu já estava me preparando para o pior, a doença faz isso com a gente. Quando a Márcia telefonou, eu nem me assustei, estava até com uma grana reservada pra qualquer emergência. No enterro dela, no cemitério da Cachoeirinha, perto da casa onde crescemos, foram todos os filhos e netos, e meu meio-irmão, o Luís Carlos, apareceu com o Daniel, um menino que ele havia acabado de adotar. Fiquei feliz de como a vida pode surpreender a gente: eu havia acabado de perder minha mãe e já estava ganhando um novo sobrinho.

A morte da mãe, o fim do casamento, nenhum contrato com gravadora... Chega um tempo em que cada um olha mais para si.

Denise olhou para si. Não derrama lágrimas pelo passado conturbado. Está bem. Estão bem. Encontraram um equilíbrio raro na vida de um artista com altos e baixos. Conta: tudo azedou, e eles desencanaram mesmo. Quando ela não está trabalhando, é ele quem banca a estrutura para ela viver com os filhos. Ela diz que se dá muito bem com ele até hoje e que eles confiam um no outro e se gostam. Ela, que mora na praia, diz que às vezes ele vai pra ficar uma semana, e aí "já é demais". Mas no fim eles se ajustam, pensando no bem-estar dos filhos e na importância de o Clemente estar sempre por perto. Se dão muito bem, são amigos e parceiros até hoje.

Mariana entrou na faculdade de letras da USP em 2004. Aos dezessete anos, na "Fefeleche", o departamento de Filosofia, Letras e Ciências Humanas (FFLCH), sinônimo de turbilhão de ideias, vanguarda, contestação, ela nem podia aprontar como uma uspiana saindo da adolescência, fora do rígido controle dos pais, porque começou a trabalhar e ficou focada no teatro. Fã de *Senhor dos anéis*, virou tiete das bandas Excluídos e Holly Tree, grupos dos anos 1990 com influência punk, que tocavam no Hangar, na rua Rodolfo Miranda, no bairro do Bom Retiro.

Passou a dividir um apê com uma amiga na rua Augusta. Queria sua independência. Fazia transcrição, depois tradução. Virou sócia de uma empresa de tradução inglês-português-inglês e espanhol-português, especialista em área financeira. Ganha dinheiro com isso. Clemente acha que ela ganha mais do que ele.

Está mergulhada na obra de Freud. Seu futuro é a psicanálise, faz um curso no Núcleo de Pesquisas Psicanalíticas (NPP). É um plano se tornar psicanalista? Veremos. Reconhece que ela mesma teve muitos conflitos com a mãe, uma relação tensa. Sua personalidade forte batia de frente com a dela. Quem apaziguava? O pai.

A menina cresceu, casou-se, virou a terapeuta dos pais e dos irmãos caçulas. Clemente se queixa com ela de trabalho, de traições nos negócios. Ambos têm confiança no que a filha vai dizer. E ela acaba também ouvindo queixas dos meninos, checa os boletins escolares dos moleques. Virou a conciliadora da família e aluga a casa da praia de Boiçucanga, no litoral norte de São Paulo, para onde Denise e os meninos se mudaram. Ali se concentram as escolas da região. Os moleques, fãs de skate e bodyboard, são garotos praianos. E Mariana é vegana, por pena dos bichos. Como João Gordo. Mas não critica o pai; por vezes, Clemente come a comida sem carne da filha. Punks também não comem carne. E, provocação maior: ela não usa couro verdadeiro! Uma afronta ao universo punk. Toda a geração de Marlon Brando a Ramones grunhiria.

Sob controle

Como muitos, eu me criei e me perdi nos anos 1980. Fiz daquela década inspirada a minha escola e o meu palanque. É curioso como os protagonistas da década perceberam cedo que a farra tinha um fim. E um preço. Que, como o país amadurecia, sua juventude precisava seguir seu próprio caminho. Clemente criou juízo, teve emprego e filhos. Muitos amigos e amigas começaram a ter filhos, muitos se casaram, descasaram, recasaram. Um único compromisso virou a marca de todos: fomos obrigados a nos reciclar. E a curar a ressaca.

Minha rotina de artista jovem era deprimente. Escrevia, fumava maconha, escrevia, bebia, saía, cheirava pó. Tranquei a faculdade da USP por dois anos, no fundo pensando em largá-la, como a maioria daquela turma da ECA que viveu em torno da cena punk, alimentou-a e se alimentou dela. Mas não deixava de frequentar o Cepeusp, a piscina da universidade.

Aproveitei o deslumbre da fama e da grana para viajar e conhecer o Brasil, dar palestras em todos os cantos para os quais fosse convidado. Fernanda não me quis mais. Não seguiria mais meu ritmo, estava noutra. Estava na faculdade, focada. Nos separamos. Aluguei um apartamento no Bixiga. Ou Bela Vista, ou Cerqueira César, nunca sei o nome daquela parte da cidade. Um amigo fotógrafo veio morar comigo. Arrumei uma namorada no Rio, outra em Vitória, outra no Recife, nenhuma em São Paulo. Fazia escalas nos voos para encontrá-las. Achava que assim seria a vida, assim era a vida de um escritor. Meus livros começaram a ser traduzidos. Os convites para as viagens agora ficavam irrecusáveis. Nova York de novo, Paris por meses, na casa da minha irmã, Alemanha por dois meses, viajando de trem e dando palestras. Quatro meses na Itália. De novo Alemanha, dessa vez numa turnê com outros escritores. Cuba, para apresentar uma peça. Moscou, Estônia, em congresso organizado pela ONU. Espanha, para lançar *Feliz año viejo*.

Meu terceiro livro não foi tão bem recebido como os anteriores. Meu editor morreu num acidente de moto, tive que mudar de editora. Meu agente europeu maconheiro sumiu, até hoje ninguém sabe dele. O mercado abençoou outro fenômeno de vendas, Paulo Coelho, e outro gênero literário me deixou obsoleto, o da autoajuda. Reciclar. Voltei para a ECA. Não para estudar, não se estuda na ECA. Voltei para pegar o diploma. Passei muito tempo na piscina da USP curando ressaca. Cheirava e bebia a noite toda, e ia nadar. Pasmaceira. Certa vez meu dentista reclamou que eu estava com catorze cáries. Olhou no fundo dos meus olhos e perguntou: "O que está acontecendo?". Não respondi, mas era a idiota da boemia corroendo meus dentes. Fui assim até ter uma infecção urinária violentíssima, não tinha nem trinta anos. Parei. Parei com tudo. Eu detestava cocaína e tudo o que ela representava, o seu sabor, o seu efeito. Cheirei porque tinha de cheirar. Não me viciei, nunca comprei, cheirava o que me ofereciam. Saio dessa vida. Passo a nadar três vezes por semana.

Terminei o curso de rádio & TV. Fui fazer um curso de dramaturgia no CPC. E um mestrado em literatura na Unicamp, que foi o que me fizera pegar o diploma da USP. Me apaixonei pela Adriana, uma psicóloga mais calma, mais paciente, mais caseira, que não era ciumenta, que não me cobrava sanidade, que curtia jazz e silêncio, comida natural, não tomava nem café. Nos mudamos para um bairro mais calmo. Ganhei uma bolsa para um programa de escritores e jornalistas na Califórnia. Ela foi comigo. Reciclar.

Voltei escrevendo peças de teatro, roteiros, crônicas, livros sobre relações amorosas. Não tenho a menor vontade de voltar no tempo. Sinto saudades da qualidade da arte dos anos 1980, mas não da sua angústia e do sentimento de *no future*. Estou bem. Fiquei bem. Deu tudo certo. Acho que deu. Cumpri minha parte: estudei, me reciclei. É o segredo. Vi amigos, estrelas de rock em uma década, trabalharem na seguinte como motorista bilíngue, professor de bateria, tradutor de legendas de filmes, engenheiro, operário, freelancer, morando de favor, maître de restaurante, jurado de programa de auditório, ator canastrão de novela, plantador de maconha, personagem de reality shows. Não posso reclamar. Algumas bandas e artistas daquela época reinam e reinarão por muito tempo. A grande maioria quer ser lembrada e encontrou ferramentas na internet para se imortalizar. O que é mais que digno, pois havia muito talento que a indústria não reconheceu e o público não conheceu.

O ideal punk parecia impossível, mas não era. O punk rendeu frutos, criou um novo mundo. A internet é inspirada no ideal punk, foi criada pela geração que viveu aquela época, dançou e ouviu o punk. Danem-se as corporações: *do it yourself*. Continua contra o sistema. Inovações quase faliram gravadoras, deram uma nova organicidade ao mercado. Impérios da mídia estão em bancarrota graças à internet. A indústria do cinema, como a da música, da televisão, a imprensa, a telefonia, até o monopólio de taxistas, tudo está sendo obrigado a se reciclar, se reinventar, se renovar. O ideal punk "você pode ter sua própria banda" se expandiu para "você pode ter sua própria emissora de rádio, editora, ser um canal de notícia, ser fotógrafo, ter sua revista própria".

Em 2000, vendiam-se nos Estados Unidos 785 milhões de discos. Em 2001, dois nerds, Shawn Fanning e Sean Parker, criaram o Napster, que permitia a troca de músicas para quem estivesse ligado à rede. Em 2008, as vendas despencaram 45%. A Apple salvou o mercado. Impôs que seriam vendidos, pelo iTunes, uma música por no máximo 99 cents e um álbum por 9,90 dólares. A indústria chiou, chiou, chiou. Hoje voltou a ter lucro.

Serviços pagos e gratuitos de streaming passaram a dominar o mercado, viraram países, tamanho o gigantismo. Em 2014, parte do SoundCloud, com 175 milhões de usuários mensais, foi comprada pela Warner. Foi uma baita jogada comercial: a gravadora adquiriu a participação no SoundCloud com 50% de desconto e o compromisso de inserir seu conteúdo. Da mesma maneira, a Paramount se associou ao YouTube. A Sony é dona da Vevo. As "Big Three", Warner, Universal e Sony, compram cassinos e startups de streaming, como Rdio, fornecedora de vídeos musicais interativos, como Interlude, até o Shazam. Ganham descontos, em troca dão acesso geral aos artistas contratados e suas músicas.

Os artistas milionários também investem. Jay-Z comprou os serviços suecos de streaming de alta resolução Wimp e Tidal, se associando com Beyoncé, Calvin Harris, Kanye West, Alicia Keys, Jason Aldean e Daft Punk; cada um tem 3%. A *Forbes* calcula que as três grandes gravadoras têm 3 bilhões de dólares investidos em startups de música digital. A Universal comprou 13% da Beats by Dr. Dre.

As três grandes sacaram tardiamente que uma maneira de faturar é comprar quem quer tomar seu espaço. O que outros dois gigantes, Google e Facebook, entenderam desde o começo. Dois modelos de streaming de música dominam o mercado, Pandora e Spotify. Só o YouTube pagou mais de 1 bilhão de dólares em adiantamentos nos últimos dois anos às grandes. O Spotify transferiu 70% de sua receita (0,7 cent por execução) para gravadoras e editoras; tinha, em 2015, 60 milhões de usuários ativos, dos quais 15 milhões pagavam a versão premium. Isso representa 130% a mais do que 2013. Repassará para as gravadoras, em 2016, mais de 1 bilhão de dólares.

Hoje as gravadoras ficam com uma porcentagem da receita dos shows dos seus artistas contratados, algo inegociável décadas atrás. Artistas mais jovens cedem de 10% a 20% da renda líquida dos shows para as gravadoras. O mercado mudou. O rock não morreu. Inocentes ganham agora com a visualização no YouTube. Jovens punks mirins do Brasil todo têm a chance de conhecê-los via internet. Se Inocentes dá show no Acre ou Piauí, é por conta das visualizações no YouTube.

Bandas como Capital Inicial, Metrô e Camisa de Vênus voltaram graças à nova dinâmica do mercado. Plebe Rude também. E quem assumiu o vocal? Clemente.

Uma verdade precisa ser dita: o rock não morre. O punk não morre. E não morrerá enquanto existir fúria. Deixem os casacos de couro no cabide bem guardados. Vocês precisarão deles de novo.

Em 2016, fui enfim fazer a única coisa que não fizera ainda na vida, aquilo que, no começo dos anos 1980, me vez prestar vestibular para rádio & tv na usp: estreei um programa de rádio às segundas-feiras na 89 fm, a eterna Rádio Rock, acompanhado do radialista Zé Luiz, do jogador roqueiro Casagrande e de Branco

Mello, dos Titãs. Um programa sobre rock e futebol, chamado *Rock Bola*. Finalmente eu estava numa bancada com um microfone, indicando músicas, falando com ouvintes, debatendo temas da semana. Demorei 36 anos para enfim me dedicar àquilo para o que eu me preparava.

Coincidentemente, o mesmo prédio abriga a rádio KISS, também de rock. Clemente tem um programa nela, na hora do almoço.

Me lembrei de 1980, 1981, quando eu passava tempos entre UTI, hospitais, leitos hospitalares em casa, em repouso, mais deitado do que sentado, atravessando madrugadas insones, ouvindo rádio dia e noite, ouvindo exatamente a 89 FM, refletindo sobre o meu futuro e concluindo: agora que sou um cadeirante, está aí uma profissão que não me trará desconfortos, a de radialista. Dei toda a volta para chegar de onde parti. Cada apresentador indica uma música. Na estreia do nosso programa, segunda-feira, depois do Carnaval, não pensei duas vezes: escolhi "Pânico em SP".

Só eu entendi o significado daquela execução. Era a minha vitória, minha solitária comemoração. Que bom que não morri afogado em 1980, quando mergulhei bêbado e chapado num açude e quebrei o pescoço, aos vinte anos de idade. Que bom que vivi tudo o que veio depois.

Faço tantas coisas ao mesmo tempo, que muitas vezes duvido da minha própria capacidade de raciocinar. Estou sempre conectado, o que faz com que eu esteja sempre trabalhando, a qualquer hora, em qualquer dia. Quando escrevi a música "Rotina", em 1984, eu trabalhava doze horas por dia numa fábrica de cordões de sapato, mas depois que eu batia o cartão de ponto, pronto, eu estava fora daquilo. Tinha sábado, domingo, horas de lazer. Mas hoje... Nem George Orwell pensou em algo tão perverso em 1984. Nos conectamos, temos a sensação de prazer e liberdade, e nem notamos que o Grande Irmão nos observa, silencioso, através da Teletela, sabe cada passo que damos, sabe nossa opinião sobre tudo, sabe muito sobre nossas vidas, e nós mesmos contamos tudo a ele em troca da sensação de liberdade e prazer que ele nos dá. Somos felizes fazendo isso o tempo todo. Nem ouso me desconectar, sou apresentador num dos maiores sites de música do país, o Showlivre.com, tenho que estar sempre ligado e conectado, faz parte. O Walter Abreu apostou em mim, e lá se vai uma década e meia, como apresentador no Showlivre. Meu primeiro programa foi o Pé na Porta; *eu invadia a casa, o estúdio, a privacidade de algum artista com o microfone em punho e meu humor peculiar. Descobri que tem gente que se leva muito a sério.*

Essa história de apresentador começou por acaso. Em 1999 eu estava ensaiando com o Inocentes em um estúdio quando o Gastão Moreira, que havia acabado de sair da MTV, me ligou: "Clemente, estou com um programa novo na TV Cultura chamado Musikaos, *você quer ser o produtor musical?". Poxa, claro. Desliguei o telefone e me perguntei: "O que faz um produtor musical de um programa de TV?". Foram três anos felizes de* Musikaos. *Foi lá que comecei, rudimentarmente, a apresentar e entrevistar. Culpa do Pedro Vieira, diretor do programa, que me incentivou e investiu em mim. Sou grato aos dois, sempre que podemos estamos juntos. Apresentei* História do Rock Brasileiro *pra TV com o Pedrão, e faço o* Heavy Lero *para web com o Gastão. Temos um canal no YouTube chamado* Kazagastão.

Para um cara rude vindo da periferia e forjado nas ruas, até que tenho me virado bem nesses tempos modernos e ágeis, onde há muita informação e pouca reflexão. Ninguém respira nem pensa cinco minutos sobre nada, mas em compensação temos ferramentas próprias para fazer a informação chegar longe. Nada é perfeito, sempre tivemos problemas. Até no tempo de nossos velhos fanzines, e hoje não poderia ser diferente. Na verdade, não tenho do que reclamar; eu, que gosto de acompanhar o que está rolando na cena independente, consigo estar sempre informado, sempre encontro uma banda nova para tocar no meu programa de rádio na Kiss FM, o Filhos da Pátria. *Gosto desse nome porque posso abreviar para FDP. Adoro insultos sutis.*

Em 2012 foram completados trinta anos do festival punk O Começo do Fim do Mundo, *e o Sesc Pompeia me chamou para fazer a curadoria da reedição comemorativa, que ganhou o nome de* O Fim do Mundo Enfim. *Fiz o projeto junto com o Antônio Bivar. Foi ótimo reencontrá-lo, fazia um bom tempo que não o via, e ele estava ótimo, com o mesmo jeitão de sempre. Passaram-se trinta anos e o Bivar continua o mesmo, incrível. Esse tipo de evento sempre me faz refletir sobre meu papel naquilo tudo. Estou presente em vários documentários, no do Lira Paulistana, do Madame Satã, do Napalm, do Rock de Brasília, sobre a década de 1980 e por aí vai; estive presente e participei de várias cenas diferentes, mas o punk sempre foi o mais importante. Subo no palco com o Inocentes com a dúvida de sempre na cabeça: será que não é hora de parar? Nós já cumprimos nosso papel na história. Mas a reação do público é sempre tão boa, as músicas continuam tão atuais, que acabo sempre adiando essa decisão. Com a Plebe Rude é diferente, tudo é mais leve. Divido a responsabilidade da linha de frente com o Philippe Seabra e o André X, parceiros de longa data, e tudo soa novo, estou com eles desde 2004. No dia seguinte à apresentação do Inocentes no Sesc Pompeia no* Fim do Mundo Enfim, *embarquei para o Chile com a Plebe para tocar no Lollapalooza. Foi sensacional, o clima do festival foi ótimo e nos divertimos muito. E ainda tocamos dias depois na edição no Brasil. Adoro tocar nas duas bandas, cada uma é uma experiência diferente.*

Quatro anos depois disso, o Sesc me chama de novo, agora para o lançamento do DVD O Fim do Mundo Enfim, *com a exibição de um documentário sobre os trinta anos do festival* O Começo do Fim do Mundo *no CineSesc. Depois da exibição tivemos um bate-papo com o Bivar e a Camila Miranda, diretora do documentário. Sempre acabo participando desses bate-papos, faz parte do ritual. Encontrei um monte de gente que eu não via fazia tempo, Callegari, o Ariel e a Tina, o Nenê da Vila Carolina, Mirão, a Guararema, o Moreno do Lixomania, só pra dar uma ideia de quem estava lá, um pouco da nata do movimento punk paulista de 1982. Faltou gente, mas estávamos bem representados, todos ostentando suas barrigas e seus cabelos brancos, quando havia cabelos. O filme começou e nos vimos tão jovens, tão garotos, fazendo uma coisa tão importante na cena punk mundial, que me emocionei.*

Ultimamente, tenho pensado no legado que vou deixar, pois a vida continua a caminhar a passos largos. A Mariana vai se casar com o Caio. Eu encontrei minha cara-metade, a Margot, que mora longe, lá em Curitiba, mas estamos sempre juntos. Outro dia, falei para os meus meninos, o Pedro e o Iago, que a única herança que teriam de mim seriam cinco guitarras e três amplificadores, que só valeriam alguma coisa se soubessem tocar. Não demorou muito e o Pedro mandou um vídeo do Iago tocando "Pânico em SP" no violão. Senti um frio na barriga, pois vi meu reflexo naquela imagem. Eu tinha a idade deles quando comecei, treze, catorze anos.

E tudo parecia calmo e andando em direção a um final feliz quando, em 2016, fomos novamente atropelados pela história. O país entra em convulsão, a luta pelo poder trouxe fatos bizarros de volta, a manipulação de massa, uma perigosa e volátil arma política, está sendo usada sem escrúpulo nenhum, a Justiça se transformou em instrumento de vingança, totalmente parcial e claramente partidária... O futuro não nos pertence mais, não há mais como ser neutro, isso será apenas conivência com tudo que está acontecendo. Convivo com pessoas bem próximas com opiniões contrárias à minha, não tenho problema nenhum com isso. Mas conviver com esse ódio repugnante e acéfalo que cresce nas ruas não dá. Não teve jeito, fui à manifestação em prol da democracia, este, sim, o maior bem que temos. No meio da multidão, em meio a palavras de ordem, lembrei do documentário, da imagem dos meus filhos tocando e de como éramos jovens, éramos apenas meninos quando começamos tudo isso. Meninos em estado de fúria.

ESTA OBRA FOI COMPOSTA PELA ABREU'S SYSTEM EM ADOBE GARAMOND
E IMPRESSA EM OFSETE PELA LIS GRÁFICA SOBRE PAPEL PÓLEN SOFT DA SUZANO
PAPEL E CELULOSE PARA A EDITORA SCHWARCZ EM SETEMBRO DE 2016

A marca FSC® é a garantia de que a madeira utilizada na fabricação do papel deste livro provém de florestas que foram gerenciadas de maneira ambientalmente correta, socialmente justa e economicamente viável, além de outras fontes de origem controlada.